Berthier-sur-Mer – 11 – septembre 2022

Pour Andrée,

Un village et ses gens, de l'amitié et de l'amour.

Comme *l'envol des oies*

Bonne lecture !

Carmen Belzile

Guy Saint-Jean Éditeur
3440, boul. Industriel Laval (Québec) Canada H7L 4R9
450 663-1777 • info@saint-jeanediteur.com • www.saint-jeanediteur.com

Données de catalogage avant publication disponibles à Bibliothèque et Archives nationales du Québec et à Bibliothèque et Archives Canada.

Nous reconnaissons l'aide financière du gouvernement du Canada par l'entremise du Fonds du livre du Canada (FLC) ainsi que celle de la SODEC pour nos activités d'édition.

SODEC Québec

Conseil des Arts du Canada   Canada Council for the Arts

Gouvernement du Québec – Programme de crédit d'impôt pour l'édition de – Gestion SODEC

Conception graphique de la couverture et infographie : Olivier Lasser
Révision : Fanny Fennec
Correction d'épreuves : Émilie Leclerc
Photo de la page couverture : iStock/RelaxFoto.de+ kn1

Dépôt légal – Bibliothèque et Archives nationales du Québec, Bibliothèque et Archives Canada, 2016
ISBN : 978-2-89758-088-9
ISBN ePub : 978-2-89758-089-6
ISBN PDF : 978-2-89758-090-2

Imprimé au Canada
1re impression, avril 2016

Guy Saint-Jean Éditeur est membre de
l'Association nationale des éditeurs de livres (ANEL).

CARMEN BELZILE

Comme *l'envol des oies*

ROMAN

DANS LA MÊME COLLECTION

Des livres qui rendent heureuse !

Matilde Asensi
Le pays sous le ciel

Erica Bauermeister
Le goût des souvenirs

Chris Bohjalian
La femme des dunes

Corina Bomann
L'île aux papillons
Le jardin au clair de lune

Alan Brennert
Moloka'i

Jackie Collins
L'héritière des Diamond
Amants infidèles

Kimberley Freeman
La maison de l'espoir

Patricia Gaffney
Les quatre Grâces
Une valse à trois temps

Kathleen Grissom
La colline aux esclaves

Shannon Hale
Coup de foudre à Austenland

Susanna Kearsley
Comme la mer en hiver

Debbie Macomber
La villa Rose, tome 1 : *Retour à Cedar Cove*
La villa Rose, tome 2 : *Un printemps à Cedar Cove*
La villa Rose, tome 3 : *Une lettre en été*
Les anges s'en mêlent

Leila Meacham
Les orphelins de l'amour

Lucinda Riley
Les sept soeurs, tome 1 : *Maia*
La jeune fille sur la falaise

Rosie Thomas
Le châle de cachemire
Les brumes du Caire

Adriana Trigiani
L'Italienne
Bienvenue à Big Stone Gap

Pour votre amicale complicité,
à Hélène et Jean
Lorraine et André
Lucie et Yvon
Lucille et Bruno

Chapitre 1

Anne Savoie ignorait que cette journée changerait à jamais le cours de sa vie. Elle roulait sur l'autoroute 20, interminable, direction est. Triste et froide, une pluie d'avril crépitait sans arrêt sur le pare-brise depuis le départ de Laval et s'intensifiait à mesure qu'elle progressait. Maintenant, le vent soufflait et rendait la conduite plus difficile. Presque toutes les possessions d'Anne emplissaient le coffre et occupaient le siège arrière de sa voiture. En fait, ce qui lui restait après le passage de la tornade Ruth Lampron, sa belle-mère durant quinze ans, ses années auprès de David. Tout avait basculé au décès de celui-ci, survenu six mois plus tôt. Son monde de rêve s'était éteint avec la mort de son amoureux.

Un ciel gris violacé l'escortait, un ciel plus sombre à mesure qu'elle s'approchait du chalet légué par sa belle-famille. Une compensation pour son apport à la compagnie, avait précisé Ruth. Sans doute pour se donner bonne conscience et paraître charitable. Sa destination : Berthier-sur-Mer. Après la mort de David, un grand voile noir avait enveloppé Anne. Cette brume commençait à peine à s'évaporer, quand la chute libre l'avait précipité dans un trou sans fond. Maintenant, elle se rendait dans un coin perdu.

Quittant la voie rapide, elle tourna sur la droite, dans le stationnement d'un poste d'essence pour faire le plein. Comme personne ne venait la servir, Anne sortit de sa voiture, s'empara du boyau de la pompe. Les mains glacées, elle tempêtait intérieurement contre ce lieu exécrable : « Foutu patelin, même pas de service. » Elle entra dans un dépanneur exigu pour payer avec l'impression de déranger l'employé nonchalant qui, les yeux rivés sur l'écran d'un petit téléviseur, suivait une partie de hockey. Il pointa le restaurant adjacent pour indiquer les toilettes. Quelques clients s'attardaient dans la salle à manger bruyante et sombre : cinq hommes juchés sur les tabourets du bar jasaient entre eux et avec la serveuse. « Un restaurant banal et sans personnalité » jugea la jeune femme. Heureusement, les toilettes étaient impeccables de propreté.

Reprenant la route vers le fleuve, Anne tourna à droite sur la 132. D'après son GPS, environ un kilomètre la séparait de sa destination et selon un plan trouvé parmi les papiers du chalet, elle savait qu'il voisinait un motel-restaurant. Elle ralentit en voyant l'enseigne vaciller au vent. Elle eut juste le temps d'apercevoir la porte et les volets jaunes de sa nouvelle propriété, presque incandescents dans l'obscurité qui s'installait, si bien qu'elle rata l'entrée. Elle dut revenir sur ses pas. Anne éteignit le moteur de la voiture, mais laissa les phares allumés ; elle observait le bâtiment devant elle. La déception et surtout la colère embuèrent ses yeux. Certes, elle s'attendait à une maison plus modeste que celle de Morin-Heights – la résidence secondaire des Lampron, son ancienne belle-famille. Mais pas à ça ! C'était ni plus ni moins qu'une cabane qu'elle avait sous les yeux. Ce qui avait l'air de volets aux fenêtres donnant sur la rue était en réalité des panneaux de contreplaqué peints. Elle n'avait nulle part où aller, se retrouvait sans travail et ne disposait plus de ressources financières. Ceux qu'elle croyait ses amis s'étaient évaporés rapidement suite au décès de David. Sa mère lui aurait sans doute ouvert sa porte et ses bras, mais un mélange de honte et d'orgueil l'empêchait d'envisager cette avenue pour le moment. Plus tard, quand elle serait installée, elle irait la voir.

Fouillant dans son sac pour mettre la main sur la clé, Anne affronta les éléments sous l'éclairage des phares de sa voiture et tâtonna pour insérer l'objet dans la serrure. Ses doigts étaient gourds, mais la porte céda sans se faire prier. Elle trouva facilement l'interrupteur ; une faible lueur se répandit à l'extérieur. Anne revint à la voiture, éteignit les phares, s'empara d'un sac et pénétra dans le chalet.

Elle se figea devant ce qu'elle apercevait. Une cabane au fond des bois n'aurait pas été pire. Elle hurla de rage, remplie d'une colère adressée à sa belle-mère, responsable de cette calamité : « Maudite v…, attends un peu et tu goûteras à ma vengeance ! » La force de la pluie qui claquait sur le toit enterra son cri de désespoir. Pendant de longues minutes, l'écho de sa colère rugit à travers la violence du vent et de la pluie. Un état d'abattement eut raison d'elle, le désarroi inonda ses joues et déposa sur ses frêles épaules un lourd bloc de ciment. La solitude, la déception des derniers mois et la fatigue de cette interminable journée l'écrasaient.

Anne était aussi désemparée qu'une petite fille laissée dans un sombre placard dont on a verrouillé la porte.

Reprenant ses esprits, elle se força à détailler les lieux. Ça se voyait, ça se sentait ; l'endroit était abandonné depuis des années. Une odeur de poussière et de renfermé envahissait la place. Elle vit deux minuscules chambres au fond et un semblant d'escalier, ou plutôt une échelle qui montait vers un grenier. Devant le foyer trônait un divan couvert d'un drap taché et parsemé de cadavres de mouches. À côté, une vieille table et des chaises dépareillées occupaient l'espace central, avec tout autour des petits meubles d'appoint, tous désassortis. De lourdes tentures brun sale habillaient un mur entier. Elle fit quelques pas et aperçut une cuisine, laide, minuscule et délabrée. Les électroménagers devaient dater des années cinquante, quelques panneaux d'armoire étaient de travers et l'un pendouillait sur une seule penture. Une seconde porte extérieure donnait sur le côté. Près de la table, une embrasure laissait entrevoir une salle de bain. Anne y entra et actionna l'interrupteur. Rien !

Elle remarqua les marques de boue laissées sur le sol. Si elle transférait les bagages sous cette averse, cela empirerait les choses. Un bourbier, voilà où elle se retrouvait, un vrai bourbier ! Rien pour lui remonter le moral.

Brusquement, un bruit de mitraillette retentit. Anne crut que quelqu'un lançait des cailloux dans les vitres. Les panneaux qui obstruaient les fenêtres assourdissaient et amplifiaient ce tintamarre. Elle ouvrit la porte : la pluie se transformait en glace sous l'effet du vent. Ce qui se déroulait sous ses yeux l'effrayait. Le grésil cognait sur la voiture, le toit, le gravier. Le sol boueux buvait cette « slush ». Elle y vit un mauvais présage. Découragée et devant l'état pitoyable des lieux, elle fulmina en élevant la voix. « C'est pas vrai que cet endroit est désormais mon toit, il est hors de question que je dorme ici ce soir. » Le panneau lumineux du motel voisin vacillait comme un mirage.

Elle empoigna son sac pour quitter cet endroit et elle affronta à nouveau la fureur des bourrasques. Luttant contre ces forces de la nature, elle parvint à refermer l'accès au chalet. Péniblement, elle ouvrit la portière de sa voiture qui claqua comme si un chauffeur invisible la rabattait. Anne s'affala sur le siège.

Elle remonta la légère pente en marche arrière. « Décidément, cette entrée est mal foutue ! » Le lampadaire du motel perçait l'obscurité. Stationnant sa voiture à côté de l'entrée, elle avança en frôlant le bâtiment. Trempée et transie de froid, elle courut à l'intérieur. L'enfer, ce n'étaient pas les flammes et une chaleur à vous faire cuire, c'était cet amalgame de vent, de pluie et de froid qui glace les os. Désespérée, affamée, épuisée par la longue route et l'accablement qui l'étreignait, Anne luttait pour contenir la rage qui l'envahissait comme une déferlante.

Elle prêta peu attention au sourire de la personne à la réception. La musique d'ambiance l'irritait. La vue d'une salle à manger à l'éclairage tamisé lui rappela qu'elle n'avait rien avalé depuis de longues heures. Une horloge indiquait dix-neuf heures trente.

— Bonsoir, dit une voix ferme et chaleureuse. J'imagine que vous souhaitez une chambre, la route ne doit pas être facile sous cette pluie.

Anne faisait face à une femme superbe, la mi-trentaine, à peu près de son âge. Elle affichait un radieux sourire. De sa coiffure relevée s'échappaient de folles mèches encadrant un visage parfait. Habillée de noir, légèrement maquillée, des yeux pétillants…, emblème de perfection apparu dans cette journée cauchemardesque. Le contraste s'amplifia quand Anne aperçut son image dans le miroir derrière le comptoir. Ses cheveux dégoulinaient, son maquillage avait coulé, ses vêtements trempés étaient plaqués sur elle. Le reflet d'une femme en fuite. Toute son énergie servit à réprimer ses larmes.

— Oui, je voudrais une chambre pour la nuit. Et aussi prendre un repas, ajouta-t-elle en lorgnant du côté des tables.

L'endroit était paisible, elle n'avait pas envie de retourner à ce banal restaurant près de la voie rapide.

— Je peux vous offrir la chambre la plus près du restaurant, répondit la beauté. Mais on est hors saison et la salle à manger n'ouvre que pour les déjeuners et les soupers du week-end.

Devant l'air accablé de sa vis-à-vis, elle rajouta :

— Écoutez, compte tenu de la température, je crois qu'on peut essayer de s'arranger. Dans la chambre, il y a une cafetière, un petit frigo et un four à micro-ondes. Je peux vous préparer quelque chose à emporter.

Après un signe d'assentiment de la cliente, l'employée énuméra les possibilités, puis s'excusa et traversa les portes battantes vers la cuisine. Anne emprunta le corridor qui menait à la salle de bain. Elle utilisa du papier essuie-main pour nettoyer son visage, fouilla dans son sac à la recherche d'une grosse pince pour attacher ses cheveux et remit un peu de rouge sur ses lèvres. « C'est un peu mieux ! »

Repassant par la réception, elle monta deux marches et contourna une douzaine de tables. La pluie martelait les grandes baies vitrées de la salle à manger. Des tableaux ornaient les murs. Les titres indiquaient que ces petites peintures représentaient des scènes de la région. Malgré son habitude des galeries d'art et des vernissages, cet artiste, L. Hudon, était inconnu à Anne. Toutefois, ce qu'elle contemplait lui plaisait. Les petites tables près des fenêtres étaient montées pour le déjeuner : napperons tissés, tasses en céramique à motif nautique, support contenant des pots de confitures maison, couverts au manche nacré. Dans un coin, trois autres, rondes et plus grandes celles-là, étaient dressées avec classe : nappes blanches en cotonnade, verres à eau et à vin, lampe surmontée d'un globe de couleur, ustensiles de qualité et serviettes également en tissu. « Pas trop mal pour un coin perdu », pensa-t-elle en revenant vers la réception.

La jeune femme de l'accueil réapparaissait avec un sac et son radieux sourire.

— Voilà, je vous ai mis ça dans un sac de plastique pour le protéger de la pluie. Vous n'aurez qu'à me rapporter les plats demain. Est-ce que vous prendrez le déjeuner ? Les matins sont un peu plus animés qu'en ce moment et vous verrez que la vue sur le fleuve offre un coup d'œil imprenable.

— Oui, je viendrai, répondit Anne d'une faible voix.

Se ressaisissant, elle ajouta :

— Merci beaucoup, j'espère que votre patron ne vous en voudra pas trop pour cette initiative.

— Ne vous inquiétez pas pour ça. Je m'appelle Josée ; si vous avez besoin de quelque chose, je reste ici jusqu'à vingt-deux heures. Voici votre clé, c'est la première porte à gauche. Passez une bonne nuit et à demain.

Anne la salua d'un signe de tête et se dirigea vers la sortie. La pluie tombait toujours, mais le vent soufflait avec moins de force. Sa voiture était garée juste en face de la chambre qui lui était assignée. Elle s'empara rapidement d'un sac fourre-tout avant d'ouvrir la porte. Elle fit de la lumière et referma aussitôt, comme pour rabattre une trappe sur cette interminable et infernale journée.

Le regard d'Anne circula autour de la pièce ; quoique très modeste, l'endroit lui plaisait. Un lieu apaisant avec ses meubles blancs, des murs bleu foncé, des reproductions de scènes de mer et un miroir encadré d'une vraie bouée. Les tentures couleur de sable étaient closes. Une table ancienne au bois blond et sa chaise assortie côtoyaient un fauteuil recouvert d'un tissu bleu foncé. Anne fit quelques pas dans la chambre. La minuscule salle de bain était banale, mais étincelante de propreté. Une impression de calme la submergea, cet endroit restreint mais chaleureux l'enveloppait comme un cocon. Elle dut se secouer pour chasser la douce léthargie qui l'envahissait, car elle avait besoin de retirer ses vêtements trempés.

Sous la douche, Anne laissa l'eau couler longuement pour rincer ses cheveux. Tout se confondait : l'eau de la pluie, celle de la douche, celle des larmes incontrôlables ruisselant sur ses joues. Elle aurait souhaité s'emmailloter dans la moelleuse robe de chambre rangée dans l'une des grosses valises qui remplissaient sa voiture. Elle dut se contenter d'un pyjama de soie, froid et tout fripé. Ce vêtement lui parut ridicule.

La faim la tenaillait, elle aurait avalé n'importe quoi… ou presque. Elle ouvrit le sac remis par Josée. Elle en sortit d'abord un joli napperon, découvrit un pot de soupe, un récipient avec de la salade de poulet et une petite baguette. Une boîte métallique contenait des carrés de beurre, des sachets de tisane et de thé et des biscuits enveloppés de papier ciré. Au fond, de la vraie vaisselle : assiette, bol et ustensiles. « Étonnant ! Pas de vulgaire plastique ni de styromousse », pensa Anne. Elle trouva aussi des serviettes en papier et un mot : *Bon appétit, passez une bonne nuit.*

Cette attention l'émut, ses yeux s'embuèrent à nouveau. Personne ne s'était soucié de son bien-être au cours des derniers mois, alors qu'une pure étrangère savait démontrer une sollicitude qui la touchait. Habituée à réagir aux émotions inconfortables par l'action, elle dressa le couvert pendant que la soupe réchauffait dans le four à micro-ondes et alluma le téléviseur pour réduire au silence ce vent qui rugissait.

Elle mangea avec appétit, tout était savoureux. Elle brancha la cafetière remplie d'eau pour se préparer une camomille. La tension de la journée se dissipait doucement. Était-ce la musique qui s'échappait du poste de la télé, ce repas et les attentions qui l'accompagnaient ? Sans doute une combinaison de tout cela. Elle avala le liquide chaud avec les biscuits maison, débordant de pacanes et de morceaux de chocolat noir. « Divins ! Décidément, cet endroit dévoile de belles surprises », songea Anne, rassasiée.

Pour chasser l'odeur de nourriture, elle lava la vaisselle en utilisant le shampoing déniché dans la salle de bain puis se glissa dans le lit. Elle zappa sans rien trouver d'intéressant à la télévision et revint à la station diffusant de la musique. Elle repensait à sa journée. À quoi aurait-elle dû s'attendre ? Ruth Lampron devait savoir que la découverte de cet « héritage » produirait un effet dévastateur sur Anne. Une seconde, la jeune femme l'aperçut avec un sourire diabolique qui la narguait. Elle avait tenté en vain de se faire aimer de cette femme. Elle avait admiré sa beauté, ses talents d'hôtesse, son sens de l'organisation. Mais là, en cette soirée de météo déchaînée, blottie dans le lit d'un minuscule motel, loin de tout, Anne se sentait seule et vulnérable. Une montée de mépris envers Ruth attisa son goût de vendetta. Jamais elle n'arriverait à vivre dans cette cabane laissée en guise d'héritage. Surtout pas l'hiver! Pour l'instant, elle ne possédait rien d'autre et devrait s'en contenter. En tenant un budget serré, son compte bancaire lui permettrait de subsister quelques mois. Son train de vie changerait radicalement. Les pièces étaient meublées, c'était laid, mais pas trop délabré, toutefois de là à y habiter… Un gros ménage et plusieurs améliorations devenaient essentiels et urgents. Plonger dans l'action l'aiderait à dissiper son sentiment d'impuissance.

Demain, elle procéderait à un méticuleux tour des lieux pour évaluer l'ampleur du travail à effectuer et trouver le moyen de rendre l'endroit confortable tout en estimant la somme d'argent qu'il faudrait y engloutir. Elle n'avait rien vu de l'extérieur, mais savait que le fleuve bornait l'arrière de la propriété. Bien des gens mettent le paquet pour acquérir un site au bord de l'eau. Elle améliorerait cette baraque et la vendrait au gros prix pour s'installer en ville. On était à la fin d'avril, elle s'accordait un mois, ensuite elle commencerait à explorer pour se dénicher un emploi à Québec.

Elle chercha la chaîne de Radio-Canada pour écouter le téléjournal. Le sommeil la gagnait, elle éteignit et se cala dans les oreillers moelleux. Un grand silence l'enveloppait, le vent devenait à peine un murmure.

Chapitre 2

Les aiguilles lumineuses du réveille-matin marquaient sept heures quinze. La pièce était sombre, il lui fallut un moment avant de réaliser où elle se trouvait. Un clapotis de vagues sourdait de l'extérieur. Sortant promptement du lit, Anne tira les épaisses tentures et fut éblouie par la clarté et la vue. Le vent s'était fatigué de souffler. Devant elle, le fleuve s'étalait à l'infini, les vagues roulaient, régulières, laissant entendre un doux mugissement. Un voile de brouillard couvrait la surface de l'eau. Sur la gauche, une plage était parsemée de détritus, sans doute crachés par les flots. Quelques bâtiments perçaient à travers la brume.

Avec difficulté, elle ouvrit la fenêtre. Elle tentait d'entrevoir le chalet, son chalet, sur la droite. Le motel en obstruait la vue. Elle apercevait un bout de plage. Quand les arbres déployaient toutes leurs feuilles, l'endroit devait être à l'abri des regards.

Malgré la fraîcheur, elle restait immobile à écouter ce rythme qui envahissait la chambre. Des mouettes survolaient le ciel, brisant le silence de leurs cris perçants. Fermant les yeux, elle eut l'impression de se trouver sur les côtes de la Nouvelle-Angleterre, un de ses lieux de prédilection. David aimait la mer, il lui avait fait découvrir les régions de Cape Cod, de Cape Ann et la côte du Maine. Il savait dénicher de magnifiques petites auberges où ils s'évadaient les longs week-ends, juste tous les deux. Son esprit s'égara jusqu'à ce qu'un frisson la ramène dans le présent.

Vidée de ses larmes, Anne avait dormi profondément. Se sentant d'humeur moins sombre que la veille, elle était déterminée à aller de l'avant et à ne pas baisser les bras. Elle s'habilla, remonta ses cheveux en chignon et maquilla légèrement son visage.

Au comptoir d'accueil, elle trouva Josée en compagnie d'un bel homme blond, grand, mince et souriant. Une odeur de café, de rôties et de bacon chatouillait les narines. Des bruits de conversation venaient de la salle à manger.

— Bonjour, dit gaiement Josée. Vous avez bien dormi ?

— Comme un charme. Merci infiniment pour le repas, ça m'a rendu service. Avec cette pluie, je n'avais vraiment pas le goût de sortir. C'était réellement savoureux. Votre mot m'a touchée, et j'ai été heureuse de manger dans de la vraie vaisselle.

— Ça me fait plaisir, répondit Josée, quand on roule par un temps pareil, des petites douceurs, ça se prend bien. J'ai une table qui vient de se libérer près de la fenêtre. Si la place vous convient, je nettoie et vous pourrez vous y installer.

Une fois assise et son plat commandé, Anne admirait la vue qui s'offrait à elle. Des rayons de soleil perçaient le brouillard qui se dissipait progressivement. Des montagnes bleutées brisaient la ligne d'horizon de l'autre côté du fleuve. C'était magnifique !

— On ne se lasse pas de contempler le paysage, dit l'homme de la réception. Il apportait un jus d'orange et versait du café. Attendez de voir les couchers de soleil, j'espère que vous en aurez l'occasion.

— Sans doute, répondit Anne, je m'installe dans le petit chalet d'à côté.

— Donc, vous serez notre voisine. Alors, bienvenue dans le coin. Je m'appelle Sébastien, le mari de Josée qui vous a reçue hier soir. On habite au village, mais ce motel-restaurant est presque notre deuxième maison. Et puis, vous verrez que, par ici, il y a en général, un bon voisinage. Je vous apporte votre repas maintenant ?

Anne répondit d'un signe de tête. Elle dévora les œufs brouillés, les fruits frais et le fromage qui garnissaient son assiette. Sans compter les rôties au pain de ménage. Elle n'avait pas l'habitude d'un déjeuner si copieux. « Une fois n'est pas coutume. » L'organisation de sa journée défilait dans son esprit pendant qu'elle avalait son repas. Elle doutait de pouvoir dormir au chalet le soir même et le prix du motel lui convenait, c'était pratique et juste à côté.

Tout en réglant sa note, elle discuta avec Josée pour prolonger son séjour de deux semaines.

— Vous savez, dit Josée, en ce temps-ci de l'année, il n'y a aucune restauration au village. Je peux vous préparer un lunch froid pour le midi et un souper à réchauffer pour le soir. Le vendredi soir et la fin de semaine, la salle à manger est ouverte.

— Oh ! ce serait parfait. Je n'aurais pas à me soucier de trouver un endroit pour manger. Ça me permettrait de me concentrer sur le ménage et l'installation au chalet.

— Si vous avez besoin de vieux chiffons pour le ménage, je peux vous en donner. Quand les serviettes sont tachées ou usées, elles changent de vocation.

Après un bref silence, Josée ajouta :

— Si on est pour devenir voisines, on pourrait se tutoyer.

— Oui, bien sûr. Moi, c'est Anne. Mais, vous... tu dois le savoir puisque tu as rempli la fiche à mon arrivée. Je repasserai dans une heure pour prendre le lunch. Ça me donne le temps pour un tour de reconnaissance et je te dirai alors pour les guenilles. Merci.

Anne entra dans le motel les deux valises remplies de vêtements. « Aussi bien m'installer à mon aise si je suis pour passer un bout de temps ici. » Elle rangea chandails et sous-vêtements dans les tiroirs, suspendit chemisiers, pantalons et robes dans la penderie. Décidément, peu d'éléments de sa garde-robe convenaient aux tâches qui l'attendaient. Elle réalisa qu'elle devrait se salir les mains. Depuis des lustres, elle touchait à peine au ménage, se limitant à un entretien minimal. Regardant ses fines mains impeccablement manucurées, Anne prenait conscience que cet aspect, comme bien d'autres, ne serait désormais plus comme avant. Combien de temps ses ongles en silicone résisteraient-ils à l'eau chaude et aux détergents ?

« Bon, ma vieille, c'est pas le moment de te laisser abattre, ça ferait trop plaisir à Ruth Lampron. » Cette pensée la fouetta. Ramassant ses clés, elle sortit de sa chambre et monta à bord de sa voiture pour parcourir à peine deux cents mètres. Malgré une meilleure visibilité que la veille, le virage en U pour atteindre l'entrée du chalet exigeait une manœuvre délicate. « Il faudra vraiment faire rectifier cette courbe. »

Son cœur battait lorsqu'elle déverrouilla la porte du chalet et prit une profonde inspiration, puis elle enjamba le seuil de sa nouvelle vie.

L'endroit était sombre malgré le soleil éblouissant à l'extérieur. Anne tira les épaisses tentures pour faire entrer la clarté. Une immense fenestration couvrait tout le mur arrière et courait jusqu'au magnifique foyer de pierres qu'elle avait distingué la veille. L'espace infini du fleuve s'étalait comme un gigantesque tableau qui embellissait la pièce. Elle ouvrit une fenêtre, l'air frais pénétrerait à l'intérieur et chasserait les relents de poussière et de renfermé. Après toutes ces années d'abandon, il était surprenant que l'odeur d'humidité soit à peine perceptible.

Un sourd ronronnement émanait du réfrigérateur coincé dans une vieille armoire. Anne regarda à l'intérieur. Propre et vide, à l'exception d'une boîte de bicarbonate de soude. Elle répéta le manège de vérification avec la cuisinière adossée au mur extérieur. Le four était impeccable et un papier d'aluminium recouvrait le fond. Les quatre ronds également très propres dégageaient tous de la chaleur. Démodés, d'un blanc jauni, les deux électroménagers étaient fonctionnels, c'était toujours un aspect de réglé. Une rangée de tiroirs séparait le poêle de l'évier, un bout de comptoir servait de coin-lunch, deux tabourets étaient glissés dessous. Ces sièges aux tuyaux de chrome ressemblaient à ceux des années cinquante. D'ailleurs, tout rappelait une allure de cette époque. Sous une armoire près de l'évier, la vieille boîte à pain métallique et ses récipients assortis de grandeur décroissante identifiés : *flour, sugar, tea, coffee* ravivèrent un vague rappel de la maison de sa grand-mère paternelle où il y avait le même type d'accessoires. Un souvenir à l'odeur de pauvreté. « Quel retour en arrière, quel mauvais tour la vie m'a joué ! »

Ouvrant rapidement les portes d'armoire, elle trouva de la vaisselle et des verres dépareillés, des chaudrons cabossés et une panoplie de moules ; dans les tiroirs, des vestiges oubliés de couverts et d'ustensiles de service passablement décatis et rangés sous l'évier, et un bol en grès bleu. « Seigneur ! Que des vieilleries, il n'y a rien de bon pour moi dans tout ça ! » Anne pivota vers le foyer. Un large manteau de bois le surmontait.

Elle contourna le comptoir pour explorer la salle de bain. Minuscule ! Une baignoire sur pied occupait la moitié de la surface. La cuvette de la toilette était tachée d'un rouge cuivré. Le lavabo encastré dans un minuscule comptoir recouvert d'un vieux prélart, le dessous fermé par un rideau de coton. « Dieu du ciel ! Ai-je atterri chez ma grand-mère ? »

Anne examina les deux chambres. Réunies, elles correspondaient probablement à la dimension de son ancien *walk-in*. Elle laissa échapper un soupir de regret en réprimant des larmes. L'une des pièces comportait des lits superposés fixés entre deux murs opposés, dont on aurait dit qu'ils avaient été fabriqués sur place. Des couvertures trouées camouflaient les matelas. Aucun meuble, sinon une table d'appoint en demi-lune sous la fenêtre. Dans l'autre chambre, un lit à deux places remplissait presque tout l'espace. D'étroites tablettes grimpaient jusqu'au plafond. À ce moment, elle constata l'absence de portes : de simples rideaux glissés contre le cadre étaient attachés avec une embrasse à l'intérieur de la chambre. Dans leur immense chambre, David aimait la prendre dans ses bras et la faire tournoyer jusqu'à l'étourdir avant de la lancer doucement sur le lit, un rituel par lequel il lui faisait savoir qu'il souhaitait lui faire l'amour. « J'ai l'impression de passer de la salle de bal au trou de souris. »

Elle escalada l'échelle-escalier, juste pour apercevoir le deuxième. Ce n'était ni plus ni moins qu'un grenier sombre. Elle s'assit sur l'une des marches et réfléchit. « Je n'ai pas d'autre choix que de m'installer ici, pour le moment. Mais je n'y passerai sûrement pas plus d'un été et ce sera très long tout un été dans pareil endroit. Cependant, rien ne m'oblige à tolérer cet aspect minable. Et si je tentais de mettre en valeur ce qui me plaît ? La vue est magnifique, le foyer, superbe et j'arriverai sûrement à trouver quelques beaux objets pour attirer l'œil. »

Anne était connue pour sa débrouillardise et son sens de l'organisation hors du commun. Ça, c'était dans sa vie professionnelle. Dans le privé, avec David, tout avait été tellement réglé et routinier qu'elle n'avait pas eu à réfléchir… ou presque. Une femme de ménage venait toutes les semaines pour s'occuper de l'entretien, de la lessive, changer le lit et parfois, effectuer quelques courses si elle ou David avait préparé une liste. Les fins de semaine se déroulaient le plus souvent à la maison de campagne des Lampron. L'emploi du temps, les menus, les invités, tout avait été planifié par ses beaux-parents. Anne et David avaient glissé avec aisance dans cet univers de loisirs organisés et de mondanités. C'était un répit après les longues journées au bureau à prendre mille décisions. Mais surtout, elle avait réalisé son rêve d'adolescente : accéder au cercle des bien nantis, dans la richesse, loin de la pauvreté et du sillage de la honte qui l'enveloppait.

Maintenant, son pécule se résumait à ce chalet, à des vêtements peu appropriés et à des provisions pour subsister quelque temps. Désormais, son sens de l'organisation et sa débrouillardise devraient servir dans sa vie privée. Jetant un œil à sa montre, elle se pressa : elle vida la voiture et déposa le tout dans la chambre aux lits superposés. Elle compléta une liste d'achats à faire au village et dressa un inventaire de tâches sur une autre page de son calepin. Elle retourna ensuite à pied à la réception du motel.

Sébastien bavardait avec un client à la caisse, visiblement un travailleur, vu son accoutrement. Par la porte à battants, Josée sortit de la cuisine avec un sac.

— Voilà pour le lunch du dîner, tu peux laisser la vaisselle sur place. Pour ce soir, je peux t'offrir de la lasagne ou une coquille de fruits de mer ou une soupe et une salade, mais différentes de celles d'hier. Les mets sont congelés.

— Va pour une lasagne, répondit Anne. Je suis consciente que c'est un spécial et j'apprécie beaucoup. Y a-t-il un endroit pas trop loin où je pourrais me procurer des produits de nettoyage ? Et puis, je prendrais bien quelques-unes des guenilles dont tu m'as parlé.

Josée lui donna quelques indications pour les courses, au village et à Montmagny, situé à une douzaine de kilomètres.

Anne parcourut le même tronçon de la route 132 que la veille, tourna à droite et passa devant une école. À l'arrêt, elle se dirigea vers le clocher de l'église. L'épicerie se trouvait juste à côté, dans le bâtiment adjacent à une petite quincaillerie. Elle y croisa l'homme aperçu un peu plus tôt au restaurant. Il réussit à lui tenir la porte alors qu'il sortait avec deux gallons de peinture.

— Bonjour, dit-il. C'est vous qui emménagez dans le chalet à côté du resto de La Grève.

C'était davantage une affirmation qu'une question.

Il rajouta:

— S'ils ont pas ce que vous voulez, demandez-le. Ils peuvent l'obtenir de la plus grosse Coop, au village voisin. Bonne journée.

Anne le remercia sans plus et entra dans le commerce. Une femme à la caisse lui proposa de l'aide.

— Pour le moment, j'aimerais juste me faire une idée de ce que je peux trouver ici.

Elle arpenta les allées. Elle se sentait comme une intruse. Jamais elle ne pénétrait dans ce genre de commerce, un endroit qu'elle jugeait réservé aux hommes. Retournant vers la caisse, elle ramassa au passage quelques articles de ménage, régla la note puis déposa ses effets dans le coffre de sa voiture avant d'entrer dans le magasin voisin.

De fait, c'était surtout plus un dépanneur qu'une épicerie. Là aussi, elle explora toutes les allées avec un panier. Elle fit quelques achats, sortit avec son sac de provisions et reprit la direction du chalet.

La moitié de la matinée s'était écoulée quand elle se mit réellement au travail. Le soleil réchauffait l'air. Pour le lunch, elle s'installa à une table de pique-nique derrière le restaurant. Une silhouette marchait sur la plage. Une fois de plus, c'était succulent. Le sandwich au poulet dans un pain de blé et… tartiné de gelée de pommes était surprenant et tout simplement délicieux! «Quel raffinement!» pensa Anne. Elle songea que tous les gens rencontrés s'étaient montrés gentils. Cependant, une chose l'agaçait, l'ouvrier croisé à la quincaillerie semblait savoir où elle allait s'établir. Les nouvelles couraient vite, qu'advenait-il de la vie privée? Cela la contrariait. Un oiseau vint la distraire, la regardant un moment avant de reprendre ses vocalises. Le marcheur de la plage revenait sur ses pas ; Anne retourna rapidement au chalet.

En entrant, elle respira de contentement l'odeur de propreté et de fraîcheur. Elle entama le nettoyage de la salle de bain pour être en mesure de l'utiliser. Elle arracha le rideau qui fermait le meuble-lavabo et celui de la fenêtre. Adolescente, Anne avait fait de la couture, par souci d'économie. En jetant le tissu élimé dans un sac-poubelle, elle se demandait si coudre pouvait devenir un moyen créatif et agréable de retaper son chalet. Elle prit conscience qu'elle avait pensé SON chalet. Pour le moment…

Il restait tant à faire ! Examinant les chambres, elle fut submergée par une envie de pleurer devant ce minable cagibi où elle devrait dormir. « Peut-être, mais sûrement pas sur une vieille paillasse. » Le couvre-lit rejoignit les rideaux de la salle de bain à la poubelle. Elle sortit le matelas à l'extérieur avec une sensation de soulagement. Elle se rendrait à Montmagny à la fin de l'après-midi pour explorer ce qu'elle pourrait trouver comme meuble.

En effectuant le tri des armoires de cuisine, elle découvrit des objets intéressants, notamment des pièces de vaisselle et un remarquable saladier. Ce qu'elle conservait fut lavé et rangé, le reste s'empilait sur la table pour être jeté. Elle arracha aussi toutes les tentures pour s'en débarrasser.

À la fin de la journée, elle observa les lieux avec un regard nouveau. Les fenêtres libérées, l'espace semblait plus grand, plus lumineux. Ce panorama sur le fleuve devrait être mis en vedette. Sinon, pourquoi chercher un emplacement au bord de l'eau ? Le divan et le fauteuil étaient fanés, mais confortables. La table et les chaises auraient fière allure avec une nouvelle couleur. Si elle voulait vendre le chalet et en tirer un bon prix, il devait être attrayant. Un coup de pinceau devrait suffire et, pour les meubles du salon, un revêtement neuf ou simplement une jolie housse ferait l'affaire.

Anne revint au motel très tard après sa virée de courses à Montmagny, l'estomac dans les talons, mais satisfaite des achats effectués. Un matelas serait livré dans trois jours. Toutefois, elle arrivait à la conclusion qu'elle devrait rapidement se rendre jusqu'à Québec pour terminer ses emplettes. Elle mangea devant la fenêtre. Encore une fois, c'était exquis.

Avalant une salade de fruits maison, elle repensait à son attirance devant la vitrine d'une petite librairie, à la charmante enseigne, croisée tout à l'heure à Montmagny. Elle s'était attardée, se promettant de revenir bouquiner. Il y avait longtemps qu'elle ne lisait plus. Adolescente, elle fréquentait assidûment la bibliothèque municipale, un loisir de pauvre parce qu'elle ne pouvait pas s'acheter les livres, ni l'abonnement au club de tennis ni les cours de danse. La bibliothèque, c'était par défaut, sa mère n'ayant pas les moyens de lui payer ces activités qu'elle souhaitait. Elle préférait utiliser son argent de poche, gagné avec son travail de gardienne d'enfants ou de monitrice au terrain de jeux durant l'été, pour s'offrir des vêtements et des chaussures de marque, des produits de maquillage, des disques ou des sorties avec ses amies. Pourtant, elle se délectait de lecture. Après avoir intégré la famille Lampron, il y avait tant de choses excitantes et prestigieuses à découvrir que ce plaisir fut relégué aux oubliettes.

Malgré la fatigue et la pénombre qui l'enveloppait, Anne porta ses sacs jusqu'au chalet. Elle avait acheté une cafetière, un grille-pain et quelques accessoires de base pour cuisiner. À Montmagny, elle avait sillonné une rue commerciale dont les magasins et les boutiques différaient de ceux qu'elle fréquentait d'habitude. Elle avait trouvé des jeans et des t-shirts dans un commerce pour travailleurs, des vêtements bon marché, à des lieues de ses tenues habituelles, mais adéquates et pratiques pour la durée des rénovations. Il y a peu, cette somme dépensée aurait à peine couvert l'achat d'un chemisier.

Tout comme le fait qu'elle aurait à se salir les mains, cette incursion l'avait trempée dans la réalité. Quel écart avec le luxe des dernières années ! Cependant, l'épicerie l'avait agréablement surprise avec son bel étalage de fruits et de légumes frais, la poissonnerie et ses produits maison, la boucherie très achalandée, les odeurs de boulangerie. Elle avait fait quelques provisions. Dans la file d'attente de la caisse, elle n'avait remarqué aucun signe d'impatience ou d'irritation, ce qu'elle avait observé immanquablement les rares fois où elle s'était rendue à l'épicerie du temps de David. Ici, les gens échangeaient et discutaient météo, actualités du coin ou se racontaient des histoires. Était-ce toujours ainsi, dans toutes les petites bourgades ?

Perdue dans ses pensées, elle admirait le fleuve scintillant sous une lune presque pleine. Le temps très clair permettait de distinguer la silhouette des montagnes d'un bleu mauve de l'autre côté de la rive. Elle était face au mont Sainte-Anne, des sillons de neige persistaient au sommet. Ce tableau l'apaisait. Jamais elle n'avait éprouvé un tel sentiment pour la maison de campagne de Morin-Heights pourtant située au cœur de la nature, sise dans un écrin de verdure, un mélange de conifères géants et de feuillus. Un ruisseau coulait derrière la résidence. Anne s'était attardée davantage au tape-à-l'œil.

Les journées se déroulaient, ponctuées par le ménage et l'organisation du lieu qui serait désormais son nid pour quelques semaines. La cuisine et la salle de bain étaient fonctionnelles et son nouveau lit, prêt à l'accueillir.

Le dernier soir de son séjour au motel, longtemps Anne observa les grands vols d'oies blanches qui parcouraient le ciel. Leur cri caractéristique l'envoûtait. Comme ces oiseaux, elle se trouvait entre deux destinations, mais elle ne possédait pas leur instinct pour s'assurer qu'elle allait dans la bonne direction. Elle finit par se glisser dans son lit et s'endormit en regardant les étoiles s'allumer dans la nuit naissante.

Chapitre 3

La descente d'Anne avait commencé six mois plus tôt. Ce fut une semaine de jubilation avant le « crash », marquée par le succès de la négociation d'un important contrat avec une compagnie de granit de la Colombie-Britannique. Leurs représentants avaient été charmés par Anne. En tant que directrice des ventes de la section résidentielle, elle avait vu à presque tout : réservations pour leur séjour, organisation des visites, des temps de réunion et des pourparlers au sein de l'entreprise Lampron. Même les moments libres étaient planifiés. À la fin d'une soirée, Jean-Guy Lampron avait proposé une visite sur le Mont-Royal pour observer la ville illuminée. Épuisée, Anne s'était pliée au souhait de son patron : se dégourdir un peu les jambes pour jouir de cette magnifique nuit du début d'automne. Cette excursion dans les sentiers de la montagne s'avéra un supplice avec ses talons aiguilles. Chaussée d'espadrilles, elle pouvait courir une quinzaine de kilomètres sans effort, mais en tenue de soirée, une simple marche devenait un périple. Le groupe apprécia cette escapade loin de l'ambiance du travail. Ils l'avaient généreusement exprimé à Anne, c'était ce qui importait. Elle en avait oublié momentanément ses pieds endoloris.

Le lendemain, David devait raccompagner les voyageurs à l'aéroport. En tant que vice-président de la compagnie, il avait sollicité Anne pour s'en charger. Il souhaitait plutôt préparer son équipement et retrouver son groupe de randonneurs pour une sortie au mont Washington prévue ce samedi. Elle avait accepté de bon cœur.

Au retour de l'aéroport de Dorval, Anne avait fait un saut au condominium pour rassembler son bagage du week-end avant de reprendre la route vers les Laurentides ; la maison de campagne était un lieu de rendez-vous pour la famille. Généralement, des invités s'installaient dès le vendredi soir, mais cette fin de semaine, les compagnes des deux amis randonneurs de David rejoindraient Anne le samedi après-midi.

Prisonnière de la circulation, Anne arriva plus tard que prévu. Elle trouva Ruth attablée devant l'unique couvert.

— Je ne connaissais pas tes intentions pour le souper : la politesse aurait mérité un coup de fil pour me prévenir, dit sèchement sa belle-mère en guise d'accueil.

Sans autre mot, elle ramassa son assiette et ses couverts, et quitta la pièce. Épuisée, mais fière de sa semaine, Anne soupira : elle avait contribué à tisser de bons liens avec leurs homologues de l'Ouest. Ses efforts déployés pour rendre leur séjour confortable et agréable avaient porté leurs fruits. Anne savait que son patron appréciait sa propension à créer un climat favorable aux échanges et à satisfaire chacune des parties plutôt que de chercher à gagner à tout prix.

Cependant, en présence de sa belle-mère, la jeune femme éprouvait presque toujours un sentiment de médiocrité. Ruth Lampron la traitait de haut et savait lui faire sentir qu'elle ne venait pas de leur monde. Jamais un bon mot, ni un merci ni aucune gentillesse.

Depuis quinze ans qu'elle partageait la vie de David, elle aurait tant souhaité que la mère de son amoureux l'accepte et l'apprécie. Se montrant aimable et attentionnée, Anne s'intéressait aux activités de Ruth et à ses passe-temps. En retour, elle essuyait froideur, sarcasmes et humiliation, mais jamais en présence de son fils ou de son mari. La jeune femme avait pris conscience de cette attitude quand elle apprit qu'elle ne pourrait concevoir d'enfants. Le fossé entre les deux femmes s'était creusé davantage. Cette nouvelle avait dévasté Anne et, le soir même, Ruth avait malicieusement profité de la vulnérabilité de la jeune femme pour taper sur le clou. Les deux femmes dressaient la table quand Ruth avait pris une voix glaciale pour lui lancer :

— Je vois là un signe du destin, tu n'étais pas destinée à mon fils et à cause de toi, Jean-Guy ne pourra avoir de descendance portant le nom des Lampron…, à moins que tu aies la sagesse de tirer ta révérence.

Anne était restée muette, abasourdie par les propos de sa belle-mère.

Anne s'était ensuite concentrée sur son travail pour engourdir sa peine. Cependant, Ruth n'avait pas lâché la bride, elle avait opéré d'insidieuses manœuvres pour tenter d'introduire, dans le cœur de David, la fille d'un couple nouvellement installé à Morin-Heights. Anne n'oublierait jamais cette fois où sa belle-mère les avait invités pour la soirée. Au moment du digestif, les jeunes gens s'étaient retrouvés autour de la table de billard. Ils riaient, ils s'amusaient. Arrivée comme un fantôme, la phrase avait percuté comme la boule qui roulait sur le tapis vert.

— Quel plaisir de vous voir ainsi, vous faites un si beau couple !

Ruth s'adressait à la jeune invitée.

— Maman ! avait répondu David en haussant le ton.

— Anne et toi n'êtes pas mariés...

— Tu as tort. Les liens entre Anne et moi sont aussi solides, et même plus, que certains légalisés dans un mariage « officiel ». Ma vie sentimentale ne te concerne pas, maman. J'espère m'être bien fait comprendre !

Un lourd silence était tombé dans la pièce, brisé seulement par le crépitement du feu dans la cheminée et le *clac* des billes sur le billard.

Ce fut la première fois, et la seule, où Anne vit son conjoint exprimer ouvertement son désaccord avec sa mère, lui qui d'habitude, l'adulait. Jean-Guy Lampron n'avait pas bronché pour remettre son fils à sa place, il jugeait qu'il avait raison de traduire ainsi sa pensée. Ruth l'avait fusillé du regard.

Jean-Guy Lampron considérait Anne comme un membre de la famille. Il avait suggéré de l'engager suite à son stage dans la compagnie. « Cette petite a du cœur à l'ouvrage, elle avance de bonnes idées et apporte les stratégies pour les appliquer, visionnaire en plus. » Depuis son arrivée, l'entreprise avait développé de nouveaux créneaux. Anne avait vu juste en proposant de percer le secteur résidentiel. Les comptoirs de granit et de marbre devenaient des produits recherchés, ce département connaissait une croissance régulière alors que la vente de pierres tombales stagnait et que celui de la construction immobilière demeurait un marché en dents de scie depuis que des tours de bureaux presque entièrement en verre se multipliaient dans le paysage urbain.

Jean-Guy Lampron voyait bien que cette jeune femme faisait le bonheur de David malgré ses origines très modestes. Contrairement à Ruth, il n'y accordait pas d'importance. Il lui trouvait un charme naturel, de la classe ; elle savait discuter et se fondait harmonieusement dans leur vie sociale. Attristé d'apprendre que le couple ne pourrait avoir d'enfants, il songeait à l'adoption comme une solution envisageable. Une descendance Lampron deviendrait la quatrième génération dans la compagnie.

Au début de leur mariage, Ruth avait travaillé quelque temps dans l'entreprise. Elle tentait de tout régenter et s'était mis à dos le frère et partenaire de son mari. L'attitude de Ruth avait entraîné une distance entre leurs deux familles. Après un épisode houleux, ils en étaient venus à une entente : Ruth siégerait au conseil d'administration, mais resterait à la maison pour s'occuper des enfants et organiser leur vie sociale. Il expliquait l'animosité de sa femme pour sa bru par une jalousie pure et simple. D'abord, selon l'expression de Ruth, « Anne avait mis le grappin sur leur fils unique » ; ensuite, parce qu'elle avait réussi là où elle-même avait échoué : faire sa place dans l'entreprise et y être appréciée.

Anne finissait de vider ses bagages quand elle entendit sa belle-mère faire chauffer de l'eau. Elle attendrait qu'elle quitte la cuisine avec son thé pour aller prendre une bouchée.

* * *

Sortie de la douche, Anne avait revêtu une tenue de détente. Installée sur un coin du comptoir avec un verre de lait, elle avalait un sandwich. Tout était rangé et rutilait dans le reflet des lampes DEL disséminées sous les armoires. Ruth était une maniaque de l'ordre et de la propreté. Même si une femme de ménage entretenait la résidence des Mille-Îles et la maison de campagne, Ruth ramassait, rangeait, lavait presque compulsivement. Elle ne tolérait aucune traînerie, ne fût-ce qu'une tasse laissée près de l'évier ou un livre déposé sur la table à café. Le décor de la cuisine, comme le reste de la demeure était figé, dépouillé de tout indice de la personnalité des occupants. Magnifique, somptueux et… glacial. Ruth savait qu'Anne prendrait son repas en arrivant; elle n'avait démontré aucun geste de sollicitude. Sa belle-mère restait murée dans sa chambre, le son du téléviseur parvenait en sourdine jusqu'à la cuisine.

Perdue dans ses pensées, Anne sursauta en entendant une présence derrière elle.

— Bonsoir Anne, dit son beau-père. Tu es seule? Il l'immobilisa d'une main quand elle fit mine de se lever. J'ai mangé chez le traiteur avant de quitter le bureau.

Jean-Guy Lampron enleva son veston et se versa une tasse de lait qu'il réchauffa dans le four à micro-ondes avant d'ajouter un soupçon de Kahlua. Il s'installa sur un tabouret à côté de sa belle-fille; même si aucun lien légal ne l'unissait à son fils, il la considérait comme telle. Qu'est-ce que des papiers pouvaient changer?

— Je suis très content du résultat de nos négociations avec les gens de l'Ouest. Je te dois une fière chandelle, Anne. Tu as été admirable et je t'en suis reconnaissant. Ce DG a la couenne dure en affaires, il a la réputation de ne faire aucun compromis. Je me suis rendu compte que tu avais préparé leur visite comme on s'occupe de l'arrivée d'amis ou de membres de la famille et je pense que ça a fait une différence. Cet accueil chaleureux a dû faire une brèche dans son armure, ou bien ça l'a mis en confiance et a contribué à assouplir sa position.

— C'est gentil à vous de me le dire. J'ai vraiment pris plaisir à planifier cette visite. Mais dites-moi, est-ce habituel qu'une compagnie nous laisse carte blanche pour organiser son séjour?

—Je l'ai proposé à la secrétaire quand elle m'a contacté pour fixer les dates. Et j'étais certain que la soirée à l'opéra tomberait dans les champs d'intérêt de leur président.

— C'est un bon coup, il faut savoir tirer les ficelles et se montrer encore plus fin que le renard.

Le charme fut rompu, c'était Ruth qui venait de faire irruption dans la pièce.

— Bon, le week-end est commencé, reprit Jean-Guy, je ferme le cahier des sujets qui concernent le bureau.

Anne croyait que contribuer à rendre un séjour agréable était une question de politesse et de savoir-vivre. La courtoisie est une qualité appréciée même chez des adversaires. Elle conserva ses pensées pour elle.

Jean-Guy Lampron concevait qu'une bonne stratégie est davantage tissée de diplomatie que de manipulation comme le laissait entendre Ruth. La diplomatie est un acte de bienséance; la manipulation, un coup de poignard dans le dos. Il garda son commentaire pour lui.

Soudain très las, il se leva et déposa distraitement une bise sur la joue de sa femme, plus par habitude que par affection. Anne trouvait le geste machinal, il y avait mis le même élan que pour abaisser l'interrupteur de l'éclairage.

Des gestes quotidiens accomplis mécaniquement. Est-ce qu'elle en arriverait là un jour avec David ? Elle en doutait. David avait dit qu'une flèche de Cupidon l'avait atteint lors de leur première rencontre. Il se montrait attentif, courtois et tendre envers elle. Il excellait dans le sport, démontrait un entregent chaleureux et savait faire plaisir..., même à sa mère. Anne était sous le charme de cet homme aux yeux rieurs, à l'allure athlétique et surtout, il lui avait ouvert les portes de son rêve. Ils étaient devenus complices dans la vie comme au travail. Leurs points de vue, leurs valeurs et leur philosophie de l'existence suivaient une direction. Ils s'admiraient mutuellement et partageaient beaucoup d'intérêts.

Ruth possédait un talent pour les petites phrases assassines, les commentaires acides et pratiquait l'art de vous faire sentir minable si vous n'étiez pas de son rang social. Autrement, elle devenait chaleureuse, mielleuse et affichait un sourire et des manières forgés par le « bien paraître ». Jean-Guy se montrait ferme et directif dans les affaires, il savait reconnaître les qualités, même chez un adversaire et démontrait du respect envers tous. Au bureau, Jean-Guy Lampron était un roc sur lequel on pouvait s'appuyer. En privé, il faisait figure de bon vivant. Il aimait rire, discuter politique, musique, voyage et de temps à autre philosophie, mais rarement de travail. Avec Ruth, celle qui partageait sa vie depuis presque quarante ans, il se révélait très réservé, peu expansif. Son attitude non verbale laissait parfois transparaître sa contrariété par un soupir, un œil sombre ou une narine dilatée. Dans sa vie de couple, Jean-Guy Lampron était un roseau qui se balançait au gré du vent, mais qui tenait bon.

David avait toujours admiré son père, près de lui il avait fait l'apprentissage de la courtoisie et de l'amabilité. Sa mère lui avait transmis la fierté et le goût du travail impeccable. Anne savait que, depuis l'adolescence, son amoureux était un fan de John Lennon, un modèle de vie pacifique. « Sans doute que cette adulation a contribué à rendre David si doux et tendre, comme l'était son idole. »

Après avoir déposé son verre dans le lave-vaisselle, Anne souhaita bonne nuit à ses beaux-parents en ayant une pensée pour David, qui passait la nuit dans le refuge au pied de la montagne qu'il gravirait le lendemain.

* * *

Ce jour-là, Anne commença la journée par son circuit de jogging. La montagne s'habillait de couleurs automnales où les nuances de rouge prédominaient. Au retour, elle vit que les sacs de golf n'étaient pas à leur place, ses beaux-parents se trouvaient donc déjà sur le parcours. Elle mangea un bol de gruau, se doucha et partit dans les magasins. La température était magnifique. Elle flâna un moment dans les boutiques trop achalandées. Ses pensées se tournaient vers David, attendu avec ses complices pour le souper. Un repas festif où l'escalade serait sans doute le sujet central de leur discussion.

David aimait les sensations fortes comme si les poussées d'adrénaline l'aidaient à affronter les défis du bureau ou les aspects plus banals de la vie. Il avait volé en deltaplane au mont Saint-Louis, sauté en parachute, plongé dans les profondeurs du fleuve à la recherche d'épaves sur la Côte-Nord et dans les mers du sud pour photographier les bancs de poissons exotiques. Au printemps, la descente de rivière en rafting était devenue un rituel, tout comme une escalade sur les pans les plus escarpés d'une montagne en automne. Amis d'enfance, Étienne et Yannick, les compagnons de David dans ses expéditions sportives, étaient habités de la même passion à frôler le danger. Cinq ans plus tôt, ils avaient connu David en volant en deltaplane. Depuis, ils se rencontraient pour pratiquer l'une ou l'autre de leurs activités « extrêmes ». Leurs compagnes s'entendaient bien et ces retrouvailles des trois couples avaient souvent lieu à la résidence secondaire des parents de David. Il y avait de la place pour tout le monde, chacun pouvait profiter de la piscine, jouer une partie de billard et l'hiver, la proximité des pistes de ski devenait un net avantage pour ces rendez-vous. Anne avait à peine eu le temps de déposer ses paquets dans l'entrée que la sonnerie de la porte annonçait l'arrivée de ses amies.

Pendant que leurs hommes transpiraient sur les flancs d'une montagne, Anne, Joanie et Lysane passaient la fin de l'après-midi à arpenter les sentiers du Parc régional de la Rivière-du-Nord à Saint-Jérôme. Joanie traînait son appareil photo comme un appendice indispensable, croquant nombre d'images d'oiseaux, de jeux d'ombre dans les feuillages aux couleurs automnales et surtout captant les eaux tumultueuses des chutes Wilson. Une excursion parsemée de rires à travers les bruits en cascade de la rivière qu'elles sillonnaient et le craquement des feuilles sèches sous leurs pas. Une accalmie avant la tempête, une douceur avant la grande douleur, une tranquille navigation en eau calme avant de sombrer dans l'abîme.

Chapitre 4

Comme un film, Anne repassa en boucle l'insoutenable cauchemar depuis son retour de la randonnée. Les deux voitures de police à l'avant de la maison. L'annonce de l'accident fatal de David, les paroles de Jean-Guy pour tenter de la réconforter. La mine déconfite d'Étienne et de Yannick, témoins impuissants de la tragédie. Elle demeurait incrédule et des larmes silencieuses inondaient son visage jusqu'à ce qu'un hoquet lui coupe le souffle et la secoue de tremblements. À ce moment seulement, elle avait crié : « David ! NON, NON ! » puis elle s'était écroulée. Les bras vigoureux de Jean-Guy l'avaient soulevée et soutenue jusqu'à un fauteuil à l'intérieur.

Plus tard, elle apprit qu'en dépit de l'arrivée rapide des secours, rien n'aurait pu changer le cours de la vie de David, une fin abrupte. Il avait suffi d'un instant de distraction pour qu'il perde pied, lui, d'habitude si vigilant. En altitude, malgré un soleil étincelant, des plaques de glace s'incrustaient à travers le suintement sur les parois. David l'avait vu trop tard, son pied avait glissé, la perte d'équilibre l'avait entraîné dans une chute fatale. Ses compagnons n'oublieraient jamais son hurlement ni le bruit de l'impact sur le rocher. Étienne avait atteint le sommet et tenait la main de Yannick pour l'aider à se hisser sur le promontoire. David fermait la marche, il n'arriva jamais à la cime. Pourtant, ce n'était pas la première fois qu'ils escaladaient ce territoire de la montagne.

L'état de léthargie dans lequel se trouvait Anne la rendait inopérante. Ruth prit en main la suite des événements. David était son enfant après tout. S'activer, décider, organiser les obsèques, voir à tout lui permit d'occulter sa peine. Elle venait de perdre son fils unique, son fils bien-aimé. Elle était davantage près de lui que de sa fille, si distante. Ruth s'occupait de son fils qui n'était plus, Jean-Guy tentait de prendre soin du chagrin de sa belle-fille.

Anne Savoie vécut les jours suivants dans un état d'engourdissement. Trop ébranlée, telle une automate, elle allait dans la direction qu'on lui indiquait, exécutait ce qu'on lui suggérait, mangeait quand on insistait et dormait parce qu'elle avalait les cachets que lui donnait Ruth. Anne garda un vague souvenir des gens qui avaient défilé au salon funéraire, puis à l'église. Mireille Biron Savoie, la mère d'Anne, s'était déplacée, avec son fils Félix. Ils avaient séjourné à son appartement. Mireille avait cuisiné des plats, fait la lessive et essayé de réconforter sa fille. Avec le temps, un éloignement s'était installé entre elles et ce malaise devenait un obstacle à l'abandon d'Anne dans les paroles et les gestes apaisants de sa mère. L'attitude distante et sévère de Félix ne contribuait en rien à insuffler un peu de chaleur à ce moment avec sa famille.

* * *

En pénétrant dans le cercle des Lampron, instinctivement, Anne avait tourné le dos à sa famille; elle ressentait de la honte face à son milieu d'origine. Elle avait à peine quatre ans au décès de son père, suite à un accident. Les souvenirs qu'elle conservait de lui se limitaient à ce que sa mère avait raconté à ses deux enfants. Jeune veuve, Mireille Biron avait trouvé un emploi dans un restaurant. Elle travaillait le jour, les pourboires étaient moins généreux qu'en soirée, mais l'horaire lui permettait de s'occuper des enfants et jamais elle n'avait eu recours à une gardienne. Par choix, elle n'avait pas cherché à donner un nouveau père à Anne et Félix, Alain restait irremplaçable.

Mireille Biron était une femme sensible, souriante, d'un calme déroutant et elle était dotée d'une grande capacité d'écoute. De ces personnes qu'on aime dès le premier contact. Sa famille et celle d'Alain étaient demeurées présentes et d'un soutien inestimable. Anne et Félix séjournaient à la ferme des grands-parents paternels chaque été. Pendant quelques années, Mireille avait pu compter sur une aide matérielle de ses beaux-parents, ce qui permettait de joindre les deux bouts. Toutes les semaines, ils apportaient des œufs de leur poulailler, des légumes du potager et des pièces de viande quand ils faisaient boucherie. À Noël et à leur anniversaire, Mireille et les enfants recevaient leur part de cadeaux : jouets bricolés par le grand-père, vêtements tricotés ou faits main.

Anne gardait dans ses souvenirs d'entraide familiale un arrière-goût de charité envers les pauvres. Contrairement à son frère, elle détestait aller à la ferme à cause de l'odeur et de toutes ces tâches qu'elle accomplissait avec dégoût, elle détestait devoir jouer avec sa cousine, qui l'entraînait dans ses jeux à saveur trop religieuse.

Comme beaucoup de petites filles, Anne rêvait de devenir une princesse. Elle aimait les beaux vêtements, les dentelles, les jolies barrettes et les rubans dans ses cheveux. À dix ans, elle espérait suivre des cours de danse et faire carrière dans une troupe de prestige, ou s'initier au tennis et participer aux olympiades. Quand elle avait commencé à fréquenter la bibliothèque municipale, elle avait pris un plaisir immense à feuilleter les magazines de mode et de décoration. C'est à cette époque qu'elle avait pris conscience que la vie dans un monde d'opulence permet d'acheter de somptueux vêtements, tout le maquillage qu'on souhaite, d'habiter dans une demeure luxueuse meublée avec style. Le bon goût, c'était ça. À quatorze ans, elle avait vu *Autant en emporte le vent* au cinéma. Comme Scarlett O'Hara qui, après avoir tout perdu, jura dans un moment de rébellion que jamais plus elle ne ressentirait la faim, peu importe les gestes qu'elle aurait à poser, l'adolescente se promit que, un jour, elle ferait partie de la classe des privilégiés et vivrait loin de la pauvreté humiliante.

Quand la compagnie Lampron avait accepté sa candidature pour un stage de quelques semaines et que son regard avait croisé celui de David, le fils du patron, elle avait senti qu'elle touchait à son but. Sa formation en marketing complétée, elle avait été engagée. L'attirance mutuelle, la complicité dans le travail et les émois du cœur de leurs jeunes vies avaient opéré la magie. Anne s'infiltrait doucement dans l'antre de cette famille, ses espoirs se concrétisaient. À cette époque, Anne n'avait rien perçu de l'attitude arrogante et distante de Ruth, rencontrée à quelques reprises.

Moins d'un an après son embauche, Anne et David emménagèrent dans un superbe appartement condominium avec vue, piscine intérieure, salle d'entraînement. Les journées de travail étaient souvent longues, mais Anne s'y plaisait, elle relevait constamment des défis. Jean-Guy Lampron, le patron devenu son beau-père, l'estimait. Elle ne regimbait pas sur les heures supplémentaires, démontrait de la rigueur, de l'imagination et préparait si bien ses dossiers que ses idées étaient acceptées presque à l'unanimité au Conseil d'administration. Silencieusement, Ruth Lampron en voulait à son mari d'avoir confié un poste à Anne ; elle visait plus haut pour la situation sociale de son fils. Dans son esprit, Anne Savoie n'était qu'une roturière, une usurpatrice et une opportuniste.

Anne menait une vie étourdissante et intéressante. Les semaines s'écoulaient rapidement. Les soirées se prolongeaient au bureau ou autour d'une table dans un restaurant de choix pour discuter stratégies ou affaires. Parfois, elle allait à l'opéra avec David ou assistait à un spectacle avec des relations de travail. À son heure de lunch, elle mangeait souvent sur le pouce et utilisait ce répit pour aller chez le coiffeur, la manucure ou arpenter les boutiques de luxe à proximité du bureau. Ses revenus lui appartenaient, David assumant les frais domestiques courants, ceux de sa voiture et les dépenses des voyages effectués durant leurs vacances. La maison de campagne des Lampron devenait le lieu de prédilection des fins de semaine. Golf ou ski selon la saison remplissait presque tous les loisirs. La jeune femme détestait le golf, mais elle considérait cette activité comme faisant partie du prestige de sa nouvelle vie. Les cinq chambres de la résidence étaient presque toujours occupées. Dans les premiers temps qu'Anne fréquentait l'endroit, Ingrid y faisait des séjours qu'elle prolongeait pour avancer ses travaux universitaires. Au grand dam de Ruth, elle ne jouait pas au golf. Elle savait que, pour sa mère, ce sport était une occasion de se faire voir, et parfois, d'user d'influence pour la visibilité de la compagnie. Avec sa belle-sœur, Anne avait commencé la pratique de la randonnée en montagne. En fait, elle l'adorait et la considérait davantage comme une amie. Ses études terminées, Ingrid partit s'installer à Toronto et ne vint plus aussi souvent à Morin-Heights.

Peu de membres de la famille fréquentaient la résidence secondaire. La sœur de Jean-Guy habitait dans l'Ouest canadien. Son frère possédait sa maison de campagne en Estrie. Les deux familles, enfants inclus, se voyaient à l'occasion d'un barbecue annuel à Morin-Heights et au rassemblement amical le soir du jour de l'An.

Quant à la famille de Ruth, un cousin siégeait au conseil d'administration de l'entreprise. De quinze ans son aîné, son frère vivait dans une demeure luxueuse depuis qu'un accident vasculaire cérébral l'avait laissé paralysé.

Anne évoluait avec aisance dans ce monde où la réussite en affaires, le prestige et l'argent font partie du menu quotidien. Les fins de semaine, après une journée de plein air, un cocktail précédait un somptueux souper. Régulièrement, des voisins ayant une résidence secondaire à Morin-Heights se joignaient au groupe pour un repas de quatre ou cinq plats. La grande table pouvait compter jusqu'à seize convives. Ruth cuisinait à merveille et savait étaler ses compétences de haute gastronomie depuis des séjours à Québec où elle avait suivi des cours avec le grand chef Daniel Vézina. Souvent, elle s'adjoignait un traiteur et engageait quelqu'un pour s'occuper du service. Parfois, les soirées se terminaient par une partie de bridge. Anne et David préféraient la table de billard ou un film qu'ils écoutaient dans la pièce réservée au cinéma maison.

Lors de leur premier été de vie commune, David avait proposé à Anne d'inviter sa mère pour des vacances. Cela permettrait aux parents de faire connaissance. Mireille Biron avait accepté avec plaisir, quoique ce séjour ait suscité de l'inquiétude chez sa fille. Leurs familles appartenaient à des univers si différents ! Jean-Guy Lampron, retenu à l'étranger pour les affaires, était arrivé à Morin-Heights la veille du départ de son invitée. Anne n'avait pu se libérer du travail comme elle l'avait prévu. Ruth avait eu le champ libre pour étaler la supériorité de son monde. Elle avait prêté un sac de golf à Mireille pour l'entraîner sur le terrain. La pauvre n'avait pas les chaussures ni les vêtements convenables, mais charitablement, Ruth lui avait fourni le nécessaire. Elle l'avait traînée dans les boutiques où elle avait effectué de multiples emplettes, consciente que le porte-monnaie de Mireille ne lui avait permis que l'acquisition d'un simple débardeur soldé, acheté pour faire figure honorable. En bonne hôtesse, Ruth avait organisé un petit souper entre amies au menu très recherché. Les dames invitées arboraient coiffure et manucure impeccables, étaient habillées de robes griffées garnies d'un bijou au modèle unique et chaussées à l'italienne. À l'exception de l'épouse d'un médecin, elles transpiraient la condescendance sous des airs d'amabilité.

Le troisième jour, cherchant à éviter une autre partie de golf, Mireille avait manifesté le souhait d'aller marcher dans les sentiers dont lui avait parlé sa fille. Ruth s'était pliée à son désir, mais ses lèvres pincées et son menton relevé exprimaient ouvertement sa réprobation. Mireille était partie en solitaire : ce fut le meilleur moment de la semaine. Elle avait marché en forêt toute la journée, croisant des promeneurs en famille ou des tourtereaux. La nature lui apportait toujours réconfort et apaisement dans le chant des oiseaux, le bruissement des feuilles dans la brise, les odeurs de terre. Ces escapades lui avaient permis de maintenir la tête hors de l'eau quand elle s'était retrouvée seule avec les enfants. C'était si injuste que son grand amour ait été ainsi fauché alors que tant de couples se déchiraient. Elle était curieuse de rencontrer le père de David, quelle sorte de couple formait-il avec cette Ruth si antipathique ? Elle avait avalé son lunch, assise sur les rochers en écoutant le tumulte de la rivière qui coulait à travers les cailloux.

À son retour au chalet, Mireille surprit un bout de conversation téléphonique de Ruth :

— En tout cas, moi je trouve que c'est une ingrate, après tout ce que je fais pour tenter de lui rendre ce séjour agréable… Tu dois avoir raison, c'est sans doute qu'elle n'a pas l'éducation de notre milieu…

Pénétrant dans la cuisine, Mireille présenta son sourire charmeur, celui qu'elle réservait aux clients désagréables, puis vida son sac à lunch et rangea ses effets. Elle se servit un verre d'eau et s'aperçut que l'autre bégayait pour essayer de sauver la face. En quittant la pièce, Mireille offrit à Ruth un visage amical, mimant qu'elle allait sous la douche.

Jean-Guy Lampron était arrivé le lendemain en début d'après-midi. Il déclina la proposition de Ruth pour un parcours, préférant profiter de la maison. Malgré une semaine d'éloignement, Mireille avait remarqué que ni l'un ni l'autre ne s'étaient informés de leurs occupations respectives. Le père de David s'était montré attentif et agréable. Il avait écouté Mireille parler de son travail, de son existence de jeune mère seule, de sa passion pour les jardins, décrivant avec enthousiasme ceux qu'elle avait visités. Ils avaient échangé sur la vie de famille, discuté lecture, cinéma, histoire. Bref, ce fut une conversation continue, remplie d'une curiosité à connaître l'autre, sincère et chaleureuse. Mireille avait barboté dans la piscine pendant que Jean-Guy accumulait les longueurs. Au retour de Ruth, ils sirotaient une sangria sur la terrasse. Anne et David arrivèrent presque en même temps.

Mireille avait remarqué immédiatement la connivence entre Anne et son beau-père. Ce dernier semblait l'apprécier, alors que Ruth s'avérait aussi suffisante envers la jeune femme qu'elle l'avait été à son égard. David tenait davantage de son père, tant par la ressemblance physique que par les traits de sa personnalité. La présence de Jean-Guy Lampron avait contribué à rendre plus agréable le reste de son séjour.

Mireille fit le douloureux constat que sa fille lui échappait; une distance s'installait entre elles et cela l'affligeait. Elle avait eu la confirmation qu'Anne était honteuse de ses origines modestes et reniait son milieu. Depuis ces vacances, un voile de tristesse et d'impuissance l'avait enveloppée et ne l'avait plus quittée.

Mireille avait à nouveau rencontré la famille Lampron aux funérailles de David. Anne restait inaccessible, le fossé creusé au fil des années devenait plus profond. Quant à Félix, il nourrissait de l'animosité et du ressentiment envers sa sœur et prenait une attitude surprotectrice à l'endroit de sa mère, beaucoup trop au goût de celle-ci, qui, depuis huit ans, habitait la partie mitoyenne d'un jumelé acheté par Félix.

* * *

Stoïque, Anne avait traversé les journées suivantes en automate. Après l'enterrement, elle était restée trois jours à la maison de campagne. À tour de rôle, Joanie et Lysane passaient un bout de soirée avec leur amie après le travail. De retour à l'appartement, Anne avait constaté qu'il n'y avait plus de traces de David, à l'exception de quelques photos. Sous prétexte de lui rendre service dans ce moment affligeant, Ruth avait trié et rapporté les effets personnels de son fils: vêtements, articles de sport, portables, dossiers du bureau, livres et magazines. Même sa voiture n'était plus dans le garage. La jeune femme n'avait dit mot, pensant que c'était mieux ainsi.

Trois semaines après les funérailles de David, Mireille était retournée chez sa fille. Anne ne donnait aucunes nouvelles et au téléphone, il était difficile d'avoir l'heure juste. Mireille se rappelait à quel point la présence familiale l'avait soutenue à la mort tragique d'Alain et ne pouvait pas croire que sa fille n'ait pas besoin d'elle. L'histoire se répétait, David et Alain, emportés par un effroyable accident dans leur éclatante jeunesse.

Anne alla chercher sa mère à la gare. Elles avaient visité une exposition au Musée des beaux-arts et mangé dans la Petite Italie avant de revenir chez Anne. Mireille trouvait l'endroit très moderne, le décor branché, mais dépouillé, impersonnel et froid. Elle avait préparé du thé pour se réchauffer; Anne avalait le sien à petites gorgées, silencieuse.

— Anne, si je peux faire quelque chose..., n'importe quoi pour alléger ta peine.

— Personne ne peut porter ma peine à ma place.

— Ça, je le sais très bien, avait répondu Mireille, la voix presque éteinte. J'espérais seulement...

Anne s'était levée en disant qu'elle allait faire une sieste.

Mireille aurait aimé partager son vécu de jeune veuve. Leurs situations différaient, Anne était sans enfant, elle jouissait d'une profession enviable et, visiblement aucun souci financier ne la préoccupait. Mais la peine et la douleur étaient aussi tragiques. Avec tristesse, Mireille observait Anne s'enfermer dans sa coquille tout en se donnant une apparence forte. Préserver les apparences, c'est ce que sa fille s'évertuait à faire depuis son entrée dans la vie adulte. Sa belle-famille pourrait-elle l'aider?

Un matin, Mireille fit une ultime tentative pour secouer la léthargie qui enveloppait Anne.

— Anne, il fait un temps magnifique, allez, on s'habille chaudement et on va faire un tour en ville.

Mireille y avait mis un enthousiasme qu'elle souhaitait bien dosé.

— Bon, d'accord, avait répondu Anne sans beaucoup d'entrain. Où veux-tu aller?

— Je ne connais pas la ville comme toi, y a-t-il un endroit qui te ferait plaisir?

— …

— Bon! Je propose de nous rendre dans le Vieux-Port en laissant la voiture à une station de métro. On pourrait y aller en métro et revenir à pied en regardant la ville comme des touristes.

— D'accord pour le retour à pied, répondit Anne sans enthousiasme.

En marchant près des quais, Anne avait laissé sa mère lui prendre le bras. Il y avait eu un semblant de dialogue. Mireille animait la conversation, Anne répondait brièvement, « au moins il y a un début de réciprocité », pensait Mireille.

Cependant, elle échoua dans ses tentatives des jours suivants. Le cinéma, une promenade au Jardin botanique, une balade sur la piste cyclable du canal de Lachine, une visite à la Grande Bibliothèque ou à l'un des nombreux musées de la ville, tout cela, Anne l'avait évincé avec une telle indifférence que sa mère s'était demandé si c'était sa présence qui l'indisposait. Elle tentait de se convaincre que la douleur du deuil en était responsable… Malgré tout, elle en doutait.

Le jeudi en fin de journée, Anne fit un appel à son beau-père. Pendant le souper, elle annonça à sa mère qu'elle retournait au travail le lundi suivant et se rendait à la maison de campagne pour le week-end. Pressentant un refus, elle offrit à Mireille d'y séjourner. Celle-ci préféra effectivement prendre l'autobus pour Lévis. Mireille portait sur ses épaules le poids de deux chagrins : le deuil vécu par sa fille et celui d'une relation mère-fille empreinte de complicité et de tendresse. Durant le trajet, elle avait gardé ses verres fumés pour masquer son regard embué. Sa tristesse ressemblait au décor de novembre, gris et morne. Novembre, le mois qu'elle détestait le plus, la nature dépouillée, le paysage désolant avant l'arrivée du blanc tapis de l'hiver ; novembre, le mois pour se rappeler les disparus. Filant sur l'autoroute, elle adressa une prière à Alain, lui demandant d'allumer dans le cœur de leur fille une petite lueur qui la rapprocherait de sa famille.

Chapitre 5

Début décembre, la vie reprit un cours normal, en apparence. Au bureau, Jean-Guy Lampron suggéra à Anne d'alléger sa tâche. Au contraire, elle souhaitait s'occuper de ce nouveau dossier et elle parvint à merveille à trouver des stratégies à la grande satisfaction du client, ce qui augmenta considérablement ses transactions avec l'entreprise Lampron.

La jeune femme mettait les bouchées doubles, prolongeait ses heures jusqu'en soirée avec le sentiment de contribuer davantage à l'essor de la compagnie. Elle s'accrochait au travail comme à une bouée de sauvetage. Les fins de semaine, elle se rendait à la maison de campagne où elle dévalait les pistes de ski toute la journée. Étienne et Joanie quittèrent la région pour le travail et Lysane devint de plus en plus invisible, même sur les pentes de ski. Dans les faits, Anne les revit seulement à La Sapinière pour la fête de la Saint-Sylvestre, une tradition de la famille Lampron qui réunissait une cinquantaine d'amis et de relations pour faire sauter le champagne arrosant la nouvelle année. Anne avait passé cette soirée en compagnie d'Ingrid à faire bonne figure, mais la présence de David lui manquait terriblement.

Elle avait décliné l'invitation de Mireille de fêter Noël à Lévis. Elle devait travailler au bureau entre les deux congés. Au fond, elle fuyait l'animosité de son frère. Depuis longtemps, Félix lui reprochait sa distance et son indifférence face à leur mère et la traitait de snob embourgeoisée. De son côté, Anne le considérait comme un frustré jaloux. Devenus adultes, ils persistaient à se houspiller comme dans leur enfance, mais évitaient leurs empoignades en présence de Mireille.

Curieusement, depuis le décès de David, Ruth démontrait une chaleureuse empathie envers Anne. Elle témoignait même de la gentillesse et se montrait moins sarcastique. Paradoxalement, durant la période de ce Noël, pour la première fois, Anne se sentit vraiment intégrée dans la famille. Les deux femmes avaient cuisiné ensemble dans une bonne humeur presque joyeuse le traditionnel plum-pudding que Jean-Guy flambait au cognac. Même Ingrid passa la remarque à sa belle-sœur, la mort de son frère avait adouci le caractère de leur mère.

— Dommage que ça prenne un drame pour humaniser les gens, lui avait-elle confié.

Le mois suivant, Anne apprendrait cruellement que le calme précède souvent la tempête.

* * *

Anne se rappellerait toute sa vie cette fin d'après-midi, le dernier jeudi de janvier. Le grand patron l'avait conviée dans son bureau. Elle avait cru qu'il désirait discuter de son implication dans ce nouveau contrat.

Elle avait pénétré dans la pièce où Ruth occupait le fauteuil du PDG, deux membres du conseil prenant place de part et d'autre. Son sang s'était figé. Anne ne l'avait jamais vue assise dans le siège de Jean-Guy Lampron.

— Anne, commença Jean-Guy, visiblement mal à l'aise, je dois te dire que ce n'est pas de gaieté de cœur que je t'ai invitée ici et sache que la qualité de ton travail n'est nullement en cause. Je…

— Nous avons examiné les clauses de ton contrat, coupa Ruth. Mais d'abord, assieds-toi.

Anne se morfondait. Elle tenta un regard vers son beau-père dont l'attention se porta sur les feuilles qu'il tenait. « Il est fuyant, qu'est-ce qui se trame ? » s'inquiéta Anne. Ruth serrait un papier dans ses mains, ses deux acolytes en possédaient également un exemplaire. Henri Blackburn prenait très au sérieux son rôle de membre du conseil d'administration, et il ajusta des lunettes de lecture sur son gros nez rouge. Anne se demanda s'il avait eu besoin de son petit verre de scotch avant de lui faire face. Le grand sérieux que les trois affichaient n'augurait rien de bon.

— Comme le disait en préambule madame Lampron, nous avons regardé votre contrat de travail, celui même signé lors de votre embauche il y a maintenant un peu plus de quinze ans. Et comme le mentionnait le président qui se dit satisfait de votre travail, ce rappel comporte des décisions pour faire suite aux changements survenus à l'intérieur de la compagnie. Vous n'êtes pas sans savoir qu'une restructuration de la direction est devenue nécessaire depuis la… depuis le départ du vice-président.

Le souffle court, il s'épongea le front. Anne le sentait patiner, sa belle-mère cachait difficilement son exaspération et l'autre gardait les yeux rivés sur ses feuilles en agitant nerveusement sa plume Montblanc.

Blackburn reprit la lecture de son contrat. Elle était la seule à ne pas avoir de copie. Il énuméra les différents points: conditions de travail, horaires, disponibilité pour voyager, avantages sociaux, progression salariale... Anne écoutait avec attention. Les soupirs de Ruth et le bruissement des pages qu'on tourne ponctuaient le silence.

— Et voici la dernière clause, celle qui fait l'objet de cette convocation...

— Poursuivez, Henri, ordonna Ruth, en s'adressant à l'avocat de la compagnie.

Anne le connaissait pour son intransigeance et sa froideur, elle n'avait jamais vu sourire cette figure légale de la compagnie. Il intimidait, tant par son physique imposant que par son verbe tranchant, incisif et son ton sans appel. Le cœur de la jeune femme s'emballa. Elle sentit une sueur froide lui glisser dans le dos, une nausée imperceptible l'avisait que rien de bon ne sortirait de cette rencontre..., rien de bon pour elle. Le regard fixé sur lui, elle attendait le verdict, il finit par baisser les yeux et poursuivit la lecture.

— Il s'agit d'une clause spéciale qui avait été ajoutée expressément à votre contrat au bas duquel vous avez apposé votre signature ainsi que la date de signature dudit document. Et je cite: *Madame Anne Savoie maintiendra son emploi au sein de la compagnie Lampron tant et aussi longtemps que monsieur David Lampron y sera membre associé et y jouera un rôle actif.* Fin de la citation. Vous comprendrez dès lors, Madame Savoie, que, vu l'état de la situation, le conseil d'administration a entériné la décision d'appliquer cette clause. Un délai de deux semaines vous permettra de finaliser certains aspects de votre travail.

Anne se rappelait vaguement qu'à une certaine époque David avait parlé de fonder sa propre entreprise. Bien sûr, elle l'aurait suivi. Dans son esprit, pour contribuer à maintenir l'harmonie familiale, cette clause empêchait le couple qu'ils formaient de se retrouver en rivalité dans leur vie professionnelle. Anne était tout simplement tétanisée, sans voix. Jamais elle n'aurait imaginé que le décès de David l'enfoncerait dans une telle situation. Elle aimait ce travail, cette décision était irrationnelle. On ne pouvait appliquer cette modalité. Le ton sec et cassant de Ruth la fit émerger de ses pensées.

— Merci messieurs, je poursuivrai seule la suite de cet entretien.

Les trois hommes quittèrent la pièce. Jean-Guy fermait la marche, Anne ne réussit pas à accrocher son regard.

La porte claqua et produisit l'effet d'un maillet frappé sur le pupitre.

— Voilà pour la clause de ton contrat, reprit Ruth. Mais ce n'est pas fini. Étais-tu au courant des affaires de David ? Non bien sûr, ça ne t'a jamais préoccupée à ce que j'ai pu constater. Tu étais envoûtée par le prince charmant qu'il était pour toi. David avait l'insouciance de la jeunesse et n'avait fait aucun papier, il est mort sans testament. Vous n'étiez pas mariés, vous n'avez pas d'enfant. Est-ce que tu savais que tout est au nom de la compagnie, que vos deux voitures, le condo et tous les meubles appartiennent à la compagnie ? Tu te retrouves donc dans l'obligation de retourner d'où tu viens. Il y aura des remaniements au sein de la direction. Je n'ai pas réussi à convaincre Ingrid de venir, elle a toujours voulu se dissocier des affaires de son père. Alors quelqu'un a été embauché pour le poste de vice-président. Il emménagera dans le condominium qu'occupait David à compter de mai. Ça te donne amplement le temps de te réorganiser.

— Mais que pense Jean-Guy de cette décision, il…

— Jean-Guy et moi avons une entente de longue date, coupa Ruth, il est le maître absolu des arbitrages au bureau, je le suis en ce qui concerne la vie privée. Or, le décès de David et les conséquences relèvent de la vie privée même si cela empiète quelque peu sur le travail. L'aspect familial prédomine, c'est ce que j'ai fait valoir… parce que, sans David, je ne veux plus que tu fasses partie de notre vie. Toutes ces années, je n'ai fait que te tolérer par amour pour mon fils.

— Vous êtes méchante et impitoyable avec moi !

Anne criait presque.

— Peut-être, continua Ruth Lampron, avec un sourire diabolique, celui qui s'affiche dans une victoire obtenue en écrasant autrui. Tu vois, tu me vouvoies maintenant, signe que la distance entre nos deux mondes a repris sa place.

Anne aurait voulu hurler, lui faire avaler son expression, se lever pour la gifler en altérant son impeccable maquillage, lui dire des insanités pour qu'elle tombe de son piédestal et se fracture l'amour-propre. Elle s'abstint, sa bonne éducation la retenait. Si elle s'était abandonnée aux propos infâmes qui lui chatouillaient la langue, Ruth aurait sans doute éprouvé une grande satisfaction. La méchanceté aime lire la douleur chez sa victime. Anne refusa ce plaisir à cette femme maudite.

Toute son énergie fut déployée à contenir sa rage et ses larmes, à garder un minimum de dignité pour ne pas étaler sa vulnérabilité.

— Autre point, continua sa belle-mère. La carte de crédit que tu utilises, également propriété de la compagnie, est inopérante depuis ce matin. Il te reste cependant tes effets personnels et... un petit chalet sur le bord du fleuve, quelque part sur la rive sud de Québec. Une jouissance dont Jean-Guy a héritée de son père, mais avec la maison de campagne, nous n'y allons jamais. Il a eu la générosité de te le laisser. Dernier détail, tu toucheras une indemnité de départ qui équivaut à trois mois de ton salaire. De plus, un mois après que tu auras quitté l'appartement, une somme te sera versée dans ton compte bancaire, soit 15 000 $ par année de vie avec mon fils, pour une somme de 225 000 $. Ainsi tu ne pourras pas nous reprocher de te laisser dans la dèche. Tu remercieras Jean-Guy pour ça, c'est lui qui a insisté sur cette clause. Et tu pourras conserver ta voiture. Le directeur financier verra à faire le transfert des papiers et à te donner les précisions pour l'auto comme pour ta nouvelle propriété. Maintenant, c'est tout, tu peux disposer.

Anne se leva de son siège comme si un ressort l'avait projetée au loin et la chaise bascula. Elle prit le temps de la relever, quitta la pièce en refermant doucement la porte, passa par son bureau pour ramasser son sac et son manteau. Elle respirait difficilement et n'avait qu'une idée: sortir, fuir cet air vicié par l'haleine de cette vipère.

L'obscurité de cette fin de journée l'enveloppa, à l'image de cet après-midi qui l'avait fait sombrer dans les ténèbres. Elle avait besoin d'une parenthèse avant de rentrer et prit la direction du centre-ville. Elle avait déambulé dans les rues comme un pantin, marchant sans but, sans destination précise. Elle avait arpenté les sentiers du parc La Fontaine, croisant des promeneurs emmitouflés, des patineurs, des mères avec leur jeune enfant dans un traîneau. Pour ces femmes, la journée de travail était terminée, mais un autre quart débutait. Si elle avait eu un enfant avec David, sa situation serait-elle différente ? Elle s'était questionnée sur les raisons profondes de son désir d'enfant. Non, ce désir n'était pas viscéral, plutôt un moyen de gagner l'appréciation de Ruth. Un enfant lui aurait-il permis de s'attirer l'estime de sa belle-mère ? Aujourd'hui, elle en doutait. Par ses paroles, Ruth lui avait révélé qu'elle n'était pas de leur monde, *tu te retrouves donc dans l'obligation de retourner d'où tu viens...*

Transie de froid, elle était entrée dans le premier café croisé et avait avalé un sandwich au jambon sans goût avec une salade détrempée et un breuvage fade et tiédi. Elle observait les gens autour. Tous seuls, à l'exception d'un vieux couple. Vieillesse, solitude et médiocrité, elle ne voulait rien de ça. Cet endroit la déprimait, les murs dégoulinaient de graisse, aucun sourire n'accompagnait le service, même la musique d'un antique poste de radio accroché au mur devenait agressante. Elle régla rapidement sa note et sortit presque en courant. Pour la deuxième fois de la journée, elle réclamait de l'air. Elle marcha un moment avant de s'engouffrer dans un cinéma et acheta un billet pour la projection suivante. Voir des images raconter des parcelles de vie pour éviter de penser à la sienne. Elle regarda le film, mais elle aurait été incapable de résumer l'histoire. En sortant, elle héla un taxi pour retourner à sa voiture et prit la route vers Laval.

Arrivée au condo, elle se doucha et s'étendit sur le divan, enveloppée dans sa robe de chambre moelleuse et le silence. Par les grandes fenêtres, elle apercevait une lune claire presque pleine au-dessus de la ville en lumière. Malgré l'immense fatigue qu'elle ressentait, le sommeil la fuyait. Elle sombra finalement dans les bras de Morphée et se réveilla courbaturée à la lueur des premiers rayons de soleil. Les deux jours suivants se déroulèrent dans une espèce de léthargie. En pyjama, sans maquillage, les cheveux attachés en queue de cheval, Anne grignotait quand son estomac grondait, elle restait hypnotisée devant le petit écran à écouter des émissions insipides en alternance avec des périodes de somnolence. Le dimanche matin, elle fut tirée de cette torpeur par le téléphone. C'était sa mère.

— Bonjour ma grande, je viens aux nouvelles.

Silence…

— Anne ? Tu es là ?

— Oui, maman, mais je ne suis pas très en forme.

— Es-tu malade ? Ou… la réaction après-coup de la perte de David ?

— Disons… les conséquences de la mort de David, mais je n'ai pas envie d'en parler.

— Je peux comprendre, je peux arranger mon horaire si tu as besoin de moi…, si tu souhaites que je vienne.

— Non, non, maman, ce n'est pas nécessaire. Il me faut être seule, réfléchir, il y a beaucoup de changements dans ma vie en ce moment. Je t'en parlerai plus tard, peut-être. Et toi, comment ça va ?

Cet appel rendait Mireille Biron perplexe. « Anne n'a pas l'habitude de chercher à savoir ce qui se passe ici. J'ai le sentiment qu'elle a détourné l'attention. Des changements dans sa vie ? J'espère qu'elle ne demandera pas un transfert pour se rapprocher d'Ingrid, je sais qu'elle aime beaucoup cette belle-sœur. Toronto… elle est déjà si distante ! »

Anne aurait tant souhaité s'abandonner dans la tendresse maternelle. Toutes ces années de détachement avaient édifié un fossé entre elles, un écart qu'elle s'était appliquée à creuser. De son côté, Mireille avait tenté de maintenir le contact, tendu des perches pour essayer qu'elles se retrouvent sur le même rivage. Peine perdue, Anne résistait et maintenant une grande solitude remplaçait son compagnon de vie. Y avait-il moyen de faire marche arrière pour remblayer le fossé ? Anne était certaine que sa mère lui ouvrirait ses bras, elle en serait si heureuse. Mais quelle humiliation ! Elle tenterait un rapprochement envers sa famille, avec sa mère, mais son frère, c'était autre chose. D'abord, réorganiser son existence. Elle refusait de frapper à sa porte dans sa vulnérabilité. Elle le voulait, mais sans perdre la face. Pas trop tout de même.

Anne n'avait plus David et voilà que maintenant elle perdait son travail, sa maison, les week-ends à Morin-Heights. À mesure que progressait sa réflexion, elle réalisait tout ce à quoi elle devrait renoncer. Fini l'insouciance et l'absence de préoccupations financières. Son rêve s'écroulait. Elle devait surmonter le deuil de David, mais aussi délaisser un niveau de vie auquel elle se glorifiait d'avoir accédé. Anne estimait qu'elle gagnait un bon salaire, mais désormais il devrait lui servir à vivre et non à satisfaire ses envies. Après des recherches sur Internet, elle imprima un modèle de budget. La princesse qui avait trouvé son prince s'était maintenant transformée en Perrette et son pot au lait. Son rêve cassé, elle devait dire : adieu dépenses illimitées, beaux vêtements, objets de luxe, voyages, soirées au théâtre, 5 à 7, repas au restaurant…

* * *

Dès le lundi suivant, Anne rencontra le directeur administratif. Un homme compétent, centré sur la tâche et n'exprimant jamais rien de personnel au bureau. Quand elle le quitta, elle était devenue propriétaire de sa voiture. Il lui remit une enveloppe contenant les documents relatifs au chalet : papiers notariés, évaluation municipale, comptes de taxes. Jetant un rapide coup d'œil sur le plan d'arpentage, elle vit que la bâtisse donnait directement sur le fleuve. Elle se réjouissait de se trouver près d'un plan d'eau. Elle remarqua le prix très bas de l'évaluation. « Sans doute parce que c'est situé dans un village ou que ce document n'est pas à jour. » Elle aurait aimé des photos et un peu plus de détails. L'enveloppe contenait aussi un inventaire sommaire des meubles, la clé et des indications pour la route.

— Monsieur Lampron m'a demandé de vous informer de trois choses. Premièrement, l'électricité sera rétablie à compter du 15 avril. Deuxièmement, l'entretien extérieur du terrain continuera d'être fait par un homme du village pour l'été à venir, et les coûts seront assumés par monsieur Lampron. Troisièmement, les taxes sont réglées pour les deux prochaines années, mais il vous suggère de passer au bureau de la municipalité pour la mise à jour du dossier.

Sur ce, le directeur administratif se leva, signifiant ainsi qu'elle pouvait disposer. Anne ramassa les papiers et le salua d'un simple geste de la tête, sans un mot. Il n'y avait rien à redire.

La semaine suivante, Jean-Guy Lampron fut absent, pour voyage d'affaires; Anne aurait tant souhaité connaître sa perception sur tout ce remaniement. Même si le cœur n'y était pas, elle s'acquitta de son travail avec professionnalisme. Elle informait les clients de son départ, expliquant qu'elle quittait la compagnie Lampron pour relever de nouveaux défis. Dans les bureaux, contrairement au climat habituel, convivial et dynamique en discussion, un malaise était tangible, on l'évitait, on se montrait distant, peu volubile. Anne en vint à la conclusion que des consignes avaient été données pour la tenir à distance.

Anne passa sa dernière semaine de travail à terminer le tri dans son bureau, à remplir des cartons de ses effets personnels et remit tous ses dossiers à une employée plutôt effacée et qui semblait ignorer le sens du mot « initiative ». Elle lui souhaita sincèrement bonne chance en quittant définitivement les lieux. Personne n'offrit d'aide pour transporter ses boîtes à l'auto. Elle eut l'impression de partir comme une voleuse, ne saluant personne. Elle avait laissé une lettre à Jean-Guy dont le voyage s'était prolongé. En sortant de l'immeuble, elle ne remarqua pas la présence de Ruth dans le hall. Celle-ci monta rapidement à l'étage où travaillait Anne. Elle voulait s'assurer qu'il ne restait aucune trace de celle qui venait de s'éloigner pour toujours de la vie des Lampron. Enfin presque, il y avait encore le condo. Dans le bureau de son mari, Ruth reconnut la belle écriture régulière d'Anne, elle glissa l'enveloppe dans sa poche, espérant que rien d'autre ne lui avait échappé.

Un mois plus tard, à la fin mars, Anne fit un saut, en plein milieu de semaine, à la maison de campagne pour prendre ses effets personnels; elle croisa Ruth.

Pourquoi se sentait-elle comme une enfant prise en défaut ? Sans la saluer, la jeune femme se dirigea vers sa chambre et vida le contenu des tiroirs et du placard. Elle emplit trois valises de vêtements et de produits de beauté. Dans une armoire du sous-sol, elle récupéra skis, bottes et anorak. Elle devinait le regard scrutateur de sa belle-mère, ou plutôt de son ex-belle-mère. Craignait-elle qu'Anne s'empare de l'argenterie, de pièces de cristal ou de certains tableaux ? En quittant la maison, Anne laissa la clé bien en vue sur la table de la cuisine en disant :

— J'ai terminé. Je ne jouerai plus au golf, vous ferez ce que vous voudrez de mon sac.

— Je te ferais remarquer que ce sac de golf n'était pas vraiment à toi, il a été payé par Jean-Guy. Tout comme ton équipement de ski d'ailleurs.

— Oh ! c'est vrai, rien ne m'appartient ici puisque les Lampron possèdent tout !

Anne tourna les talons puis revint sur ses pas, plongeant son regard dans celui de Ruth.

— Au fait, je me demande si vous réussirez à acheter l'estime d'Ingrid. Elle voit clair dans votre jeu alors que moi, j'ai été aveugle.

Anne sortit sans rien ajouter. Elle enleva ses planches du toit de sa voiture et retira du coffre le sac contenant les bottes de ski. Elle abandonna le tout en plein milieu du stationnement et démarra.

De retour au condominium, le cœur lourd, oscillant entre rage et honte, elle empaqueta tranquillement ce qu'elle emporterait. Elle loua un entrepôt sur la rive sud de Montréal, pour y laisser ce qui ne lui servirait pas dans l'immédiat. Outre ses vêtements, les valises qu'elle apporterait au chalet contenaient peu d'effets.

En emménageant avec David, elle n'avait mis dans ses bagages que son cœur rempli d'amour, d'espoir et de rêves. Maintenant, elle partait vers l'inconnu. Avec une belle collection de tenues et un goût d'injustice, d'humiliation et surtout, une envie de représailles. Elle ne méritait pas cela et elle en voulait à Jean-Guy de son invisibilité depuis cette rencontre à son bureau quand tout avait basculé.

Chapitre 6

Six mois s'étaient écoulés depuis le décès de David. Lors de ce premier réveil dans le chalet, une tasse de café dans les mains, Anne voyait défiler les souvenirs comme des images dans son esprit. Les fenêtres grandes ouvertes pour aérer les lieux malgré le temps frisquet, produisaient un effet régénérateur.

Elle aurait souhaité des flammes dans le foyer pour réchauffer l'atmosphère et répandre un arôme de bois brûlé. Puis elle aurait tassé les bûches pour faire griller du pain sur la braise comme le faisait David. Il adorait les rôties avec un petit goût de fumée. Peut-être une autre fois, parce que, *primo,* elle n'avait jamais allumé de feu, *secundo,* il n'y avait aucune réserve de bois de chauffage et, *tertio,* elle croyait préférable de faire examiner la cheminée au préalable. Même si le chalet était un cadeau empoisonné, c'était son seul bien, et il lui évitait de payer un loyer ou une hypothèque. Elle voulait en tirer le meilleur.

La petite rivière qui bordait la propriété était gonflée par la pluie des derniers jours, elle descendait en cascade et se tortillait à travers les roches. Anne aimait ce son, la régularité du grondement la calmait et l'apaisait. Les bourgeons d'un vieux lilas étaient sur le point d'éclore, il y en aurait à profusion à voir le nombre de boutons au bout des branches. Elle eut une pensée pour sa mère qui adorait les fleurs. « Chère maman, j'ai été injuste envers elle. J'irai la voir avec une grosse brassée de lilas. J'espère qu'elle y verra un signe de rapprochement sincère et non un geste de dernier recours. »

* * *

Anne habitait ce village depuis un mois, dont deux semaines dans le chalet. Un matin, Josée profita d'un temps d'accalmie au restaurant pour venir frapper à sa porte.

— Bonjour Anne, je sais que tu es occupée, mais tu dois bien faire des pauses de temps en temps. Je suis passée chez *DAVIDsTEA* hier. On goûte ce nouveau thé ensemble ?

— Bonne idée ! Viens, on s'installe au comptoir, c'est le seul endroit où l'on peut s'asseoir.

— Ouah ! Tu as tout repeint !

— Presque ! À vrai dire, tous ces outils, ce matériel de nettoyage, ces pots de peinture, les boîtes empilées et les meubles recouverts de tes vieux draps me donnent l'impression de vivre sur un chantier de construction, malgré ça le travail me plaît et m'empêche de trop penser.

Anne avait fait chauffer l'eau, sorti des tasses et quelques biscuits.

— Tu sais, reprit Anne, j'avais l'habitude de fréquenter un centre d'entraînement pour garder la forme. Ma condition physique est sûrement au-dessus de la moyenne, car j'arrive facilement à abattre le travail. Mais je sais m'accorder des moments de calme et cette pause.

Les fins d'après-midi, elle partait se promener sur la plage et grimpait sur le rocher qui formait une barrière protectrice contre le nordet. Le soleil la ravissait chaque fois quand il descendait derrière les montagnes de l'autre rive. Certains jours de grands vents, le fleuve se couvrait de moutons de mousse. Toutefois, Anne n'avait pas revu la puissance des bourrasques qui l'avaient accueillie. Malgré la pluie ou le vent, elle sillonnait la grève quotidiennement. C'était comme une méditation, le murmure des vagues pansait sa peine et effaçait peu à peu sa déception.

Au fil des journées marquées par le travail manuel, elle avait refait une beauté au chalet. Elle avait repeint les armoires de cuisine et, non sans effort, elle avait arraché le vieux prélart qui couvrait tous les planchers.

— Merci pour ce thé, reprit Anne après un silence. Je l'aime beaucoup. Mon amoureux avait le prénom de cette marque de thé. Serait-ce un signe ?

— Je crois aux signes, sûrement qu'on est faites pour s'entendre. Il doit te manquer, David ?

— Et comment ! Depuis mon arrivée, je valse entre l'exaltation, la tristesse et la rage. L'attitude des gens rencontrés ici me réconcilie avec le genre humain.

— Pourquoi dis-tu cela ?

— David était un homme au grand cœur, d'une grande gentillesse. Je l'ai vraiment aimé. Mais disons que sa mère ne me l'a pas faite facile et je lui en veux beaucoup. Et puis, je travaillais dans l'entreprise familiale où l'appât du gain et l'importance du profit étaient les principales valeurs, souvent au détriment des individus. Je commence à peine à réaliser cela.

Dans son modeste chalet, elle prenait conscience que certains « amis » cessaient de fréquenter le cercle de cette famille après une faillite, une maladie invalidante qui les avait obligés à vendre leur compagnie, une défaite en politique municipale ou un séjour prolongé à l'unité de psychiatrie. Aujourd'hui exclue de cette famille, Anne comprenait que, pour rester dans leur cercle, pour garder leur estime et… ce qui passait pour de l'amitié, il était nécessaire de maintenir le cap de la réussite en affaires pour sauvegarder son prestige social. Pas de place pour l'erreur, les échecs ou les faiblesses. Intuitivement, Anne connaissait les règles tacites de l'accès à cet univers idyllique. Elle avait toujours cru que le snobisme de Ruth régentait le code de conduite. Elle s'interrogeait maintenant sur l'apport de Jean-Guy pour préserver ces apparences. Il était discret, plus effacé, plus conciliant et il accordait moins d'importance à l'image que sa femme. Cependant, dans la réalité, c'est lui qui détenait le pouvoir.

Josée écoutait, silencieuse, touchée par les confidences d'Anne. Elle avait vu juste en songeant que cette jeune femme avait dû vivre un moment difficile le soir de son arrivée.

— Je suis à côté si tu as besoin : une écoute, un service, des références…

— Merci beaucoup, j'apprécie ton offre. Sincèrement ! Pour les travaux, le personnel de la quincaillerie est très gentil. Je me sens en confiance avec les gens qu'ils m'ont recommandés. Il y a même des clients qui répondent à mes questions. J'apprends sur le tas comme on dit.

— À voir ce que tu as fait, tu apprends vite. Bon ! Je dois y aller. J'espère qu'on reprendra ça.

— Je le souhaite aussi. Merci de ta visite.

* * *

Un jour, armée d'un tournevis, Anne replaçait la nouvelle tringle à rideaux pour y suspendre une jolie dentelle quand elle aperçut des silhouettes en mouvement sur la plage. Des gens en habit de plongée installaient une voile sur une planche. Cinq à chercher les rafales comme d'autres courent après les tornades. Des fous qui carburent à l'adrénaline. Un par un, ils pénétrèrent dans le fleuve et commencèrent à surfer. Visiblement, ce n'étaient pas des amateurs. De temps à autre, le vent les emportait au-dessus des flots en vol plané. L'un d'eux tomba à l'eau et remonta prestement sur sa planche. « David aurait sûrement exulté dans ce genre d'activité », songea tristement Anne. Le visage de David apparaissait parfois comme un mirage quand elle posait la tête sur l'oreiller. Ses bras lui manquaient tellement ! Son sourire aussi. Puis ses larmes effaçaient cette vision. Était-il déjà venu dans ce chalet qui appartenait à son père ? Jamais il n'avait parlé de cet endroit. Elle avait sollicité l'aide du jeune homme qui tondait le gazon pour descendre les lits pliants du deuxième, surtout à cause de l'étroitesse de l'escalier qui rendait la manœuvre difficile. Mais, toute seule, elle avait accompli une quantité de travaux lourds : déplacer des meubles, sortir de gros rebuts, peindre, retirer les panneaux de contreplaqué qui protégeaient les fenêtres, élaguer des arbres et des arbustes, enlever la porte métallique toute rouillée de la clôture. Tout était défraîchi, mais solide. Anne se surprenait à élaborer des projets pour le chalet. Malgré son habituelle efficacité dans la prise de décision, l'ambivalence l'accablait régulièrement depuis la mort de David.

Elle envisageait de s'installer au deuxième pendant que Thomas Lavoie, l'ouvrier engagé, s'occuperait du revêtement des planchers au premier. Cet endroit avait révélé des surprises. Elle avait d'abord cru à un débarras comme pour la plupart des greniers. En fait, il s'agissait d'une pièce ouverte, un genre de mezzanine, probablement le royaume des enfants, car tout semblait conçu pour eux. Elle fut charmée par la bibliothèque qui courait sur toute la largeur des murs au plafond mansardé. Les rayonnages étaient remplis de collections jeunesse et de jeux.

Aucun travail ni ménage n'avaient été amorcés au deuxième. Anne balayait rapidement les idées qui lui traversaient l'esprit. Elle voulait bien retaper le chalet pour le vendre, mais non se l'approprier.

Les réminiscences nourrissaient son ambivalence. L'abondance d'argent lui manquait, surtout le fait de ne pas avoir à s'en soucier. Elle devait tout calculer, réviser ses aspirations à la baisse. Tout était si facile quand l'argent affluait. Jamais elle n'avait recherché les soldes. Elle pensait à sa mère qui disait que la nécessité peut devenir le fil conducteur de la créativité. Son budget restreint l'obligeait maintenant à plus d'imagination. Curieusement, cet état d'esprit balayait le sentiment de pauvreté relié à l'obligation d'économiser.

Elle avait ravalé sa déception en détournant les yeux d'une céramique quatre fois plus chère que celle choisie. Même chose pour la cafetière expresso, à cause de la somme exorbitante et de l'espace trop restreint de sa cuisine. Cependant, accomplir le travail lui plaisait et s'avérait salutaire. Si Ruth avait pu voir ses mains tachées, ses cheveux parfois en bataille et sa tenue d'ouvrier, elle aurait jubilé. L'ancienne Anne, avec des moyens illimités, aurait complètement rasé cette bâtisse et reconstruit quelque chose de neuf, d'onéreux, de clinquant. Toutefois, depuis son exploration de la mezzanine, elle sentait que certaines demeures ont une histoire, ce qui leur donne une âme. Elle s'imaginait petite fille en vacances dans ce grenier réservé aux enfants. Des journées à flâner sur la plage, en succession de baignades, de moments de lecture et de farniente à dorer au soleil. Oui, elle aurait aimé ce type de vacances au lieu de celles à la ferme.

David lui manquait. Cependant, durant toutes ces années avec son compagnon, Anne réalisait qu'elle n'avait pas connu de véritable amie. Était-elle passée à côté de quelque chose d'important ? Comme un poisson, elle s'était laissé prendre par un leurre au risque d'en mourir, une petite fille attirée par un bonbon.

Depuis la première visite de Josée, Anne s'accordait des pauses en sirotant un thé, le regard flottant sur le fleuve. La nature l'enthousiasmait, la bonne humeur refaisait surface progressivement. L'espoir aussi. À d'autres moments, l'exiguïté de la maison la désespérait, l'obligeant à réduire ses idées de grandeur. Ses états d'âme n'avaient aucun lien avec la température changeante. À cette période de grandes marées, le vent soufflait parfois très fort, il rugissait. Pourtant, dans ce chalet oublié si longtemps, elle se sentait à l'abri. Elle ignorait pourquoi les Lampron avaient délaissé l'endroit et brûlait d'envie d'en connaître l'histoire. À l'instar de ce chalet, cette famille l'avait éjectée de leur vie.

Depuis sa visite du deuxième, Anne avait la certitude qu'une âme l'habitait, un peu comme un ami invisible dans la petite enfance. Une présence inanimée à qui on invente une existence pour mieux traverser un présent douloureux.

Le jour, elle besognait sans relâche. Elle s'était présentée à la municipalité, avait ouvert un compte à la caisse populaire. Elle avait transmis un courriel à Jean-Guy lui précisant où déposer le montant de sa prime « de compensation ». Deux jours plus tard, la somme était versée.

Parfois, les fins de journée, comme le soir de son arrivée, elle pleurait sous la douche, de fatigue, de l'absence de son homme, d'humiliation, et sur son sort. Ignorant toujours comment elle s'y prendrait, le mot «vengeance» la poursuivait.

Elle tentait de dominer ses émotions, se demandant pourquoi certains jours sont teintés de tristesse même si le soleil brille, que les nuages cèdent la place au bleu profond du ciel et que les oiseaux s'égosillent en concert. Pourquoi le gris cafard quand la beauté est si présente ?

Certains jours ramenaient à la surface des regrets, comme ces morceaux de bois flottant que la mer déversait sur la plage. Anne avait enfoui tellement de choses dans le tourbillon de sa vie trépidante. Une existence trop remplie ne laisse aucune prise au temps pour réfléchir à l'avenir, aux aspirations, aux rêves. En entrant dans la famille Lampron, elle avait atteint une finalité. Maintenant, elle réalisait toute la futilité de cette ambition. Est-ce qu'elle s'était sentie heureuse ? Elle avait toujours cru que oui, mais un soir, avec douleur, elle eut soudain la certitude d'avoir emprunté la mauvaise route, d'avoir laissé passer l'essentiel. Comment parvenir au bonheur ? Elle l'avait connu avec David, réellement. Elle avait cru le toucher en intégrant sa famille. Quel leurre ! Aujourd'hui, elle apprenait à aimer ce coin de pays, ça, c'était une révélation qui s'incrustait dans son cœur. Cet endroit la guérissait et elle apprenait à le chérir.

Des coups à la porte la firent sursauter. Elle ouvrit à deux grands gaillards souriants qui livraient les revêtements de plancher. Elle leur indiqua où déposer leur fardeau et signa la feuille de commande. Prenant la direction de la plage, elle fit le souhait que le vent chasse ce qui encombrait son esprit : la tristesse, les regrets, l'idée de vengeance…

Chapitre 7

La dernière semaine de mai ouvrait la porte à l'été, le paysage s'animait. Les tracteurs ronronnaient dans les champs, les jeunes pousses des arbres s'étiraient et prenaient leurs teintes vert tendresse. Les myosotis couraient au fond des boisés, s'immisçaient à travers les tiges de tulipes, couvrant le pied des grands frênes du village. C'était une magnifique journée : le ciel était azuré, les oiseaux piaillaient en concerto, le soleil étendait ses rayons et le vent se reposait. La journée parfaite pour une promenade à bicyclette. Le ménage printanier terminé, Agathe Lavoie s'accordait un moment de récréation, et pédaler lui donnait l'impression d'avoir vingt ans alors qu'elle plongerait bientôt dans la soixantaine. Un rituel saisonnier où, parcourant le circuit qui ceinturait le village, elle pouvait respirer l'odeur de la terre.

Agathe habitait une maison ancestrale à l'extrémité de la municipalité. Au cours de la dernière année, elle avait vendu son commerce d'aliments santé, mais continuait de se rendre à Montmagny pour y travailler quelques heures par semaine. Cette transition rendait service à la nouvelle propriétaire et la vaillante fourmi Agathe aimait se sentir utile. Sa bécane enfourchée, elle roula avec son sourire et salua au passage une villageoise qui tondait le champ en face de sa maison, contournant des talles de fleurs sauvages ; cela donnait au terrain une allure de pré fleuri. Près de l'école, les enfants chantaient et chahutaient en profitant de la récréation. Devant la boulangerie, elle cria « Bonne journée » à la femme du boulanger qui balayait la grande galerie de leur demeure. À peine quelques coups de pédale plus loin, elle tourna vers le fleuve. Sa longue tresse s'échappait d'un foulard. S'immobilisant sur la plage près du quai, elle s'assit sur un rocher et prit d'immenses goulées de cet air marin. Les yeux fermés, Agathe se laissait bercer par le son des vagues qui roulaient presque à ses pieds et par le claquement des drisses sur le mât des voiliers alignés à côté de la capitainerie. La rue était calme à ce temps de l'année. Une rue d'estivants qui s'animait après la fête des Patriotes quand les gens « ouvraient la saison au chalet ». Elle emprunta la 132 avec l'intention de pédaler jusqu'aux limites du village. Un troupeau de vaches Highland broutaient nonchalamment les jeunes pousses, quelques bêtes la suivaient du regard avec leurs gros yeux globuleux.

Sur le chemin du retour, elle aperçut une voiture devant ce petit chalet inoccupé depuis plus de quinze ans. Elle ne vit pas le nid-de-poule sur le bord de la chaussée, son pneu avant s'y cala, la bicyclette se braqua. Agathe tomba sur le côté, un genou heurta une pierre, un coude gratta le gravier de l'accotement. Sous l'effet de l'impact, la roue avant se tordit. Avec beaucoup de difficulté, elle se releva. Son coude était écorché et le sang coulait le long de son bras. De la poussière de roche était infiltrée sous la peau de son genou éraflé. Son cœur battait la chamade, la sueur couvrait son visage. Et son joli panier de rotin s'était brisé sous le choc. Elle poussa péniblement son vélo sur le terrain. Dans cet état, parcourir les cinq kilomètres qui la séparaient de sa maison devenait difficile. Elle avait besoin d'aide. En boitillant, elle descendit la pente qui menait au chalet.

* * *

Anne dessinait des plans dans la mezzanine pendant que Thomas Lavoie posait le revêtement du plancher. Juste pour s'amuser, évaluer le potentiel du chalet. Elle aurait pu lire, mais n'avait pas pris le temps d'aller à la bibliothèque municipale. Sa priorité : terminer les rénovations, ensuite elle s'accorderait une incursion dans cette librairie aperçue à Montmagny quand elle était allée y faire des achats.

Elle n'avait pas prêté attention aux coups frappés quand Thomas Lavoie cria :

— Vous avez quelqu'un qui cogne à la porte !

L'ouvrier était coincé dans une opération délicate pour ajuster la céramique de la salle de bain.

Anne était contrariée de ce dérangement au moment de coucher de bonnes idées sur papier. Quand elle ouvrit, l'exaspération devait se lire sur son visage et cet accueil produisit un drôle d'effet sur Agathe.

— Bonjour madame, dit la visiteuse. Je suis tombée de mon vélo juste en face d'ici. Heureusement que vous êtes là parce qu'il n'y a personne dans le coin. J'aurais besoin de téléphoner.

Anne dévisageait cette belle femme, sans artifice, probablement de l'âge de sa mère. Puis elle aperçut des gouttes rouges sur le palier et se rendit compte que le chandail de la dame était déchiré et imbibé de sang sur un coude. À ce moment seulement, elle prit conscience que la visiteuse était mal en point.

— Commencez par entrer, répondit Anne.

À voir la sueur perler sur le front de la dame, Anne craignait qu'elle ne s'évanouisse. Elle sortit une chaise du capharnaüm de son débarras et la fit asseoir prestement. Elle n'avait absolument rien pour désinfecter la blessure, pas même des diachylons.

— Ne bougez pas, je reviens tout de suite.

Grimpant l'escalier au pas de course, elle redescendit avec des serviettes propres. Elle enjamba le rouleau de vinyle pour accéder à la cuisine et réapparut avec un verre d'eau et les pièces de linge mouillées. Elle épongea le front de l'inconnue et, délicatement, essuya son coude, puis l'enveloppa d'un linge propre. Décidément, les vieux chiffons du motel s'avéraient utiles.

— Comme vous voyez, c'est le bordel ici, je ne suis pas encore tout à fait installée et… je n'ai pas de trousse de premiers soins.

À ce moment, un jeune homme arrivait pour aider Thomas Lavoie à poser le revêtement dans la grande pièce.

— Oh ! C'est toi Agathe, j'ai cru reconnaître ton bicycle, j'en connais pas d'autres qui ont un panier comme le tien. On dirait que t'as pris une fouille ?

Thomas Lavoie surgit dans l'entrée qui fut aussitôt congestionnée.

— Oh *boy* ! ma belle Agathe, j't'ai déjà vue plus en forme. Tu m'as tout l'air d'avoir pris une mauvaise débarque.

Pour toute réponse, elle fit signe que oui.

— On est un peu à l'étroit ici. Attendez-moi, je vais chercher mon téléphone.

— Je voudrais juste appeler mon mari, répondit Agathe.

— Je pourrais aller te reconduire, dit Thomas Lavoie.

— Non, non, reprit Agathe. Je ne veux déranger personne, juste appeler Jasmin. Il pourra ramasser mon vélo pour le mettre dans son camion. En plus, toi t'es sur une *job*.

— Bon ben, c'est correct, continua l'homme, je sais que ça donne rien de s'obstiner avec toi. Viens, l'jeune, on commence par le fond.

Les ouvriers se dirigèrent vers les grandes baies vitrées. Anne, qui s'était éclipsée à l'étage, revint avec un appareil sans fil qu'elle tendit à Agathe. Celle-ci composa un numéro, expliqua brièvement sa chute, évitant de fournir des détails au téléphone, puis remit le combiné à sa propriétaire.

— Merci beaucoup, vous êtes bien gentille. Mon mari ne peut pas venir avant une demi-heure. Je peux rester dehors si vous sortez la chaise, je ne voudrais pas être dans les jambes.

— C'est vrai qu'ici on pourrait nuire aux hommes, continua Anne. Je vais prendre une autre chaise et je m'installe avec vous pour attendre votre mari. On pourra faire connaissance.

La dame boitillait, il était donc exclu de descendre sur la plage par l'étroit escalier de pierres découvert en explorant le terrain. Anne disposa les chaises sur le côté du chalet de façon à faire face au fleuve.

— Vous pourriez me laisser ici et continuer votre travail, dit Agathe, toujours soucieuse de ne pas déranger les gens.

— Pas question, répondit Anne. Je me rends compte que je ne connais personne au village. Puis de toute façon, ce que je faisais peut attendre.

— Vous avez loué le petit chalet ? Il y a bien longtemps que je n'y ai vu quelqu'un.

— Pas loué. En réalité, c'est un legs de mon ex-belle-famille. Je suis arrivée il y a maintenant un peu plus d'un mois et j'essaie de l'améliorer un peu pour qu'il soit plus agréable à vivre.

Le silence s'installa. Agathe pensait que l'utilisation du mot « ex » impliquait une séparation ou un divorce. Un legs dans ce contexte la surprenait. Elle ne voulait pas commettre d'impair et cherchait une façon de poursuivre la discussion avec la jeune femme.

De son côté, si Anne avait habituellement le sens de la conversation, elle ressentait un malaise en présence d'Agathe Lavoie. Cette femme dégageait un calme et une confiance absolue dans les gens. Si elle-même avait eu un tel accident, elle n'aurait pas osé frapper à la porte de purs étrangers, elle aurait composé le 911. Chose étonnante, ce qui émanait de la visiteuse lui inspirait un grand sentiment de sécurité. Sans pouvoir l'exprimer, la jeune femme se sentait prise d'affection pour la personne à ses côtés. Ou bien était-ce de la pitié à cause de son état ?

— Je m'appelle Agathe Lavoie, et vous c'est… ?

— Anne Savoie.

— Et vous venez de quel endroit ?

— Un quartier de Laval, près de Montréal.

— Vous passerez l'été à Berthier ?

— Bien sûr.

Le ton des questions désarçonnait Anne, cette attitude d'écoute, cette voix douce, un brin rieuse. Ce regard accroché à celui de l'autre donnant l'impression qu'elle devenait la personne la plus importante au monde. Ces questions ne visaient pas à meubler le temps, elles n'avaient rien d'une curiosité de commérage, idée qu'Anne avait des rapports entre les gens d'un village. Non, elle avait le sentiment qu'Agathe cherchait à la connaître pour ce qu'elle était, pas pour ce qu'elle possédait ou ce qu'elle accomplissait. Cette femme démontrait un intérêt sincère. La jeune femme pensa à Joanie et Lysane, les copines d'Étienne et Yannick, qui s'étaient à peine manifestées depuis le décès de David.

— J'ai perdu mon conjoint l'automne dernier, reprit Anne. Un accident d'escalade. J'essaie de... reconstruire ma vie.

— Oh, je suis désolée. Toutes mes condoléances.

Agathe déposa doucement sa main sur le bras d'Anne alors que ses propres amies n'avaient pas démontré tant de diligence à son endroit, demeurant lointaines et laissant un trouble palpable s'installer. Anne savait que la mort suscite des émotions qui engendrent souvent un malaise et la distance devient alors un rempart devant les silences ou les gestes maladroits. Dans ce toucher d'une pure inconnue, Anne sentait la compassion qui lui avait manqué au cours des derniers mois. Involontairement, des larmes se mirent à glisser sur ses joues. Émue par ce ruissellement, Agathe entoura les épaules de la jeune veuve et plongea son regard bleu dans les yeux brouillés par la tristesse, et proposa :

— Si on se tutoyait ?

Anne resta silencieuse opinant de la tête. Cette question signifiait aussi : si on apprenait à se connaître ?

— On dirait que les rôles sont inversés, reprit Anne. C'est vous..., c'est toi la blessée et voilà que tu me réconfortes.

— Et puis ? poursuivit Agathe. Des petites égratignures qui vont vite guérir. Un cœur chagriné a besoin de temps pour se remettre. J'espère que tu vas te plaire autant que moi ici. La nature est généreuse et j'y trouve une grande source de consolation. Quand je me sens triste, je viens près du fleuve et je me laisse bercer par le rythme des flots. Après, je reviens à la maison le cœur léger. Comment il s'appelait ton amoureux ?

— David. On a vécu quinze ans ensemble.

David devint le sujet de la conversation qui suivit. Agathe savait que de parler du disparu apaisait le cœur, elle avait l'intuition qu'Anne avait escamoté cette étape après la perte de son conjoint.

L'arrivée d'une camionnette mit fin à la discussion. Jasmin se précipitait vers sa conjointe, tout inquiet.

— Ma belle Agathe, la route ne m'a jamais paru si longue. Comment tu vas ?

Agathe le rassura et présenta sa bienfaitrice. Anne était touchée par l'attention que démontrait cet homme. Jasmin embarqua le vélo brisé derrière sa camionnette, remercia cordialement Anne qui avait soutenu la blessée jusqu'à la portière. Agathe lui prit chaleureusement les deux mains en lui témoignant à nouveau sa gratitude. Anne aurait aimé prolonger ce geste à l'infini. Agathe était de ces personnes qui savaient materner, elle faisait du bien.

— Merci à toi, Agathe. Je suis bien contente de m'être trouvée sur ton chemin.

Puis, Jasmin aida sa douce à monter dans le véhicule.

Après leur départ, Anne retourna à sa table poursuivre ses croquis. Elle demeura longtemps à regarder le panorama devant ses yeux, songeant à la tournure de cette rencontre. Elle n'avait pas l'habitude de se confier de la sorte, avec autant d'abandon et de spontanéité. Elle pensa à sa mère qui aurait sans doute souhaité ce genre de conversation avec elle. Elle décida de ne pas attendre la floraison des lilas pour lui rendre visite, un prétexte pour remettre ce face-à-face appréhendé. Elle téléphonerait le soir même. Anne pourrait apporter une grosse brassée de jonquilles. Deux jours plus tôt, une profusion de fleurs jaunes étaient sorties de leur hibernation et ceinturaient le mur de pierres qui courait sur toute la largeur du terrain à l'ouest de la maison. Une belle tache qui faisait resplendir le relief devenu plus ombrageux avec la sortie du feuillage. C'était magnifique ! Et si sa vie aussi commençait à devenir plus ensoleillée ? Josée aurait parlé de signe. Anne voulait y croire.

Chapitre 8

Marthe Simoneau aspirait à retrouver la quiétude de la campagne en s'installant au chalet pour la saison estivale. Depuis qu'elle avait mis les pieds hors du lit, tout s'était déroulé de travers. Il était plus de deux heures quand elle emprunta la sortie de l'autoroute alors qu'elle comptait arriver à destination avant le dîner. Tôt le matin, elle avait chargé sa voiture, prête à démarrer sitôt le déjeuner terminé. La clé dans la porte, elle aurait dû ignorer la sonnerie du téléphone, c'était sa cousine. Marthe demeurait incapable d'écourter les appels de cette vieille fille seule dont l'univers tournait autour des *soaps* dont elle se gavait à longueur de journée et de ses petits malaises qui prenaient des dimensions disproportionnées chaque fois qu'elle rendait visite au médecin. Le plus souvent, Marthe l'écoutait en pelant ses légumes, en dressant sa liste d'épicerie ou en arrosant ses plantes. Accorder cette attention à sa cousine était un geste de pure charité, seulement elle avait horreur de perdre son temps. Une vapeur d'irritabilité lui sortait par le nez et les oreilles quand elle réussit à raccrocher trente minutes plus tard. Ne restait plus qu'à déposer la poubelle au chemin. Dans son énervement, elle attrapa la poignée avec tellement de vigueur que le contenant vacilla sur ses roues et tomba dans l'allée, juste devant l'auto.

— Maudite mard… melade !

Fuyant le courroux de sa maîtresse, la chatte courut se réfugier près de la balançoire. Marthe releva le bac à déchets et dut aller chercher de nouveaux sacs pour ramasser les dégâts, puis passa le gros balai mouillé pour nettoyer l'asphalte. L'incident l'avait transformée en lavette et des taches non identifiées maculaient sa blouse blanche. Son niveau d'exaspération avait grimpé de plusieurs crans, elle avait besoin d'une douche. Encore du retard. Vingt minutes plus tard, enfin prête à démarrer et installée derrière le volant, elle s'aperçut de l'absence de sa passagère. Sortant de la voiture en trombe, elle appela :

— Capucine ! Où t'es passée ? Capucine, Capucine, viens ma chatonne, on part pour la mer.

La voix s'était adoucie, la grosse chatte caramel vint se coller à ses jambes.

— Viens ma belle, il est plus que temps qu'on y aille.

Comme toujours, l'animal produisait un effet apaisant sur sa maîtresse. La circulation était fluide pour traverser la ville, mais la bonne humeur de Marthe Simoneau s'envola à nouveau à l'approche du pont Pierre-Laporte : un énorme embouteillage. Habituellement, elle utilisait le pont de Québec et parcourait le trajet sur la route 132 pour profiter du panorama. Les contretemps du départ l'ayant retardée, elle avait préféré emprunter la voie rapide. Non, décidément tout allait de travers aujourd'hui ! Presque une heure à avancer comme une chenille pour se rendre sur l'autre rive. Moins de trente minutes plus tard, elle s'engageait dans la sortie de Berthier-sur-Mer, son royaume estival. Marthe Simoneau souriait de contentement.

Elle déchanta dès qu'elle traversa le pont du motel ; l'entrée de son chalet était en partie obstruée par la camionnette de Thomas Lavoie, et elle dut procéder à une manœuvre de contournement pour accéder à son stationnement. En descendant de voiture, elle détailla le terrain voisin. « Quelle horreur, tous ces détritus qui jonchent la pelouse, du côté de mon chalet en plus ! Quelle pollution visuelle ce vieux fauteuil jaune moutarde, ces sacs-poubelle, ces sommiers de métal et tous ces morceaux de prélart. » La curiosité dissipa la vapeur qui lui montait à nouveau au visage. Personne ne venait là depuis des lustres. « Qui ça peut être ? Je ne savais pas que la propriété était à vendre. »

Après avoir rentré les bagages et rangé la nourriture, elle endossa une vieille vareuse et commença des travaux extérieurs, le jour même plutôt que le lendemain. Elle espérait apercevoir quelqu'un dans le chalet voisin. Depuis toujours, Marthe suivait une routine bien établie pour ouvrir et fermer sa résidence d'été. Aujourd'hui, la curiosité l'amenait à y déroger.

* * *

Veuve, Marthe Simoneau avait toujours été femme au foyer, mais peu souvent chez elle. Sans posséder le physique de l'emploi, elle était représentante de cosmétiques Avon. Mesurant à peine cinq pieds, plutôt maigrichonne, ses cheveux couleur poivre et sel n'avaient jamais connu les produits de teinture. Elle utilisait parcimonieusement le rouge à lèvres, et encore, pour les occasions spéciales. Ses imposantes lunettes lui donnaient un air austère. Au village, on l'avait vue vêtue d'une robe à l'occasion de funérailles, le reste du temps, elle s'habillait d'accoutrements amples se déclinant dans différentes nuances de vert. Confort et interchangeabilité, voilà quel semblait être le mot d'ordre pour sa garde-robe. Constamment en action, elle se déplaçait comme si elle était en situation d'urgence. Même assise sur la plage, ses mains s'activaient à un tricot, un raccommodage ou un ouvrage de broderie.

Malgré ses soixante-huit ans, cette femme menue exécutait tous les travaux, à l'intérieur comme à l'extérieur. Même du vivant de son mari, un intellectuel au cœur faible décédé d'un cancer dix ans plus tôt, elle voyait à tout. Depuis plus de quarante ans, Marthe Simoneau passait les étés à cet endroit. Elle s'y installait fin mai début juin pour retourner en ville après le week-end de l'Action de grâces. Le décor demeurait identique depuis les années soixante. Toutefois, la peinture était rafraîchie tous les cinq ans et les travaux d'entretien rigoureusement accomplis. Tout devait être impeccable.

Une fois les contreplaqués des ouvertures retirés et rangés dans la remise, elle sortit les chaises Adirondack, installa une table de métal et les sièges assortis sur le carré en dalles de ciment. Elle entreprit ensuite le lavage des fenêtres tout en jetant des regards furtifs chez le voisin. Elle entrevit Thomas Lavoie qui rapportait ses outils dans son véhicule. En l'apercevant, il lui envoya un salut de la main. Lavoie et son aide partis, une voiture restait garée dans l'entrée, donc il y avait quelqu'un. Terminant la dernière vitre, elle distingua à travers les arbustes une jeune femme en jeans, t-shirt et queue de cheval qui sortait une boîte visiblement remplie de déchets. «J'espère qu'elle va ramasser son bric-à-brac bientôt, j'pourrai pas endurer ça longtemps.»

* * *

Anne vidait des étagères au deuxième. Depuis la visite d'Agathe Lavoie, elle n'avait pas retouché aux ébauches de plans. Encore une fois, l'ambivalence la gagnait. Elle avait envie de vivre à Québec pour les boutiques, les restaurants, les spectacles ou le cinéma, la fébrilité et l'effervescence. La vie, c'était ça! Comment choisit-on une localité à habiter? À cause du travail sans doute. «À quoi ça sert de faire des plans si je veux vendre et m'en aller?» Elle avait appris qu'on dénommait le village «Le trou de Berthier» à cause d'une configuration dans le fleuve. Ce resserrement de la rive marquait le lieu où nichait la marina qui protégeait les bateaux des vents. Anne trouvait de moins en moins que l'endroit correspondait à l'image qu'elle se faisait d'un village, elle avait cessé de l'appeler «un trou perdu».

La valse du doute reprenait le pas.

Assise sur le sol de la mezzanine, elle pensait à sa tâche qui la ramenait à son enfance. Ses yeux tombèrent rapidement sur la collection des albums de Tintin, les ouvrages de la comtesse de Ségur, de Jules Verne, de Bob Morane. Des étagères comptaient des quantités de jeux de société d'une autre époque. Un vieux panier contenait des articles pour le bricolage et le coloriage. Une section regroupait des accessoires destinés aux fillettes: vaisselle miniature, poupées, articles de ménage petit format. Une autre, remplie de jouets davantage prévus pour les garçons: Tinkertoy, Meccano, Matchbox. Anne effleurait tous ces vestiges du monde de l'enfance. Elle imaginait ce refuge qui leur était réservé les jours de pluie; ils y dormaient et y créaient leur univers. Quatre lits, quatre enfants. Son beau-père avait un frère et une sœur. Peut-être des cousins y venaient-ils?

Elle arracha des murs de vieux dessins encadrés, une peinture à numéros et les rideaux de mousseline qui se déchirèrent quand elle les manipula. Tout était vidé à l'exception d'une armoire fermée. En l'ouvrant, Anne trouva d'autres livres, pour adultes cette fois, un jeu de dames et un paquet de cartes. «Je ferai ce coin-là après avoir mangé et… téléphoné à ma mère.»

Elle sortit les rebuts et enfourna une pizza. Avec un malaise au creux de l'estomac, elle composa le numéro de sa mère. Cette dernière décrocha à la première sonnerie.

— Oh! Anne, quelle belle surprise! Si tu savais à quel point je me retiens de te téléphoner, j'ai regretté de t'avoir promis d'attendre un signe de toi. Comment vas-tu, ma chouette?

Depuis l'adolescence, Anne détestait se faire appeler ainsi, ça lui donnait l'impression de demeurer une petite fille. Mais en ce moment, elle se sentait la petite fille de Mireille et reçut ces paroles comme un baume.

— Ça va bien, maman, enfin ça va mieux. J'aimerais aller te voir. Est-ce que c'est possible à ta prochaine journée de congé?

— Tu parles si c'est possible! J'ai du magasinage, mais ça peut attendre. À moins que tu souhaites qu'on y aille ensemble?

— Non, pas de *shopping*, je voudrais juste qu'on soit ensemble. J'aimerais parler avec toi.

— Je préfère ça aussi. Quand est-ce que c'est possible pour toi?

— Maman, je suis disponible, ta prochaine journée de congé si tu peux.

— Demain et après-demain. Tu veux coucher à la maison ?

— Non, j'arriverai vers dix heures, est-ce que ça te va ? Et maman…, je préférerais ne pas croiser Félix. Pas maintenant.

— Ça ira, ton frère est à la pêche sur la Côte-Nord avec des amis.

— À demain alors, passe une bonne soirée.

— Anne ma chouette…, tu comptes beaucoup pour moi.

— Toi aussi maman, à demain.

Mireille Savoie exultait. Anne avait raccroché avec soulagement, le contact était établi. Elle appréhendait néanmoins cette rencontre avec sa mère. Sachant que sa visite faisait le bonheur de Mireille, elle était consciente aussi qu'il lui faudrait faire preuve d'humilité, car son orgueil serait mis à vif. C'est en fille repentante qu'elle se présenterait, elle souhaitait de tout cœur ce rapprochement. Jamais elle n'aurait pensé retourner près de ses racines de son propre chef.

Saisissant son assiette pour manger dehors, elle s'assit face au fleuve sur la première marche de l'escalier. Quelques nuages cotonneux dessinaient des taches blanches dans le bleu pur du ciel. Des marcheurs se promenaient sur la grande plage. À travers les branches, elle aperçut une fenêtre ouverte. « J'entends du bruit dans la maison d'à côté, les propriétaires doivent être arrivés. Ça commence à s'animer dans le coin. » Sitôt sa pizza avalée, elle monta au deuxième en emportant une boîte vide.

Il restait un compartiment de la bibliothèque à vider. La petite porte de l'étagère se refermait constamment comme si un ressort l'actionnait. Anne prit un tournevis pour la retirer. Une fois la porte enlevée, le rayonnage se prolongeait et produisait un effet d'unité plus agréable à l'œil. Anne parcourait les titres avant de ranger les bouquins. Quelques ouvrages de poésie, un dictionnaire Larousse de l'édition 1964 et des romans. Elle s'attarda à lire la quatrième de couverture de certains volumes. Elle garda longtemps entre ses mains un petit livre. La jaquette gris perle était illustrée d'un joli coquillage rose saumon dessiné en relief. *Solitude face à la mer,* d'Anne Lindbergh. Même prénom que le sien, un titre qui reflétait sa situation du moment. En le parcourant, elle fut étonnée de constater que certaines pages étaient pliées ; il s'agissait d'une édition où le lecteur doit découper les tranches avec un coupe-papier. Les mots restaient prisonniers dans ces pages, personne n'avait encore feuilleté, encore moins lu, ce livre. Elle le mit de côté et poussa près de l'escalier la boîte remplie de jeux et de bouquins à donner.

Le fauteuil le plus confortable bloquait l'entrée de sa chambre. Elle inséra une vieille serviette sous les pattes pour le déplacer vers les grandes fenêtres et déposa le livre sur l'un des larges appuie-bras. Comme elle sortait de la douche, le soleil colorait de reflets orangés les murs de la pièce peints en blanc. La grosse boule de feu s'abaissait vers les hauteurs de Charlevoix. Prenant place dans le fauteuil, elle contempla ce magnifique tableau. Son regard fixa l'astre solaire qui glissait lentement derrière les montagnes, devenant plus foncé et plus grand à mesure que progressait la descente. Baignée dans une douce torpeur, elle resta immobile jusqu'à ce que la lumière du jour s'éteigne complètement. Elle alluma une lampe et plongea dans le bouquin qu'elle avait tenu sur ses genoux tout le temps du spectacle. Pour la première fois depuis des lustres, elle s'immergeait dans la lecture. « Ce livre m'était destiné, il m'attendait », songea-t-elle.

> *« Ces pages, j'ai commencé à les écrire pour moi-même. Je voulais méditer sur mon genre de vie, mon équilibre personnel, mon travail, mes rapports avec autrui, et je le faisais un crayon à la main, car cela m'aide à mieux penser. »*

Anne était incapable de poursuivre sa lecture. Les larmes embuaient sa vision. Un prénom, un titre reflétant son présent et maintenant… ces mots. Des mots qui la touchaient parce que c'est précisément ce qu'elle devait faire : réfléchir à sa vie. Elle n'avait jamais tenu un journal, même adolescente comme plusieurs de ses amies. Coucher sur papier ses états d'âme et ses moments de pâmoison avec les garçons, ça ne l'avait jamais intéressée. Ce livre, trouvé dans un endroit oublié, l'atteignait, il lui parlait. Elle devait se procurer un carnet. Au bureau, elle écrivait ses idées pour y voir plus clair, c'était efficace. Elle sentait la nécessité… et l'urgence de mettre ses pensées et ses sentiments sur le papier pour mieux réfléchir.

« Merci Anne Lindbergh de croiser ma route. »

Longtemps, elle resta immobile, le petit livre appuyé sur la poitrine. Elle finit par se glisser dans son lit, le cœur rempli d'espoir.

Chapitre 9

Anne s'était réveillée au gazouillis des oiseaux. Elle enfila une robe de tricot marine à rayures blanches achetée chez Simons alors qu'elle cherchait du linge de maison. Étrenner une nouvelle tenue augmentait sa confiance dans sa démarche pour reconstruire un pont avec sa famille. Elle se blâmait de leur avoir tourné le dos. Son frère avait raison de lui en vouloir, de lui reprocher la distance qui s'était installée entre eux et sa façon de les traiter de haut. Toutefois, elle n'était pas prête à s'en confesser. Étrangement, même si la culpabilité la hantait, un grand calme l'habitait.

Attrapant des ciseaux, elle sortit couper des jonquilles. Le soleil matinal filtrait dans les branches. Deux geais bleus s'amusaient. L'un restait immobile sur un poteau de clôture tandis que son compagnon se promenait d'un arbre à l'autre. Un magnifique oiseau, mais son chant irritait les oreilles.

Elle maniait les ciseaux avec dextérité, prenant les tiges ici et là pour conserver une belle allure à la plate-bande. Le muret de pierres naturelles bordé de fleurs, le vieux lilas qui s'épanouirait bientôt et ce petit bouquin trouvé la veille, tout cela la réjouissait. Finalement, cet endroit du genre « cadeau de grec » offrait d'agréables surprises. Des choses toutes simples sur lesquelles elle aurait levé le nez un an plus tôt. Se retournant avec son énorme brassée de jonquilles, elle distingua une silhouette qui l'observait de la maison voisine. Elle salua de la tête ignorant si son geste était perçu. Se hâtant, elle pénétra à l'intérieur et arrangea les fleurs dans un ancien vase trouvé dans les armoires. Il était magnifique ! Elle voulait le conserver, mais elle l'offrirait à sa mère. Anne avait besoin d'apprendre à donner avec son cœur plutôt qu'avec son porte-monnaie. Elle mangea peu, emporta le bouquet, le petit livre porte-bonheur, sa bourse et s'installa derrière le volant de sa voiture. Quand elle prit la 132 en direction ouest, la silhouette du chalet voisin n'avait pas bougé.

* * *

Dès sa descente de l'auto, Mireille s'élança vers sa fille les bras grands ouverts. Anne s'abandonna à cette tendresse. Après un moment, Mireille s'écarta en gardant les mains sur les épaules de la jeune femme et l'observa, les yeux plongés dans les prunelles brunes. Elle y décelait un voile de tristesse.

— On aura une superbe journée, dit Mireille.

Prenant Anne par le coude, elle l'entraîna vers la maison.

— Attends, répondit Anne en se dégageant.

Elle ouvrit la portière pour se saisir de la grosse brassée de fleurs. Tendant le vase, elle ajouta :

— C'est pour toi, directement de chez moi.

Le geste émut Mireille. Elle regardait sa fille avec affection. Le bouquet dans une main, elle entoura les épaules de la jeune femme de son bras libre pour la guider vers l'entrée. Cette demeure était loin de la maison champêtre où Anne avait grandi. Sur le comptoir de la cuisine, Anne aperçut le dessert sous une cloche de verre. Une odeur de cuisson flottait dans l'atmosphère. Mireille sortit un pichet de limonade et entraîna sa visiteuse vers la galerie arrière. Deux fauteuils en rotin synthétique formaient un angle conversation. Les bords de la loggia étaient surmontés de treillis aux larges mailles où courait un lierre de Boston. Une magnifique fougère surplombait un pilier et voisinait un hibiscus aux fleurs jaunes et un laurier rose qui se dressaient dans d'immenses pots d'un bleu cobalt lustré.

— Quel charme ! commenta Anne. Ça donne l'impression de pénétrer dans une serre. Ce havre de verdure est très intime, on ne dirait pas que c'est un jumelé.

— C'était important pour moi de préserver ma bulle. Je travaille dans le public et le brouhaha, aussi ai-je besoin de moments de solitude et de silence pour maintenir un minimum d'équilibre.

— Maman, est-ce que tu aimes ton travail ?

Installée dans les fauteuils, Mireille méditait sur la question et avait pris un temps de pause avant de répondre.

— Oui, maintenant je peux dire que j'apprécie ce que je fais. Ce n'est pas que je ne l'aimais pas avant, je n'avais même pas l'énergie de me poser la question, il fallait que je gagne ma vie. Avec un diplôme d'études secondaires, travailler comme serveuse était pour moi la seule solution. Mais j'aurais probablement vécu les mêmes sentiments en faisant autre chose. Je regarde les jeunes parents d'aujourd'hui, à courir sans cesse, à craindre d'être bloqués dans la circulation, de ne pas arriver à temps à la garderie… Même si on a un emploi pour lequel on a étudié et qu'on aime, je pense que concilier travail et famille est un tour de force pas toujours facile avec des tout-petits. Moi, je n'avais pas à me précipiter, j'allais à pied au restaurant et je n'avais pas besoin de gardienne. Une voisine me dépannait quand toi ou ton frère étiez malades. Aujourd'hui, je sais comment répondre poliment, mais avec aplomb, aux clients désagréables. Et je sens la reconnaissance de mon patron et de mes collègues de travail.

En écoutant sa mère, Anne se rendait compte à quel point elle s'était montrée ingrate et injuste. Adolescente, elle se croyait pauvre ; la honte de sa famille s'était sournoisement installée en elle. Ce sentiment avait pris naissance quand, pour faire ses devoirs, elle s'était mise à fré quenter une compagne de classe dont le père était médecin. C'est à ce moment-là qu'elle avait commencé à s'intéresser aux magazines de décoration à la bibliothèque, à rêver d'une somptueuse demeure et du style de vie qui l'accompagne. Elle avait éprouvé une fierté teintée d'orgueil pour avoir réalisé ce rêve en vivant avec David.

Adulte, Anne rendait quelquefois visite à sa mère. Trop rapidement et si peu souvent. Elle détestait la maison de son enfance. Depuis que Mireille habitait ce jumelé, elle ne l'avait pas vraiment regardé, elle refusait de voir.

— Anne, tu sembles songeuse tout à coup.

— Je n'avais jamais vraiment pris le temps de m'intéresser à ta demeure. Je trouve que tu t'es construit un beau nid.

— Merci ! C'est vrai que je suis bien ici. Mais Dieu sait à quel point j'ai hésité avant de quitter la maison bâtie par ton père. Après une longue réflexion, la proposition de Félix m'était apparue comme un message : les enfants devenus adultes, il était temps que je tourne tout à fait la page.

Il restait beaucoup de souvenirs d'Alain dans cette demeure habillée d'un regard neuf. Cette seconde maison, Mireille s'y était investie, elle l'avait pensée et décorée avec le travail de ses mains, elle l'aimait. Elle laissa planer un silence puis proposa :

— J'ai préparé un pique-nique pour dîner. Bain de foule ou tranquillité ?

— Tranquillité, répondit Anne.

— Alors, il n'y a qu'à charger la voiture. Viens, on prend ma vieille Honda ; à moi la direction des commandes. Tu connais le parc des Chutes-de-la-Chaudière ?

Devant le signe de négation de sa passagère, elle poursuivit :

— J'adore cet endroit, j'y vais au moins cinq ou six fois par année. L'automne, c'est magnifique et agréable pour marcher.

Une fois la voiture stationnée, elles empruntèrent un étroit sentier. Un bruit assourdissant résonnait à mesure qu'elles s'approchaient d'un îlot de tables à pique-nique. Mireille guida la jeune femme vers un immense arbre, près des chutes.

Elle étendit la nappe en prenant des roches nichées près des racines du grand chêne pour les déposer aux quatre coins de la table. On aurait dit que ces pierres attendaient à cet endroit exprès pour leur utilité. Mireille disposa les couverts, sortit une salade, des fromages, de la terrine, un pain et un plateau de raisin.

En dernier lieu, elle ajouta deux coupes en plexiglas et une bouteille de rosé. Un écureuil les observait. Des cris d'oiseaux s'élevaient à travers le tumulte de la chute. Le parc se trouvait à l'intersection de deux autoroutes, mais malgré cette proximité, la nature faisait oublier l'invasion de l'homme.

Anne savoura avec plaisir ce que Mireille avait préparé. Elle était conquise par la beauté des lieux et par cette femme, sa mère, qui à sa façon, était une force de la nature.

— Merci maman, c'est une très bonne idée que tu as eue.

— Anne, d'où es-tu partie ce matin ?

— De Berthier-sur-Mer, pas très loin.

— Anne, je sais que tu n'es plus à Laval.

— Tu as appelé les Lampron ?

La voix d'Anne était montée d'un cran.

— Oh ! non, je doute fort que j'aurais trouvé réponse à mes questions de ce côté-là. Je m'excuse de te dire ça, Anne, mais je trouve ces gens tellement suffisants et au-dessus de tout, surtout Ruth. Je n'ai pas eu la chance de connaître beaucoup David au cours de toutes ces années. Je sais juste que tu semblais heureuse auprès de lui. J'ai respecté ta demande d'attendre que ce soit toi qui m'appelles, mais je t'ai écrit… et la lettre est revenue.

La jeune femme éclata en sanglots. Mireille l'entraîna vers la couverture étalée au sol. Affectueusement, elle coucha la tête de sa fille sur son épaule, l'encerclant de ses bras et la berçant pour tenter de consoler ce gros chagrin. Elle se doutait que la perte de David n'était pas seule en cause dans la tristesse d'Anne. De longues minutes s'écoulèrent, enrobées de tendresse. Mireille souhaitait qu'Anne trouve dans la nature le même apaisement qu'elle-même y avait puisé.

Après un moment, Anne se détacha de sa mère. Ses yeux étaient bouffis et rougis, son maquillage avait dégouliné. Cette image bouleversait Mireille. Sa fille qui dégageait de la force, de l'assurance et de la détermination ressemblait en ce moment à un oisillon tombé du nid. Mireille s'étira pour prendre une serviette humide et essuya délicatement le visage mouillé de larmes. Avec ce geste, Anne eut le courage de plonger.

— Pardon maman, j'ai été si odieuse avec toi. J'ai eu honte du milieu d'où je venais et maintenant ça me rattrape. J'ai honte de la personne que je suis devenue. Oui, j'ai réalisé un rêve, mais si tu sais où ça m'a conduite. Ce n'était qu'un mirage. Et toi, tu es toujours restée là. En plus, aujourd'hui, c'est toi qui me consoles. Pardon maman, pardon.

Enlaçant sa mère dans ses bras en la serrant très fort et lui répétant « ma petite maman, ma petite très chère maman », Anne se rapprochait d'elle et Mireille avait le cœur gonflé de bonheur. Elle bouillait d'impatience de savoir ce qui l'amenait à Berthier, à à peine une demi-heure de chez elle. Prenant les mains de la jeune femme dans les siennes, elle dit :

— Si on mangeait ces carrés aux dattes maintenant, et que tu me racontes. Je pense que tu es prête, est-ce que je me trompe ?

Les morceaux de dessert enveloppés d'un papier d'aluminium étaient restés au soleil sur une roche ; ils étaient chauds, comme s'ils sortaient du four. Toute cette chaleur, celle de sa pâtisserie préférée d'une époque lointaine, celle de sa mère la couvrant de sollicitude, tout cela donna à Anne le courage de détailler le chemin de son humiliation. Pendant une heure, elle parla de sa vie tourbillonnante, de ses succès professionnels, mais aussi de l'incapacité à se faire aimer de Ruth malgré tous ses efforts. Après une pause, elle poursuivit son récit.

— David n'étant plus là, Ruth a décidé de m'évincer. Je n'oublierai jamais ce fameux jeudi de la fin janvier où mon univers s'est écroulé. J'ai senti que je basculais dans un grand vide. Le néant! Toutefois, elle a eu la générosité de me léguer ce chalet à Berthier-sur-Mer. J'ai vécu les dernières semaines au condo dans l'errance, je n'étais qu'une ombre. Si tu savais comme je trouve douloureux ce constat que ma vie n'a été que façade, apparence et superficialité. J'avais une carrière, j'ai gravi les échelons, je me suis dépassée, mais pour le reste, je n'ai fait que me conformer aux exigences d'un milieu pour y être admise, et cela, au détriment de ma famille.

Anne se mit à nu émotionnellement, blessure de l'orgueil, honte qui ronge, et ce relent de fiel à ravaler. Son arrivée dans un endroit qu'elle n'avait pas choisi, dans des conditions telles qu'elle croyait qu'un mauvais sort s'acharnait sur sa vie. Le ton changea quand elle raconta les rénovations et l'amabilité des gens. Elle ne dit mot sur son goût de vengeance.

Mireille brisa le long silence qui suivit.

— Et maintenant?

— Maintenant, je ne sais plus. À mesure que les jours passent, je me demande si ce n'est pas là que doit être ma vie. Je ne suis plus certaine de vouloir me débarrasser de ce chalet. Presque malgré moi, j'aime l'endroit. Mais pour être pratique, je pense que ça dépendra du travail que je pourrai me trouver, un gros défi qui s'annonce.

Tu sais, maman, je n'ai jamais cherché d'emploi. Je me suis fait connaître de la compagnie Lampron durant mes stages et j'ai été embauchée sans effort une fois mes études terminées.

— Chaque chose en son temps, dit Mireille. Avec du recul, je me rends compte que la vie a toujours mis sur ma route des gens ou des circonstances qui m'ont aidée à préciser des choix. Des portes se sont ouvertes alors que je ne voyais plus d'issues, ou elles m'ont tout simplement permis de prendre les bonnes décisions. Pour le moment, comme il est près de quatre heures, j'aimerais éviter l'heure de pointe. Je propose qu'on retourne à la maison, qu'on prépare tranquillement le souper et qu'on poursuive notre discussion. Jusqu'à la nuit si tu veux.

Anne éclata de rire, il y avait longtemps que cela ne lui était pas arrivé.

— Merci de m'avoir fait découvrir cet endroit, maman, merci pour l'écoute. Je suis chanceuse d'avoir une mère comme toi.

— Et moi, d'avoir une fille telle que toi.

De retour chez Mireille, elles s'attelèrent au repas du soir, presque en silence. Elles s'étaient rarement retrouvées ainsi dans une cuisine. Leur complémentarité dans les tâches était instinctive. Sans les chercher, Anne trouvait les ustensiles nécessaires, le tiroir des napperons, le saladier. Elle s'activait dans cette pièce comme si elle lui était familière.

Elles s'installèrent sur la galerie pour manger. Anne respirait l'odeur de poudre de bébé que dégageait le laurier. Elle observait Mireille occupée à cuire des papillotes de légumes et à surveiller des grillades de poulet sur le barbecue. Anne découvrait la femme en sa mère et son cœur se gonflait de fierté. À la fin de la cinquantaine, Mireille traversait les années avec grâce, comme si le temps n'avait aucune prise sur elle. Elle devait porter la même taille de vêtements qu'au moment où Anne avait quitté la maison. De légères pattes d'oie faisaient sourire ses yeux. Mireille dégageait à la fois douceur et énergie, elle était vivante et bienveillante, accueillante avec cette réserve qui donne un charme discret. « C'est une belle femme », pensa Anne.

Mireille garnit les assiettes et prit place en face de sa fille.

— Maman, as-tu déjà songé à refaire ta vie ?

La question fit naître un sourire. Non, pas vraiment. D'abord, elle n'avait pas eu le temps et surtout, elle avait refusé d'imposer un autre père aux enfants. Mieux valait une mère seule qu'un beau-père peu attentif, non aimant et même… maltraitant, comme cette compagne de travail à qui l'on avait retiré ses petits parce qu'elle n'avait pas su les protéger du nouveau conjoint abusif. Avec le soutien familial, Mireille n'avait jamais senti la nécessité d'un homme dans sa vie pour pallier l'absence d'Alain. Au fil des années, de belles amitiés l'avaient nourrie de tendresse et de complicité. Elle n'exigeait rien de plus, si ce n'était le rapprochement avec sa fille.

— Qu'est-ce qui a été le plus difficile pour toi après le décès de papa ? questionna Anne avec émotion.

Après un long silence, Mireille finit par répondre, les yeux plongés dans ceux de sa fille.

— Le plus difficile, ç'a été le grand vide causé par sa perte. Puis, l'angoisse d'arriver à vous élever seule. Le défi de jouer à la fois le rôle de mère et celui de père tout en travaillant. Je me suis accrochée à vous deux, Félix et toi. Tu venais de fêter tes quatre ans et ce qui me peinait le plus, c'était de constater que tu ne garderais probablement pas de souvenirs de ce papa qui s'amusait avec vous, qui vous traînait aux commissions, qui avait une patience d'ange pour vous lire des histoires ou vous apprendre quelque chose de nouveau. J'ai empli la maison de photos en espérant le garder vivant dans votre mémoire. À quatre ans, un enfant vit dans le moment présent, dans le concret. Rapidement, tu as cessé de demander « où était ton papa ». Pour Félix, ç'a été plus difficile. Ton frère n'avait jamais été un enfant exubérant, il s'est refermé davantage. Il a vieilli trop vite. Un jour, ma mère m'a fait remarquer qu'il jouait le rôle de l'homme de la maison. Il se montrait protecteur avec moi, mais aussi envers toi. Après ce commentaire, je me suis surprise à l'observer. Il regardait des livres avec toi en inventant les histoires parce qu'il avait de la difficulté à lire. Il t'a enseigné à nouer tes boucles de chaussures comme l'aurait fait ton père. Contrairement à toi, Félix ne demandait jamais rien, ni jouets ni bonbons. On aurait dit qu'il sentait que, financièrement, j'arrivais à peine, malgré mes efforts pour rester discrète sur mes problèmes d'adulte. Félix était un enfant trop sage. Encore aujourd'hui, je pense parfois qu'il met un frein à son existence pour être présent et disponible.

Mireille s'aperçut que ses confidences bouleversaient sa fille. Elle voulait éviter de laisser l'impression d'une vie difficile, ni être prise en pitié. Elle poursuivit.

— Oui, j'avais de longues journées ; oui, je devais jongler avec le budget ; oui, Alain me manquait terriblement, avec son amour et son immense tendresse. Mais j'avais mes enfants, la santé, ma famille pour m'épauler en vous offrant des vacances à la ferme, en vous gardant à l'occasion, en me donnant des choses pour vous, usagées, mais en bon état. Je n'aurais pas pu vous acheter de patins, ni de vélo si mes sœurs ne m'avaient pas refilé ceux de leurs enfants quand ils avaient grandi.

Anne n'avait jamais confié que c'était précisément à cause de cela qu'elle se sentait inférieure, qu'elle croyait vivre dans une famille pauvre. Ces dons de ses tantes, c'était de la charité. Mireille se doutait que sa fille dédaignait les choses d'autrui, mais avait-elle le choix ? Elle omit de parler de cette période où elle se rendait au sous-sol de l'église pour s'acheter des vêtements bon marché afin de pouvoir payer les frais de scolarité d'Anne. Elle passa également sous silence la grande tristesse causée par la distance de sa fille, avec l'impression d'être une vieille chaussette mise de côté.

— Je voulais que vous ayez la possibilité d'aller au cégep, peut-être à l'université, d'étudier pour avoir une bonne profession. Je me disais que l'instruction serait le meilleur héritage à vous laisser. Si j'avais eu cette chance, ma vie aurait sans doute été différente. Mais avec du recul, je peux t'assurer que je suis contente de ma vie. J'ai appris à m'organiser seule. Ton frère semble aimer son travail au laboratoire de l'hôpital et toi tu as pu faire des études universitaires. Je suis fière de vous deux.

Leurs assiettes étaient vides, le soleil déclinait. En silence, elles débarrassèrent la table. Anne sortit des tasses et alluma le fanal installé à l'extrémité de la table pendant que sa mère apportait du café et une boîte de chocolat artisanal.

— Et pour toi, Anne, qu'est-ce qui est le plus difficile depuis la mort de David ?

— Au début, je pense que ça ressemblait à ce que tu as vécu. Une présence qui n'est plus, qui ne sera plus jamais, un grand vide. Puis, je me suis sentie dépossédée. Sous prétexte de m'épargner de la peine, Ruth avait fait le ménage des affaires de David, même chez nous. J'étais trop sous le choc pour aller contre sa volonté, surtout qu'à cette période elle se montrait gentille comme jamais. J'aurais souhaité garder une chemise ou un chandail à porter pour m'imprégner un peu de sa présence, le flacon de son eau de Cologne pour retrouver son odeur, un de ses beaux livres pour imaginer ce que ses yeux avaient regardé. Je n'ai rien de lui sauf quelques photos. Aujourd'hui, je me demande si j'aimais David d'un amour aussi grand que toi avec papa. Durant ces semaines d'errance après la fin de mon travail, ces longues journées de solitude où je ne voyais personne à part les commerçants quand je sortais, ce qui me faisait le plus mal, c'était de constater que mon rêve s'écroulait, que cette existence me glissait entre les doigts. Il y a même des moments où une colère noire sourdait en moi envers David. Je lui en voulais de ne pas avoir réglé ses papiers. On n'était pas mariés, mais on avait vécu quinze ans ensemble, c'est pas rien. J'aimerais donc pouvoir tourner la page et oublier cette période de ma vie.

Sous le regard de sa mère, sa voix s'étrangla. Anne devrait traverser cette route difficile qui jalonne les étapes du deuil, Mireille ne pouvait pas endosser la peine à sa place. D'autres causes de souffrance que la perte de David l'affligeaient. Tout ce qu'elle pouvait offrir, c'étaient l'écoute et une présence affectueuse.

— C'est bien de rêver, Anne, c'est même essentiel pour avancer ; mais je ne pense pas qu'il soit nécessaire d'enterrer le passé, il doit plutôt nous servir de tremplin.

Anne ne comprenait pas trop le sens des paroles de Mireille, elle sentait juste qu'il s'agissait d'une vérité. Elle tentait de réprimer ses larmes.

La nuit était tombée. La faible lueur du fanal renforçait leur intimité. Anne s'avança sur sa chaise et saisit la main de sa mère qui jouait avec sa cuiller.

— Maman, est-ce que tu me pardonneras un jour? J'ai été si odieuse. Est-ce qu'il est trop tard pour...

— Il n'est jamais trop tard, jamais, coupa Mireille. Tu es là, ton désir de rapprochement est sincère et si tu savais comme je me sens comblée. Tu as donc ta réponse.

— Au risque de me répéter, je suis contente et chanceuse de t'avoir comme mère. J'ai tant de choses à rattraper avec toi.

— Allez viens, on rentre, dit Mireille en se levant. Le temps fraîchit. On a eu une magnifique journée.

Anne souffla la bougie du fanal et rangea le reste de la vaisselle avec sa mère. Elles s'installèrent au comptoir et Mireille remplit deux verres à *shooter* de limoncello.

— Cet alcool inaugure l'été, mais ce soir, ce verre revêt un autre sens. Santé, ma chouette!

Elles avalèrent une gorgée.

— Que c'est bon! J'en ai déjà bu en Italie, l'endroit même où l'on cueille les citrons pour concocter cette délicieuse liqueur. Mais celle-ci est la meilleure que j'aie goûtée.

— *Homemade*, dit fièrement Mireille. Il y a trois ans, j'en ai fabriqué pour la première fois chez une amie avec une Italienne qui vit dans un petit village de la région de Naples et qui séjournait au Québec. On était quatre à cuisiner chacune notre recette. Je n'avais jamais bu de ce breuvage auparavant. Depuis, j'en fais une provision pour la saison estivale.

— Tu as une amie italienne ? questionna Anne toute surprise.

— Pas vraiment une amie, seulement une connaissance. C'est une amie de mon amie.

L'année précédente, Anne se serait approprié cette relation, c'était bien vu d'avoir des amitiés étrangères. Elle aurait levé le nez sur ce breuvage « artisanal », tout simplement parce que la bouteille ne portait aucune étiquette. Elle devrait s'appliquer à distinguer les nuances entre amitiés, relations, contacts et connaissances. Depuis peu, elle comprenait mieux que le temps investi et l'émotion suscitée donnent de la valeur à quelque chose. Un peu comme son chalet qu'elle apprenait à aimer.

Anne avait soutenu le regard de sa mère depuis sa dernière observation.

— Tu as le sens de la précision, maman. Je me rends compte que j'ai beaucoup de choses à démêler. J'ai tellement tout confondu.

— Ça viendra, ne t'inquiète pas. Et si tu me parlais un peu de Berthier. J'y suis allée une fois passer la journée sur la plage. Un endroit magnifique ! Mais je n'ai vraiment pas aimé les voitures stationnées sur la grève, un vrai sacrilège. Je n'y suis jamais retournée.

La saison touristique n'étant pas commencée, Anne n'avait rien vu du « sacrilège » que mentionnait sa mère. Elle raconta sa grande déception et sa fureur à son arrivée, la température cataclysmique, son idée de retaper le bâtiment pour le vendre et s'installer à Québec, les transformations en cours et auxquelles elle prenait maintenant plaisir. Elle parla des gens, de la convivialité des commerçants, du souci qu'ils avaient de rendre service. Elle décrivit la nature, les vols d'oies et de bernaches qui suivaient les nuages, les couchers de soleil qui dessinaient des fresques grandioses derrière les montagnes, la rivière bordant son terrain qui se gargarisait joyeusement. Elle partagea les trouvailles à l'extérieur et à l'intérieur de la maison.

Mireille écoutait sa fille. Pour la première fois de sa vie adulte, elle l'entendait parler des gens de cette façon, de la nature, pourtant bien présente à Morin-Heights. Avant, Anne noyait son interlocuteur de ses accomplissements ou de ses découvertes: les sorties mondaines, les vernissages auxquels elle assistait, les somptueux cadeaux de David, les voyages à l'étranger. Elle passait sous silence les personnalités qui l'auraient marquée, les œuvres d'art qui l'auraient touchée, les trouvailles rapportées de ses visites d'un nouveau pays, le symbole d'un cadeau reçu. Anne cherchait à épater la galerie, probablement pour démontrer sa réussite. «Ma fille change, elle se dépoussière des apparences», pensait Mireille en l'écoutant.

Il était presque minuit quand Anne ramassa ses effets pour repartir.

— Merci maman, dit-elle sur le palier de la porte. Cette journée a été magique.

Elle marcha vers sa voiture et revint sur ses pas.

— Dorénavant, tu appelles et tu viens quand tu veux. C'est encore en chantier, mais maintenant ça ne me dérange pas que tu me voies dans mon barda.

Elle fit un gros câlin à sa mère, prolongeant le moment en la serrant dans ses bras.

Une fois la voiture de sa fille disparue de son champ de vision, Mireille resta longtemps sur le trottoir de peur que la tendresse dont l'avait enveloppé sa fille ne s'évapore. Elle avait tellement espéré cette occasion. Anne revenait au bercail.

Anne roulait sur la voie rapide, libérée d'un grand poids. Cette journée s'était déroulée au-delà de ses attentes. Sa mère n'avait formulé aucun reproche et l'avait écoutée avec douceur. Sa peine était soulagée, sa culpabilité atténuée. Et surtout, depuis le décès de David, elle commençait à voir une lueur sur sa route. Par sa seule présence, sa mère devenait un phare qui éclairait et guidait son destin.

Chapitre 10

Anne s'éveilla très tard le lendemain. Elle écoutait tout en se prélassant la fine pluie qui pianotait sur le toit. « Construirai-je mon nid ici ? Dans l'état actuel, le chalet sera invivable l'hiver. Dois-je trouver un logement en ville et vivre ici l'été ? Ou transformer cette bâtisse et l'habiter en permanence ? Comment établir un budget et prendre des décisions sans emploi ? » songeait Anne.

Elle traversa la pièce vide. Malgré le remplacement du couvre-plancher, les meubles restaient empilés dans un coin. « Pourrai-je vivre dans un espace si exigu ? » En dressant l'inventaire des possibilités, les chiffres s'aligneraient plus facilement. Elle pourrait utiliser une grande partie de la somme de « compensation » versée par les Lampron. Elle devrait aussi rédiger son curriculum vitæ ; des revenus réguliers s'avéraient nécessaires. Cette période était transitoire et ne pouvait s'éterniser. En sortant de la salle de bain, elle entendit frapper à la porte. « Décidément, il commence à y avoir de l'animation dans ma vie. » Cette idée la réjouissait.

En apercevant les papiers que tenait la dame, Anne crut qu'elle était en face d'un témoin de Jéhovah.

— Bonjour, je suis votre voisine, Marthe Simoneau. Comme il y a belle lurette que je n'ai vu personne ici, j'imagine que vous n'êtes pas du coin. Quand j'ai découvert votre auto dans l'allée, j'ai décidé de venir me présenter. À voir les débris sur votre terrain, je constate qu'il y a des travaux en cours, ce qui est tout à fait légitime. Les « monstres » sont passés hier, mais il n'y avait rien au bord de la rue. Alors, j'ai pensé vous rendre service en vous laissant ceci. Vous y trouverez les journées de ramassage des poubelles, de la récupération et des monstres. Mais pour les monstres, on doit téléphoner à la municipalité pour prévenir qu'on a des rebuts.

Quelque peu stupéfaite, Anne prit les feuillets.

Jetant un œil sur le terrain, la voisine ajouta :

— La prochaine cueillette est dans seulement un mois. Mais si vous mettez tout ça directement sur le bord du chemin, il y a des chances que des gens se servent. Je peux vous aider à transporter ça près du poteau d'Hydro qui est là.

Tout en parlant, Marthe tentait des regards à l'intérieur. Elle détectait une odeur de peinture.

— Je vous remercie, répondit Anne, abasourdie devant cette volubilité. Je vais m'arranger. Bonne journée, madame Simoneau.

Devant l'immobilité et le silence d'Anne, la dame ne put que rajouter :

— Vous pareillement !

Puis elle rebroussa chemin.

Anne observait la démarche et croyait y déceler de la contrariété tant le pas était précipité. Quelle voisine !

Le genre à ne pas fouler son gazon. Cette visite n'était qu'une intrusion : la première voisine avec qui elle entrait en contact laissait une désagréable impression. À nouveau des doutes sur sa capacité à vivre les réalités d'un village, où, s'imaginait-elle, tout le monde se connaît, s'épie et s'amuse à colporter aux quatre vents les petites histoires de chacun en y apportant des interprétations personnelles. Elle regarda les papiers dans ses mains : c'étaient les mêmes qu'on lui avait remis à la municipalité ; elle les avait rangés sans les lire.

Anne entendit la porte de la voisine claquer au moment où elle refermait la sienne. « Ouille ! Elle m'a l'air offusquée parce que je n'ai rien fait sur-le-champ. Quand même ! Je suis encore en pyjama malgré qu'il soit onze heures du matin. On est samedi après tout, elle se prend pour qui ? Ça augure mal pour le bon voisinage. » Le balancier de la pendule oscillait à nouveau. Anne avait l'habitude de voisins qui s'ignorent. À peine une salutation au passage. Mais une voisine comme celle-là, elle préférait s'en tenir loin ! Entre deux maux, choisir le moindre, disait souvent une collègue. « Anonymat ou intrusion ? Cette agréable rencontre avec Agathe aurait-elle une suite, ou se limiterait-elle à une simple rencontre sans développement ? » se demandait Anne. L'état de bien-être ressenti à son réveil s'était vite évanoui. Elle partit manger au restaurant d'à côté. La pluie avait cessé et le soleil séchait rapidement l'herbe. La météo annonçait un beau week-end. L'accueil de la souriante et chaleureuse Josée ranima l'enthousiasme d'Anne. Installée près des baies vitrées, elle commanda un copieux déjeuner. Un calepin sous la main, elle prit des notes durant l'attente de son repas. Elle inscrivit les aspects actuels du bâtiment qui convenaient pour un chalet, et ceux à ajouter si elle souhaitait aller de l'avant. Anne n'avait pas l'habitude de s'attarder à son intuition ni d'écouter cette petite voix dans son cœur qui murmurait « continue ». Le rationnel avait toujours parlé plus fort.

De sa place, elle apercevait la plage bordée de chalets où elle aimait marcher; des gens travaillaient sur leurs terrains. Des cocons de bien-être. Cette conception de la résidence secondaire lui plaisait. Tout en étalant la marmelade sur sa rôtie, elle pensa à la maison de campagne dans les Laurentides, fréquentée tout au long de l'année: rien de comparable avec ces refuges de la belle saison.

En quittant le restaurant, elle emprunta la rue qui menait au quai. Les gens la saluaient gentiment de la main en poursuivant leurs tâches. Certains raclaient le terrain, d'autres installaient le mobilier extérieur ou lavaient des vitres. Elle observa un groupe d'hommes affairés à dresser la clôture qui encerclait un court de tennis. Son regard fut attiré par une minuscule bâtisse, de biais par rapport à la surface de jeu. Une dame montait un hamac entre deux arbres, comme deux géants qui protégeaient le chalet. Se retournant vers la marcheuse, elle lui adressa un sourire lumineux.

— Bonjour, belle journée pour réveiller les chalets.

— Oui, répondit Anne, c'est une très belle journée.

— Oh, le four m'appelle, j'entends la sonnerie. Bonne promenade.

« Quelle drôle de femme, et quelle curieuse façon de s'exprimer ! » pensa Anne. Poursuivant son chemin jusqu'à la marina, elle vit que là aussi on s'activait. De la dizaine de voiliers en hibernation près des bâtiments, deux semblaient inoccupés dont l'un affichait une pancarte *À vendre.* Ponçage ou peinture de la coque, lavage du pont à la serpillière, installation du mât ou de la voilure. Des voix se mêlaient au bruit d'une sableuse électrique. Elle observa tout ce remue-ménage. David avait souhaité acheter une telle embarcation. Ruth l'en avait dissuadé. Toujours cet ascendant sur son fils. « À combien de choses avait-il renoncé à la demande de sa mère ? » se questionna Anne. Il avait parlé à quelques reprises de ce projet avec un ami. La voile, symbole de liberté, de grands voyages en solitaire... ou presque. Pour Anne, ce n'était ni plus ni moins que du camping sur l'eau.

Anne continua jusqu'au bout de la jetée. Un groupe d'hommes installait les pontons à l'eau. Indubitablement, c'était journée de corvées. Une horde de gens la doubla pour monter à bord du bateau des croisières Lachance. D'impressionnants appareils photo oscillaient au cou de plusieurs d'entre eux. À l'ouest, une jolie maison faisait face à l'estuaire. Une nappe de mousse blanche ceinturait les rochers en contrebas et la nuée se dissipa dans un tumulte qui emplit le ciel au passage d'un petit avion. Des milliers d'oies des neiges effarouchées par le moteur prirent leur envol, se dispersant dans une formation en V. Des voyageurs s'immobilisaient pour photographier le spectacle. Revenant sur ses pas, Anne ralentit à la hauteur de la billetterie. Les affiches annonçaient différentes croisières : excursions aux Petits Pingouins, visites historiques sur le site de la Grosse Île, observations des feux d'artifice à la chute Montmorency. Elle amènerait sa mère à l'une de ces promenades lorsque cette dernière viendrait la visiter.

Marchant vers le village, Anne croisa Thomas Lavoie qui sortait de la quincaillerie. Il la salua avec bonhomie.

« Quel heureux hasard, cette rencontre ! » Après un bref échange, il promit de passer chez elle à la fin de sa journée du lundi pour évaluer l'envergure des travaux qu'elle projetait d'exécuter.

Les journaux sous le bras, elle entra à la boulangerie. Cette visite devenait un rituel du samedi. Le commerce exhalait d'agréables odeurs de levain, de tomate et d'ail qui chatouillaient les narines. Anne fit son choix et prit le chemin du retour.

Sur le pas de sa porte, elle trouva une enveloppe bien en vue, glissée sous une roche à côté d'un panier garni de victuailles. Un message d'Agathe sur un joli papier fleuri à la belle calligraphie. « Quelle agréable surprise ! »

Le reste de l'après-midi, Anne dressa des listes, prit des mesures, dessina des plans et ébaucha quelques croquis. « Au fond, j'aimerais bien que ce qui se trouve sur ces papiers puisse se concrétiser. » Pendant que la pizza réchauffait, elle mélangea une salade et mangea au comptoir, le regard constamment attiré vers le fleuve et le paysage qui entrait à pleines fenêtres. Elle empila la vaisselle dans l'évier et partit vers la plage. Longeant les vagues en direction du rocher qu'elle voulait escalader, elle apercevait l'arrière des chalets. De la fumée s'échappait des barbecues. Des enfants ramassaient de minuscules coquillages et les accumulaient dans une chaudière. Le bord de l'eau était jonché de bouts de bois ramenés par le fleuve et des morceaux de verre scintillaient dans la lumière du soleil. Elle dépassa un couple de tourtereaux enlacés. « Comme j'aimerais arpenter cet endroit avec David, plutôt qu'avec son fantôme ! » La plage n'avait pas l'immensité ni la beauté de celles d'Ogunquit, mais le sable était doux. La marée haute reprendrait bientôt son mouvement à la baisse. Omniprésents, les grands vols d'oies traversaient le ciel. Le cri de ces oiseaux solidaires éveillait quelque chose qu'elle n'arrivait pas à nommer. Pas encore. Du haut du rocher, elle distinguait les quelques bâtiments de la Pointe Verte, un bout de route privée. Au creux de la baie, un attroupement de bernaches se laissait bercer par le roulis des vagues. « C'est magnifique ! Aimer un endroit est-il suffisant pour choisir d'y vivre ? Il y a aussi les gens, le travail... », poursuivait-elle dans son questionnement.

Elle dépassa un château de sable décoré de coquillages. Les enfants s'affairaient à rechercher des bouts de bois pour l'encercler d'une clôture. Un peu plus loin, elle aperçut une femme installée dans une chaise longue, plongée dans un bouquin, une glacière à ses côtés. En avançant, Anne reconnut la dame au hamac. Son approche balaya une ombre qui fit lever les yeux de la lectrice.

— Oh, bonjour, je ne pensais pas vous revoir dans la même journée, lança-t-elle gaiement.

— Bonjour ! répondit Anne.

Le sourire de cette femme l'attirant comme un aimant, Anne cherchait un moyen de prolonger le contact.

— Qu'est-ce que vous lisez ?

— Un polar. Ce n'est pas ce que je lis habituellement. Disons que c'est une lecture de vacances. Comment vont les travaux ?

Devant l'air ahuri de son interlocutrice, elle reprit :

— Vous savez, c'est un village ici. Quand quelqu'un s'installe dans une maison longtemps inoccupée, les gens ne peuvent pas faire autrement que d'être curieux et ça devient un sujet de conversation.

Une lueur d'irritation apparut sur le visage d'Anne et la dame au hamac poursuivit :

— Certains y voient du commérage ou matière à cancaner. Moi j'y décèle plutôt une marque d'intérêt. La plupart des gens ici sont ouverts.

— Vous êtes de la place ? demanda Anne.

— Pas vraiment. Pour un troisième été, je loue le petit chalet où vous m'avez aperçue ce matin. J'arrive fin mai et je reste jusqu'à l'Action de grâces. Le dernier mois, j'y viens les fins de semaine et je prolonge mon séjour quand il fait beau.

Tout en parlant, elle avait sorti une couverture de son sac et, d'un signe, invita la promeneuse à s'asseoir.

— Merci, dit Anne. Et d'où venez-vous ?

— Pour l'instant, j'habite Québec, travail oblige. C'est une ville que j'aime bien. Mais j'ai besoin de ma dose annuelle de tranquillité et de grands espaces. J'ai mes racines dans la région de Kamouraska.

— Vous louez toujours le même chalet ?

— Je voudrais bien l'acheter. Il n'a l'air de rien, mais quand j'y suis entrée pour la première fois, j'ai eu un vrai coup de cœur. Même s'il n'est pas directement sur le bord du fleuve, c'est si près que je peux venir quand j'en ai envie. La propriétaire est une vieille dame qui n'a plus la santé pour y passer l'été, mais elle refuse de s'en défaire en espérant que ses enfants le voudront. J'ai l'impression qu'ils le vendront aussitôt que leur mère ne sera plus de ce monde. Finalement, vous ne m'avez pas dit si vos travaux avançaient ?

Le changement abrupt de sujet prit Anne au dépourvu, mais son interlocutrice démontrait de la suite dans les idées.

— Disons que l'endroit est un peu plus agréable qu'à mon arrivée, commença Anne. Mais je me sens dans un cul-de-sac, je me demande jusqu'où aller. Chalet ou maison permanente ? C'est ma question du jour.

— Ce chalet, il était dans votre famille ?

— En quelque sorte oui, mais ça, c'est une longue histoire.

Par le ton de la voix et par expérience, la dame au hamac savait que les longues histoires contiennent souvent un chapitre douloureux.

— Si on se présentait ? suggéra-t-elle. Puisqu'on est pour habiter le même village, du moins en tant que saisonniers comme disent les gens, ça serait bien qu'on se tutoie. Moi, c'est Sylvie Hudon.

— Et moi, Anne Savoie. Je suis contente de mettre un nom sur « la dame au hamac ».

À cette remarque, Sylvie Hudon éclata de rire. Un rire cristallin qui dégageait la joie de vivre. Par sa seule présence, cette femme rayonnait, une autre étonnante surprise du village. Leur bavardage se poursuivit sur une note légère. Sylvie fut secouée d'un frisson et décida de rentrer. En juin, l'air fraîchissait rapidement quand le soleil déclinait. Elles marchèrent côte à côte jusqu'à la route, puis prirent des directions opposées avec l'intention de se revoir.

De retour chez elle, installée au comptoir avec une camomille, Anne entreprit la lecture des journaux, s'attardant principalement aux offres d'emplois et un peu aux logements. Peut-être trouverait-elle une parcelle de réponse à sa question du jour.

Chapitre 11

Agathe avait occupé sa matinée à cuisiner. La surface jaunâtre et la rougeur sur la plaie de son coude s'estompaient et ne l'empêchaient aucunement de manipuler les casseroles. Elle n'était jamais prise au dépourvu si des visiteurs se présentaient, que ce soient ses enfants, des amis ou la parenté. Très tôt, elle avait mis à mijoter une grande marmite de soupe. Puis, elle avait préparé une cocotte de couscous, enfourné deux pains aux bananes, et enfin deux douzaines de muffins à l'érable. Elle se fournissait chez les producteurs du coin en œufs, viande, volaille et, durant l'été, elle cueillait des petits fruits et cultivait quelques légumes. Plusieurs pots de fines herbes garnissaient le large rebord de la fenêtre ensoleillée de sa cuisine. D'un coup de ciseaux, une branche de persil, des feuilles de basilic, une tige de romarin ou quelques brindilles de ciboulette atterrissaient dans une casserole.

Quand Agathe cuisinait, la pièce se transformait en laboratoire. Le comptoir devenait encombré de bols à mélanger, de tasses à mesurer, de pots d'épices, de récipients de farine, de sucre, de cassonade. Les planches à découper, les couteaux, les aliments de la préparation d'une recette, les chaudrons et les moules, tout occupait un emplacement désigné. L'ordre dans un apparent fouillis.

Durant l'abondance des récoltes, une amie apportait des paniers de tomates ou de pommes de son immense potager. Ensemble, elles élaboraient ketchup, relish, confitures et gelées. Début décembre, l'odeur des gâteaux aux fruits, des pâtés à la viande et des beignes embaumait la maison. Avec Jasmin, elle fabriquait une liqueur de cerises et de la confiture de vieux garçon. Cette femme cuisinait avec plaisir et amour.

Même par temps frisquet, les fenêtres ouvertes gardaient l'intérieur frais et laissaient entrer le chant des oiseaux qui visitaient les nombreuses mangeoires installées près de la maison. Agathe avalait à petites gorgées une tisane à la menthe pendant qu'elle nettoyait et rangeait la pièce. Un panier garni d'un pot de minestrone, d'un mini-pain aux bananes et d'une demi-douzaine des muffins attendait sur le comptoir. Elle ajouta de la gelée de pommes, le dernier de sa provision. Elle partit faire des courses à Montmagny. Il était plus de vingt heures quand elle revint au village. Un mouvement par la fenêtre indiquait qu'Anne était chez elle.

— Je voulais te saluer, dit-elle, et vérifier que tu avais bien trouvé un panier sur ton palier. J'ai cuisiné ce matin et j'ai pensé que ça pourrait être utile, étant donné les travaux chez toi.

— Oui, j'ai cueilli cette belle surprise ! Quel ange tu es !

— C'est ma façon de te remercier de ton aide quand je suis tombée devant ta maison.

Anne fut touchée par le geste. Agathe lui donna une accolade en la quittant. Peu habituée aux effusions, elle chassa une crainte d'intrusion. Pourquoi cette peur de l'ingérence? Sans doute à cause de toutes ces années passées dans l'entourage de Ruth. Elle réalisait à quel point l'attitude de cette femme avait régenté sa vie.

La gentillesse d'Agathe lui permettait de découvrir ou plutôt de reprendre contact avec des valeurs de son enfance. Sa mère agissait ainsi, elle aimait exprimer sa reconnaissance par des paroles, des actions concrètes ou en donnant quelque chose comme venait de le faire sa visiteuse. Un geste tout à fait gratuit. Offrir un objet fabriqué ou cuisiné de ses mains est une générosité du cœur et lui accorde de l'importance. Dans son ancienne conception, un présent fait main s'offrait « par défaut » si on avait peu de moyens financiers. Aujourd'hui, sa vision des choses évoluait, Anne commençait à croire que la gratitude est un geste sans prix et d'une grande valeur.

Que subsistait-il de son existence de rêve maintenant? Rien, presque rien! Pas même une vraie amitié. Ces quinze ans laissaient un vide et un goût d'amertume dans son âme. Elle essuya une larme sur sa joue. Non, il lui restait le souvenir de David. Il y avait aussi cet endroit qu'elle s'appropriait doucement et qui l'entraînait vers une destinée qu'elle aurait balayée d'un revers de main quelques années plus tôt. Anne apprenait à connaître et à considérer les gens pour leur générosité, leur simplicité et leur ouverture. Ce chalet niché dans le calme l'émerveillait et l'aidait à redéfinir ce qu'elle souhaitait dans sa vie, il avait provoqué un rapprochement avec sa mère. Elle reprenait contact avec l'essentiel.

Malgré l'heure tardive, le sommeil la fuyait. Elle grimpa au deuxième étage et poursuivit les ébauches de plans débutés, notant questions et aspects à discuter. Elle serait prête pour la visite des lieux avec Thomas Lavoie. Croquis, options possibles, liste d'interrogations et d'éléments à vérifier, tout était au point. «J'ai hâte de voir si ce que j'ai en banque me permettra de faire avancer ce projet.» Elle rangea ses feuilles dans un fichier avant de prendre une douche et de plonger dans son lit. Une lune presque pleine éclairait la fenêtre de la pièce.

* * *

Le lundi, le bruit de la tondeuse à gazon chez sa voisine la réveilla. Malgré cette agression sonore et une partie de la nuit passée à réviser ses notes et à dresser une liste d'emplois possibles, elle débordait d'énergie et d'enthousiasme. L'odeur de café emplit la maison, elle revêtit ses vêtements de travail et protégea le sol d'une bâche. Après un rapide petit-déjeuner, elle transporta la table et les quatre chaises par-dessus la toile. Elle sortit pinceau, plateau et pot de peinture, et donna une première couche aux meubles en réfléchissant à ce que pourrait penser Thomas Lavoie de son projet. «Peu importe si cette bâtisse reste un chalet ou devient une maison, je conserve ce mobilier en lui donnant une nouvelle apparence.» Les fenêtres étaient ouvertes pour aérer la pièce et le travail progressait au son d'une musique rythmée venant du poste de radio.

Pendant le temps de séchage, elle se prépara un sandwich et l'engloutit rapidement. Elle était satisfaite des plans ébauchés, mais les chiffres qui s'alignaient dans la colonne de droite l'inquiétaient. Si elle allait de l'avant pour transformer l'endroit en résidence, elle possédait les sous nécessaires à condition qu'aucun imprévu ne surgisse. Avant de reprendre sa tâche, elle sortit un sac de déchets sans voir le chat allongé près de la porte. Au moment où elle ouvrit, l'animal s'introduisit en filant comme une flèche. Quand elle revint, le matou avait les deux pattes d'en avant figées dans la peinture. Était-ce l'effet de surprise ou les mises en garde de sa maîtresse contre cette désobligeante voisine qui le firent déguerpir ? Il courut vers la cuisine, Anne eut juste le temps de l'attraper par la peau du cou avant qu'il ne sème des traces à la grandeur du chalet. Ouvrant la porte extérieure, elle regarda le chat avec de gros yeux.

— Toi, tu n'es pas le bienvenu ici, regarde ce que tu as fait, espèce de malotru ! Allez ouste ! dit-elle en le jetant dehors. Retourne chez toi.

Elle s'empressa de prendre un torchon mouillé pour effacer les taches bleues sur le sol avant que la peinture sèche. « Encore une chance qu'il ait pris la direction de ce coin où il s'est retrouvé prisonnier, autrement il en aurait mis partout. Que faisait ce maudit chat près de ma maison ? » Comme la peinture dans le plateau était fichue, Anne la transvida dans un vieux pot de café. Heureusement, après le nettoyage, aucune trace ne marquait le plancher, c'était comme un revêtement neuf à peine foulé. Espérant terminer avant l'arrivée de Thomas Lavoie, elle se remit rapidement au travail.

Elle finissait tout juste de laver les pinceaux quand elle entendit frapper. La voisine se tenait sur le seuil, l'air penaud.

— Écoutez, je ne sais pas ce qui s'est passé, ma chatte est revenue les pattes d'en avant toutes bleues. Elle a dû venir chez vous et faire du grabuge. Elle n'a pas l'habitude de sortir du terrain. Je ne sais pas trop comment...

— Votre chat a dû entrer quand j'ai ouvert la porte, le temps d'aller à la poubelle. J'ai nettoyé les dégâts qu'il a faits sur mon plancher neuf. S'il revient, je pourrais le tremper dans du Varsol avant de vous le rapporter pour qu'il soit impeccable. Vous m'avez l'air de quelqu'un qui tient à ce que tout soit *clean.*

Anne avait répondu avec le plus grand des sérieux, sans le moindre sourire..., même si la mimique à la fois mi-surprise, mi-offusquée de Marthe Simoneau lui donnait envie de rire.

— Je venais avec de bonnes intentions, pour m'excuser du dérangement que ma chatte a pu vous causer. Je constate que vous êtes difficilement *parlable* et qu'on a intérêt à ne pas se trouver dans vos parages.

Anne réprima vraiment un éclat de rire en voyant la voisine tourner les talons, le visage aussi rouge qu'une pivoine. « Elle n'a pas l'air de saisir l'humour », pensa-t-elle.

Elle aperçut une voiture qui arrivait à la maison d'en face. Un couple en descendit, Anne souhaitait juste que ces voisins soient plus agréables que cette chipie de Marthe Simoneau. Elle n'avait pas refermé sa porte que la camionnette de l'ouvrier tournait dans son allée.

Chapitre 12

Depuis son arrivée à Berthier, Anne réalisait qu'elle utilisait peu sa voiture et s'en réjouissait. Une fois par semaine, elle allait à Montmagny pour l'épicerie et l'achat de quelques articles manquants. Au village, elle trouvait le nécessaire pour les travaux de quincaillerie, les journaux ou du lait. Son endroit fétiche était la boulangerie et elle avait goûté à toutes les variétés de leurs pains et pâtisseries. Un rapide calcul l'amena à conclure que, dans son ancienne existence, elle passait de dix à douze heures par semaine en voiture. Une vraie perte de temps, l'équivalent d'une journée au bureau. La notion de temps suscitait une réflexion. Depuis sa vie d'adulte, les journées se déroulaient en courses folles : arriver à l'heure à un rendez-vous, respecter les échéances, accomplir toutes les tâches inscrites à l'agenda, préparer les bagages pour la fin de semaine dans le nord, papillonner d'une sortie mondaine ou d'une activité à l'autre. Et paradoxalement, courir en joggant. Le milieu du travail possède des exigences auxquelles on ne peut déroger. « Mais poursuivre ce marathon effréné dans les moments de loisir était-il nécessaire ? » se questionna-t-elle.

La jeune femme en venait à la conclusion que, si elle choisissait de vivre à Berthier-sur-Mer, elle chercherait un emploi dans la région immédiate. Fini les bouchons et tout ce temps perdu, et en prime, un état de tension appelé « stress ». Elle réalisait progressivement qu'un village peut devenir un endroit merveilleux pour vivre et profiter de ses charmes, y compris de ses habitants avec leurs travers.

Sa rencontre avec Thomas Lavoie l'avait enchantée. « Vraiment bien préparée la p'tite », avait-il lancé. Puis il avait précisé :

— La structure du bâtiment est solide, par contre l'électricité et la plomberie sont à refaire. Pour habiter l'endroit à l'année, il faudrait changer les fenêtres et isoler. Comme le reste, l'accès aux fondations par la trappe du plancher de la cuisine est en bon état et c'est correct pour parvenir au câblage électrique et à la tuyauterie, mais compter sur un sous-sol fini est impensable.

— Ça me va. Qu'est-ce que vous pensez de mes projections pour le deuxième ?

— Ingénieux !

— À la municipalité, on m'a dit qu'à cause de la proximité du fleuve, il était impossible d'agrandir les fondations. J'ai pensé que si le toit pouvait être surélevé, on augmenterait la superficie en récupérant la surface sous les combles. J'en ferais une chambre à coucher. Quant au rez-de-chaussée, je serais dans les règles pour l'ajout d'une véranda sans fondation.

— Oui, c'est très faisable. D'après ton croquis, ton coin débarras disparaît pour accroître les dimensions de la cuisine, l'entrée et la petite chambre restant telles quelles.

— C'est ça, je veux en faire un séjour, un genre de chambre d'amis. Et ce placard pour des appareils de lavage superposés, c'est possible ?

— Je vois pas de problème.

— Avez-vous une idée des coûts ?

— Ça, c'est l'entrepreneur qui pourra le dire.

Les contractants recommandés par Thomas Lavoie étaient deux frères interchangeables dans les tâches, mais aux responsabilités bien définies. Ils avaient rencontré Anne la semaine suivante et avaient confirmé que les travaux pourraient commencer à la fin du congé de la construction. Assise devant les papiers remplis de chiffres, plus concrets cette fois, elle arrivait à la conclusion qu'elle pourrait aisément rembourser un prêt hypothécaire à la condition d'avoir un revenu régulier. Si elle utilisait la totalité du montant reçu de la famille Lampron, il ne resterait que des miettes. Elle devait à tout prix savoir à quoi s'en tenir concernant le travail.

* * *

Pendant qu'Anne jonglait avec les chiffres, Agathe s'amusait à refaire la vitrine de la boutique d'aliments naturels. Elle avait le doigté nécessaire pour réaliser d'attrayants étalages. La nouvelle propriétaire lui confiait cette tâche durant les heures qu'elle effectuait au magasin. Elle terminait quand deux clientes, en pleine discussion, entrèrent dans le commerce. Elle reconnut Marthe Simoneau qu'elle côtoyait parfois dans des activités de bénévolat. L'autre dame possédait un chalet dans la rue de l'Anse.

Les deux femmes exploraient les étagères, mettant à l'occasion un article dans leur panier. Agathe les écoutait papoter en chuchotant. Elle capta quelques bribes de phrases : « tas de cochonneries sur le terrain… pas très sociable… chat plein de peinture… ben bête ». Et l'autre de répliquer : « pauvre de toi… voisine… pas drôle… ».

Agathe entendait suffisamment pour comprendre que les colporteuses parlaient d'Anne. Discrètement, elle s'approcha des clientes et leur présenta un produit récemment mis sur le marché et qui pourrait les intéresser.

— Merci Agathe, tu connais tout ici, dit Marthe. Qu'est-ce qu'elle va faire la nouvelle propriétaire quand tu prendras tout à fait ta retraite ?

— Elle apprend vite, mentionna Agathe, elle fera comme moi à mes débuts, elle s'initiera au fur et à mesure. Elle est très débrouillarde. Et puis, elle a le souci de répondre aux besoins des gens. Au fait, Marthe, vous avez une nouvelle voisine. J'ai eu l'occasion de la rencontrer. Je l'ai trouvée vraiment gentille et attentionnée.

— Ah, oui ? fit Marthe Simoneau quelque peu médusée.

Agathe raconta sa chute à vélo et l'assistance reçue par la nouvelle propriétaire du chalet. Même si au premier abord Anne paraissait réservée, Agathe n'en dit rien et amplifia quelque peu la courtoisie d'Anne. Elle était consciente de la propension de sa cliente à exagérer les faits et à juger, surtout si la conduite différait de sa perception de ce qui est acceptable. Pour sa part, Agathe croyait que les qualités et les gestes qu'on rehausse produisaient un impact favorable. Elle appliquait cette approche dans sa vie et déplorait qu'il soit beaucoup plus facile de ternir la réputation de quelqu'un plutôt que de mettre en valeur ses qualités.

La dame de l'Anse écoutait, les yeux ronds. Connaissant Marthe, elle considérait la réputation d'Agathe Lavoie et ses propos plus crédibles. Par amitié, la neutralité l'emporta. Dire ses quatre vérités à Marthe représentait un risque. Toutefois, elle osa un commentaire :

— Quand on veut entretenir de bons liens de voisinage, on gagne à tenter de cultiver la gentillesse.

Silence. Marthe Simoneau se demandait qui était la cible de cette remarque, un petit quelque chose lui disait que le chapeau lui allait. Le sourire entendu entre son amie et Agathe lui échappa. Celle-ci termina l'emballage de leurs achats et les deux dames quittèrent le magasin le sourire aux lèvres, l'un forcé, l'autre, tout naturel.

* * *

Dans les jours suivant leur arrivée, Florence Simard et son mari sonnaient chez Anne avec une boîte de biscuits maison. Le couple était venu se présenter ; ils étaient les voisins d'en face. Alain Labrie avait apporté un bourgogne. Installés sur la plage près du chalet d'Anne, ils avaient fait connaissance. Florence Simard avait tout de suite conquis le cœur d'Anne. Fin quarantaine, cette femme à la chevelure de feu, aux yeux verts pétillants, à la bouche parfaite était un sosie de Julianne Moore, quoique légèrement plus enrobée. Elle parlait avec des gestes vaporeux, comme si ses mains étaient en perpétuel mouvement de danse. Peintre aquarelliste, elle écrivait aussi de la poésie. Elle enseignait le dessin et l'aquarelle. Anne apprendrait à connaître les deux volets de la personnalité de Florence. Celui où elle se réfugiait dans sa bulle pour peindre et devenait inaccessible, son mari se faisant le gardien de cet espace infranchissable ; et l'autre où elle se montrait d'une présence enjouée, exubérante et d'une bienveillance chaleureuse..., si votre aura dégageait de bons sentiments. Dans le cas contraire, elle se montrait distante, parfois cassante, et arborait un air ombrageux. De dix ans son aîné, Alain Labrie était professeur d'histoire au Cégep Édouard-Montpetit. Sa chevelure ondoyante et grisonnante tombait sur les épaules. Un regard bleu intense se cachait derrière des lunettes en écaille. Avec sa barbe bien taillée, Anne lui trouvait beaucoup de charme. Bon vivant, il utilisait les vacances pour prendre le temps de vivre, d'observer les oiseaux, de jardiner dans la plate-bande à l'anglaise derrière son chalet et d'avancer ses recherches sur la généalogie de leurs familles respectives. Il était toujours disponible pour rendre service. Visiblement, pour Anne, ces deux-là s'aimaient encore. Leur façon de converser, d'écouter l'autre, leurs effleurements remplis de tendresse quand ils parlaient, tout cela reflétait un respect et une admiration réciproque. Ils formaient un couple pour qui l'amour-passion s'était doucement transformé en profond attachement amoureux.

— Il y a longtemps que vous passez l'été ici ? demanda Anne lors de leur première rencontre.

— Depuis toujours, dit Alain. En fait, j'ai hérité du chalet de mes parents, j'ai même opté pour l'enseignement afin d'en profiter le plus possible et..., ajouta-t-il avec un brin d'espièglerie, j'ai choisi une femme qui n'était pas confinée à un emploi dans un bureau de 9 à 5, un sérieux handicap pour ces étés d'évasion de la ville.

— Rien de plus vrai ! dit Florence devant l'air sceptique d'Anne. Au fait, j'aimerais te demander la permission de m'installer de temps en temps sur ton terrain ou sur la petite plage avec mon carnet de croquis comme j'en avais pris l'habitude les années précédentes.

Anne ne pouvait refuser cette manière de solliciter, surtout accompagnée de si bons biscuits encore chauds. De plus, elle avait envie de fréquenter ce couple. Elle n'arrivait pas à mettre les mots sur ce qu'elle éprouvait : un bien-être en leur présence, un mélange d'admiration, d'inspiration, mais aussi, elle appréciait leur sincérité, leur humour et l'enthousiasme qui teintaient leur façon d'être. Oui, la rencontre de ce couple se révéla un coup de foudre amical.

Après leur départ, Anne fut incapable de poursuivre la composition de son CV. Elle marcha jusqu'au village, croisant des cyclistes, une voiture tirée par un magnifique cheval et plusieurs marcheurs. La boulangerie était bondée. Elle repartit vers le quai. Une mère allaitait son bébé, son compagnon jouait au Frisbee avec un garçonnet d'environ quatre ans. Image d'un bonheur familial tout simple. Elle n'en gardait aucun souvenir, mais leur vie devait ressembler à cela à l'époque de son père. Anne commençait à goûter une paix intérieure. Elle aimait la nature et ce calme qui l'entourait. À une exception près, elle vivait parmi des gens bienveillants, simples et spontanés. En poursuivant sa route, ses pensées allaient vers sa rencontre prochaine avec un artisan qui s'occuperait de ses fenêtres ; elle saurait alors à quoi s'en tenir pour la suite des travaux. Arpentant la rue de l'Anse, elle aperçut Sylvie Hudon qui la salua de la main. En réalité, son geste était plutôt un signal pour interpeller la promeneuse.

— Bonjour Anne, quel plaisir de te voir, à vrai dire, tu tombes à pic, j'aurais besoin d'un coup de main.

Une grande toile de plastique recouvrait une section de la pelouse. Sylvie était vêtue d'une salopette de denim maculée de taches de peinture. Une casquette rouge vif contrastait avec sa chevelure argentée. Son visage au teint rosé ne portait aucun maquillage. Elle resplendissait.

—Je veux repeindre une bibliothèque, poursuivit-elle, elle n'est pas lourde, mais difficile à manier. J'aimerais m'installer dehors.

— Bien sûr que je peux te donner un coup de main. Disons que ces derniers temps, j'ai appris à déplacer des meubles.

— Alors, viens. Et un grand merci. Tu es cet ange que j'avais appelé à l'aide.

La remarque fit sourire Anne. Elle suivit Sylvie à l'intérieur. Elle s'immobilisa bouche bée sur le seuil de la porte. Même si des piles de livres s'entassaient sur le divan, ces lieux avaient quelque chose à la fois d'insolite et d'enchanteur.

— La dame qui te loue le chalet a vraiment le don de maximiser l'espace et d'harmoniser le tout au point que c'est beaucoup plus spacieux qu'il n'y paraît de l'extérieur. Elle a beaucoup de goût aussi. Cette ambiance Cape Cod est chaleureuse. En fait, même si je te connais peu, cet endroit te ressemble. Tu dois être bien ici !

— Merci ma chère, dit Sylvie, j'ai fait de ce chalet ce que tu en aperçois : peinture, fabrication de coussins et rideaux, agencement et tout le tralala…

— Tu loues, reprit Anne étonnée, et tu occupes ton temps à arranger le décor. Elle est chanceuse, cette propriétaire de trouver une telle locataire.

— À vrai dire, c'est moi la chanceuse. Elle m'a donné carte blanche à condition que je lui parle de mes projets au préalable et elle n'offre le chalet à personne d'autre tant que je souhaiterai passer mes étés ici. C'est ma troisième saison. J'ai travaillé pas mal le premier été, mais j'y prends plaisir et je dois dire que je suis fière du résultat. Quand je replacerai la bibliothèque, je pourrai te montrer des photos des lieux « avant » si tu veux.

Anne admirait l'endroit. Tout était blanc et bleu avec ici et là des touches de rouge dans la cuisine et de jaune dans l'unique chambre dont la porte était entrouverte. Ce décor ressemblait à une suite louée jadis, avec David, à Nantucket. Un immense tapis tressé recouvrait les larges planches de pin du sol. Le contour était ceinturé d'une fresque au pochoir de teinte azurée. Dans la cuisine, des dessins de fleurs toutes simples enjolivaient les panneaux d'armoire. Sur le dessus du comptoir trônait la cafetière à côté d'un vieux pichet dans lequel était déposée une brassée de lilas composée de trois nuances différentes. Au centre de la table, des fruits garnissaient une magnifique assiette. Les chaises qui l'entouraient étaient de couleurs rudbeckia, cerise, marine et myosotis. « Quelle audace, pensait Anne, et quel résultat ! » Et le frigo !

— Ouah ! s'exclama Anne. Qui a fait ça ? Je n'ai jamais vu une telle chose !

— Tu aimes ? demanda Sylvie en riant.

— Plutôt insolite…, mais vraiment original et charmant dans un endroit de vacances.

— Elle s'appelle Ramona, il y a une histoire avec Ramona, je te la raconterai peut-être un jour…, à condition que tu ne te moques pas trop de moi. C'est ma cousine Lucie qui l'a peint.

Le réfrigérateur datait d'une autre époque. Pour faire oublier sa laideur, il était entièrement peint de nuances de bleus pour donner l'illusion d'un ciel de campagne. Dans le coin inférieur gauche, on avait reproduit un seau en acier galvanisé, comme ceux utilisés pour la traite des vaches. Quelques brins de paille dorée entouraient le récipient. Sur la partie haute, celle du congélateur, apparaissait la tête de Ramona, une Holstein. Des brindilles de foin pendouillaient de sa gueule, un voile blanc vaporeux recouvrait son cou à la manière d'une écharpe et des lunettes rondes cerclées d'or reposaient sur son museau. Le réfrigérateur demeurait invisible de l'entrée.

Anne l'examinait en souriant.

— Elle me ressemble, dit Sylvie.

Devant l'air ahuri de sa visiteuse, elle ajouta :

— Comme Ramona avec son éternelle bouchée à ruminer, j'aime la bouffe. Les lunettes représentent la lecture, une de mes passions et mon accessoire préféré est le foulard. J'en possède des dizaines. Et puis, comme cette vache sympathique, par ma profession, j'ai souvent les oreilles grandes ouvertes pour écouter.

« Décidément, cette Sylvie avait une façon spéciale de se définir et de voir les choses », se dit Anne.

— Et tu fais quoi comme travail ?

— Psy, répondit Sylvie.

— Je t'imaginais prof.

— Ah ! Oui ? J'ai l'air d'une prof ?

— Pas particulièrement, mais les gens qui passent l'été au chalet, comme bien du monde ici, sont presque tous des profs. C'est pratiquement la seule profession qui permet ça.

— En fait, j'enseigne à mi-temps. Je donne des cours de psycho au Cégep de Sainte-Foy. Et je fais de la pratique privée à mi-temps. Comme je suis à mon compte, j'ai plus de liberté pour organiser mon temps. L'été, je peux concentrer les thérapies dans une journée, ce qui m'amène à passer une journée ou deux à Québec à l'occasion.

Sylvie s'était déplacée vers la bibliothèque qu'elle voulait sortir avec l'aide d'Anne. Au moment où elle empoignait un bout du meuble, le regard de cette dernière fut attiré vers un tableau accroché au mur. Un beau phare enveloppé dans la brume. Le titre, inscrit sur une petite plaque de bronze au bas de la toile se lisait : *Le brouillard se dissipe.* Elle reconnut la même signature que sur les œuvres ornant la salle à manger du restaurant.

— Tu as acheté ce tableau au restaurant ? demanda Anne. Les scènes de ce peintre sont les premières belles choses que j'ai vues en arrivant ici.

— Ce peintre est UNE peintre, répondit Sylvie. L. Hudon, c'est Lucie Hudon.

— La même qui a peint ta Ramona ?

— La même, dit Sylvie. Mais je n'ai pas acheté cette toile au restaurant, je l'ai reçue en cadeau. Ce tableau représente beaucoup pour moi. C'est le symbole d'une histoire, mais un peu plus longue et complexe, celle-là, que celle de Ramona. Lucie viendra passer le congé de la Saint-Jean ici et sera présente à la Foire des Arts. Tu auras sûrement l'occasion de la rencontrer.

Elle n'avait rien vu du travail de Florence Simard, mais à la qualité artistique qu'elle avait sous les yeux, elle réalisait que cette foire dont elle avait entendu parler devait être un peu plus qu'une exposition d'amateurs. Elle empoigna fermement le bout de la bibliothèque qui fut déposé sur la bâche.

— Merci de ton aide, dit Sylvie. J'espère que je ne t'ai pas trop retardée ?

— Pas du tout, répondit Anne, c'est plutôt moi qui t'ai fait perdre du temps.

— Disons que ce fut une agréable pause.

Anne ramassa son sac de provisions laissé dans le hamac et se dirigea vers la rue. Elle fit soudain demi-tour.

— Je suis contente de t'avoir rencontrée, dit-elle à Sylvie. Tu es une personne inspirante. J'aimerais qu'on ait l'occasion de jaser à nouveau. Je suis bien curieuse de connaître l'histoire de Ramona... et peut-être celle du tableau de ta cousine.

— On n'aura qu'à provoquer les occasions alors, ajouta Sylvie amicalement.

En revenant chez elle, Anne aperçut Florence qui lui faisait signe de la main. Rendue à sa hauteur, elle entendit :

— Viens prendre l'apéro avec nous, dans une demi-heure, ça te convient ?

Anne répondit par un oui enthousiaste. Après avoir rangé ses victuailles, elle s'attarda à observer la pièce vide. Elle souhaitait un décor à sa ressemblance. L'appartement habité avec David, puis le condo n'étaient que des lieux impersonnels, elle n'avait pas vraiment vécu dans ces endroits. C'étaient simplement des lieux de passage. Le chalet de Sylvie Hudon l'inspirait. Elle désirait transposer l'esprit qui émanait de cet intérieur. Créer un endroit agréable et confortable, organisé selon son mode de vie, en harmonie avec ce qui l'entourait et ses nouvelles valeurs.

Elle traversa la rue en apportant un mélange de grignotines maison. Chez Alain et Florence, la terrasse était aménagée sur le côté pour jouir de la vue du fleuve. Un verre de rosé à la main, Anne regardait le petit chalet d'en face. De l'extérieur, pratiquement rien n'avait changé. Elle l'avait trouvé si minable. Maintenant, avec sa cure de jeunesse, elle se sentait un peu comme quelqu'un qui adopte un chien abandonné et décide d'en prendre soin. Un lien se tisse, on finit par l'aimer malgré soi parce qu'on lui a consacré du temps.

— Tu sembles perdue dans tes pensées, lui dit Alain.

— Dans mes pensées, oui, mais pas perdue, réponditelle. Merci de m'avoir invitée. Je commence à vraiment apprécier la vie ici et il y a quelques personnes qui en sont la cause, dont toi et Florence.

Chapitre 13

Un jour, Florence revenait d'une balade à bicyclette et trouva Alain en grande discussion avec Anne. Cette dernière avait laissé entendre que, peut-être, elle pourrait s'y remettre si…

— Je pourrais te prêter la mienne pour te dérouiller un peu, avait proposé Florence avec enthousiasme.

— Mais je n'ai pas roulé à vélo depuis l'âge de quinze ans, avait répliqué Anne, devant les arguments de sa voisine.

— Ne t'en fais pas, ça revient très vite, l'avait rassurée Alain. En plus, tu m'as l'air passablement en forme.

— Mais j'ai si peu de temps en ce moment, avait riposté Anne.

— Tu es une fille qui aime bouger, avait ajouté Florence, ne serait-ce que pour aller au village pour tes courses. Plus tard, quand les travaux seront finis, tu prendras le temps pour de plus longues virées et pour explorer la région. On pourrait partir en escapade ensemble.

— Mais je ne sais pas où je pourrais ranger une bicyclette, avait rétorqué Anne. Je ne veux pas la laisser dehors.

— Qu'est-ce que tu comptes faire de la maisonnette ? demanda Alain, un vélo pourrait y entrer.

Anne ne s'était même pas posé cette question. Cachée dans les arbustes à proximité du muret, c'était une de ces maisonnettes pour permettre aux petites filles de jouer aux grandes, à faire semblant de servir le thé, soigner la poupée malade ou dresser la table pour une voisine en visite. L'allusion à cette maison d'enfants faisait réaliser à Anne à quel point les séjours dans ce chalet offraient un espace aux enfants. Et aux chiens ! Il avait dû y en avoir un puisqu'une niche montait la garde près de l'escalier en pierre qui descendait sur la plage. Engloutie par la végétation, mais encore solide, comme le reste.

Son coffre à outils en main, Alain avait suivi Anne près de la petite bâtisse. Le cadenas qui fermait la porte était rouillé. Une fenêtre jouxtait l'entrée, une autre se trouvait sur le côté. Anne tenta de regarder à l'intérieur. Impossible. Une épaisse couche de poussière obstruait les vitres comme un vieux rideau opaque. Le cadenas céda instantanément sous la main habile d'Alain. La porte grinça et s'ouvrit aisément. Anne se pencha pour y pénétrer. Un minuscule endroit complètement vide. Une peinture usée rose bonbon couvrait les murs, le sol en planches brutes était à l'état naturel.

— On a tout vidé, dit Alain, je pense que personne n'est venu ici depuis que la porte a été verrouillée après l'accident.

— L'accident ? s'étonna Anne.

— Oui, répondit Alain. La petite avait quatre ans. Des gens sur la plage ont aperçu le corps inerte qui descendait de la rivière vers le fleuve. On a réussi à la repêcher avant qu'elle prenne la direction du large, mais il était trop tard. Elle s'était frappé la tête sur une roche, probablement en tombant.

Anne aurait voulu en connaître plus sur cette histoire, mais Alain dut partir rapidement, un ami arrivant pour une journée de pêche. Elle questionna alors Florence sur l'incident.

— Je ne peux pas satisfaire ta curiosité, Anne. Cet accident remonte à l'enfance d'Alain, je sais juste qu'une noyade a eu lieu, j'ignore les détails.

« Si cette petite fille disposait de sa maisonnette, ce n'était sûrement pas une visiteuse. Qui était-elle ? » La question tournait en boucle dans l'esprit d'Anne.

* * *

Depuis que son monde s'était écroulé il y avait maintenant plus de huit mois, Anne n'avait pas joggé une seule fois. Curieusement, cela ne lui manquait pas. Elle aimait bouger et être active. Ce besoin était comblé d'une façon agréable et utile ; elle marchait et elle travaillait physiquement à parachever sa maison. Maintenant, la course lui apparaissait comme une autre manière de s'étourdir, d'éviter de regarder sa vie en face. Avant, elle joggait parce que ça faisait *in* dans le monde où elle frayait. À cheval sur la bicyclette de Florence, alors qu'elle roulait sur la route 132, cheveux au vent, elle retrouvait ce plaisir oublié de son enfance. Elle passa devant l'affiche de l'écurie des chevaux qui trottaient parfois dans le village. Un peu plus loin, elle tourna sur la rue Principale.

Agathe terminait le grand ménage du bâtiment près de sa maison. Cela accompli, toutes les belles journées du printemps, de l'été et du début de l'automne, elle s'assoyait dehors pour lire, boire une tisane, raccommoder un vêtement, faire une sieste ou simplement profiter d'un moment de conversation avec Jasmin, une voisine ou une amie. Quand Anne l'aperçut, elle prit l'allée de gravier pour la saluer.

— La belle surprise ! cria Agathe toute joyeuse en la voyant arriver. Juste à temps pour une pause.

Anne descendit de sa bécane. Agathe empoigna le vélo et l'appuya contre un arbre. Elle portait une salopette de denim par-dessus un vieux chemisier fuchsia. Des mèches blondes ressortaient d'un foulard et des taches de poussière maculaient ses joues rosies par le travail. « Même ainsi vêtue, sans autre maquillage qu'un *gloss* rose pâle sur les lèvres, Agathe est magnifique ! Aucun artifice, ni dans l'apparence ni dans les manières, une beauté qui émane de l'intérieur. » Anne découvrait une nouvelle notion de la beauté.

— J'ai de la limonade faite de ce matin, du thé glacé au citron ou je peux préparer une tisane.

— Quelque chose de froid, répondit Anne.

— Va t'installer, ajouta Agathe en pointant les vieilles berçantes sur la galerie de l'annexe d'été. Je reviens tout de suite.

Anne grimpa les trois marches. Le fleuve passait juste de l'autre côté de la rue. Elle discernait la petite île rocheuse où un phare s'élevait jadis en sentinelle. Alain avait parlé de profanation en racontant que ce bâtiment, un morceau de patrimoine, avait été incendié. Une tourelle métallique surmontée d'un gyrophare automatique l'avait remplacé au début des années soixante. Comme cette tour n'était pas assez haute, plutôt que de la relever, le phare avait été brûlé. Son ami s'indignait que l'arrivée du matériel électronique ait rendu inutile le rôle des phares et s'offusquait de cette propension à se débarrasser de ce qui ne sert plus plutôt que de chercher à lui trouver une nouvelle vocation. Heureusement que certains de ces joyaux avaient pu être préservés.

Agathe revenait avec deux grands verres de limonade et une assiette de pommes tranchées citronnées accompagnées d'un morceau de fromage. Elle avait revêtu une chemise qui devait appartenir à son mari, portée à la manière d'une veste. Son visage était tout luisant de propreté.

— Je ne savais pas que tu faisais de la bicyclette. Je trouve que c'est la meilleure façon de parcourir le village.

— Disons que c'est un essai, répondit Anne en riant. C'est le vélo de Florence, mais le test est concluant, je pense m'en acheter un bientôt.

— Comment vont les travaux ?

— Un peu au ralenti. Parce qu'à présent je change de direction.

— Qu'est-ce que tu veux dire ?

— Eh bien, ce chalet deviendra habitable à l'année. Une décision qui m'a fait jouer au yo-yo, mais maintenant qu'elle est prise, j'en suis très contente.

— Oh ! que ça me fait plaisir ! Ça signifie que tu te plais ici ?

Anne fut touchée par la lumière qui brillait dans le regard d'Agathe, elle se sentait appréciée. Vraiment, et c'était sincère. Elle poursuivit :

— J'ai rencontré les entrepreneurs, tu sais les deux frères.

— Je les connais, ils font de l'excellent travail, tu ne seras pas déçue.

— Mais j'ai fait chou blanc chez l'ouvrier qui doit faire les fenêtres. Il me paraît peu fiable, cela augure mal.

— Oh, il a dû oublier de te prévenir, dit Agathe. Il est allé aux funérailles d'un cousin dans le coin de Drummondville. J'ai croisé sa femme après la messe hier, ils partaient dans l'après-midi. Ne t'inquiète pas, c'est quelqu'un de très habile et qui respecte ses engagements.

Agathe enchaîna sur la vie plus bouillonnante au village, signe que l'été s'installait. Elles restèrent silencieuses un moment pour admirer un oriole de Baltimore qui s'agitait autour des tranches d'oranges disposées dans une mangeoire. Après le départ de l'oiseau, Agathe lui montra le nid d'hirondelle sur l'avant-toit de la maisonnette.

— On habite un très beau village, tu ne trouves pas ? Je suis contente que tu aies choisi d'y rester. Tu verras, chaque saison a quelque chose de merveilleux à nous offrir.

Leurs verres vidés, Anne reprit la route, non sans avoir promis à Agathe de se visiter l'une l'autre à l'occasion. Elle roulait en traversant le village, pensant à Sylvie, Florence, Josée et Agathe avec qui des liens d'amitié se tissaient. Des femmes sans artifices, sincères et qui lui donnaient envie de devenir une meilleure personne. Des femmes qui amenaient un bon contrepoids à la déplaisante Marthe Simoneau.

* * *

Anne rendait régulièrement visite à ses voisins d'en face, en général à la fin de l'après-midi, pour l'apéro. Ils discutaient de tout et de rien. Le plus souvent de tout. La construction de son nid dans ce patelin avançait. Mais une impression d'avoir mis la charrue devant les bœufs l'accablait fréquemment. En pleine détresse, pressée par un sentiment d'urgence, elle s'était précipitée dans les travaux pour rendre le chalet habitable… et aussi pour éviter de sombrer dans le découragement le plus total. Le chagrin est rarement bon conseiller. Mieux vaut laisser un certain apaisement s'installer. Des retouches seraient nécessaires quand les frères entrepreneurs auraient terminé. Le toit serait refait au début d'août, mais un homme avait commencé les transformations du rez-de-chaussée. La structure extérieure pour l'agrandissement du côté ouest était érigée. L'espace s'ouvrait au bout de la salle à manger comme si une grande galerie allait s'y ajouter. Deux murs constitués de larges fenêtres donnaient sur le fleuve. « La vue sera époustouflante », avait commenté Alain. Anne comptait meubler cette pièce véranda d'une table de bistrot pour casser la croûte ou travailler et de deux fauteuils pour la lecture, la contemplation ou la conversation. Une porte coulissante était installée dans le boudoir. Beaucoup mieux qu'une porte-rideau !

La cuisine ressemblait à un champ de bataille. Le mur contigu à la petite chambre était démoli et reconstruit plus loin pour agrandir la pièce en question. Après cette « chirurgie », en constatant que ce changement laissait voir le contreplaqué, juste à côté du revêtement neuf, elle avait senti passer un nuage de découragement.

— Qu'est-ce que tu vas mettre sur le plancher de ta nouvelle pièce ? avait demandé Florence.

— De la céramique, et il y aura un plancher chauffant, avait répondu Anne.

— Et si tu utilisais le même revêtement dans la cuisine, un genre de rappel ? avait suggéré Florence.

L'idée lui plut. Pendant que les entrepreneurs s'activaient, elle courait les magasins. La céramique était choisie, de même qu'un divan-lit et le tissu pour fabriquer les rideaux du futur studio. Elle voulait rendre cette pièce douillette et confortable pour y recevoir un invité, et sa mère serait la première à y faire honneur.

Anne magasinait beaucoup, pour les besoins de la maison. Cependant, à partir du moment où elle avait commencé à jeter sur le papier les grandes lignes d'un curriculum vitæ, elle s'était réservé une séance pour l'achat d'une tenue convenable en vue d'une éventuelle entrevue. Elle y avait pris plaisir, mais curieusement, elle ne ressentait plus la frénésie des achats sans compter de son passé. «Je pense que mes valeurs changent, et je me sens mieux ainsi. Qui aurait dit ça il y a moins d'un an? Certainement pas moi!»

* * *

Sylvie avait aidé Anne à peaufiner son curriculum vitæ préparé avec un grand souci de perfection. Les deux femmes mangeaient une fois par semaine au restaurant de La Grève. Anne admirait cette femme qui ne s'assoyait pas sur une sécurité d'emploi, qui n'avait pas hésité à tout laisser pour suivre son amoureux vers un nouveau projet. Après un séjour de trois ans en France, elle s'était forgé un travail sur mesure pour le genre de vie qu'elle désirait.

—Je n'ai pas besoin de sécurité d'emploi, avait dit Sylvie, mon assurance, elle est à l'intérieur de moi.

— Mais tu as plus d'un emploi, avait rétorqué Anne.

— Par choix, ma chère, par choix. Je ne me vois pas faire une seule chose, à travailler uniquement en fonction des attentes d'un patron. J'aime l'enseignement, j'aime la pratique thérapeutique et je tiens à avoir du temps pour la soudure. Il faut dire que je ne suis pas de nature anxieuse. Il y a tellement de gens qui maintiennent un emploi qu'ils détestent, juste pour la pension qu'ils vont pouvoir retirer. As-tu pensé à toute la frustration et l'amertume qui en découlent? Je ne suis pas prête à payer ce prix-là. J'ai trois sources de revenus: l'enseignement paye l'épicerie et le loyer; l'art me rapporte suffisamment pour des voyages, des sorties, l'habillement; et avec les revenus de ma pratique privée, j'économise pour mes vieux jours. Voilà comment j'ai organisé ma vie.

—J'aime ton point de vue, mais avoue que ce n'est pas à la portée de tout le monde, avait répliqué Anne.

— Peut-être, cependant je crois qu'on arrive toujours à trouver du temps pour ce qui compte à nos yeux. Quand une personne gémit sur le manque de temps pour peindre, ou écrire, ou partir en randonnée en montagne et que je constate qu'elle passe près de vingt heures par semaine devant la télé, ou qu'elle range encore le linge de son fils adulte qui se fait servir, ou que la propreté de la maison prend une importance telle que c'en est de l'esclavage, je ne peux m'apitoyer sur son sort. Je pense qu'il y a moyen de planifier si on tient à quelque chose. D'ailleurs, ceux qui se plaignent, à part certaines situations, sont souvent prisonniers de quelque chose: leurs peurs, une routine qu'ils ne veulent pas changer, une famille qui dépend d'elles. Je dis *elles* parce que ce sont surtout les femmes qui courent après leur temps.

—Et les exceptions, ça serait quoi par exemple? demanda Anne.

—Des situations temporaires. La période où les enfants sont très jeunes, la maladie d'un proche qui gruge du temps, un déménagement ou un nouvel emploi qui exige qu'on se réorganise.

Anne aimait ces discussions avec Sylvie, une femme du même groupe d'âge que Mireille. Elle découvrait que ses valeurs étaient très similaires à celles de sa mère. Cette dernière avec qui elle parlait régulièrement au téléphone se réjouissait de savoir sa fille à proximité. Mireille avait offert de l'héberger pendant les travaux, mais Anne préférait demeurer sur place.

— Alors, je t'aiderai autrement, dit Mireille au cours de l'un de leurs appels. Je te réserve des portions de plats cuisinés, tu traîneras une glacière quand tu viendras. Et je te laisse ma machine à coudre, j'imagine que tu ne feras pas la bordure de tes rideaux à la main. Tu la garderas le temps qu'il faut.

— Merci maman, ça me convient davantage. Tu as le don de trouver les petits gestes qui font la différence.

— Et toi ma chouette, tu ne cesses de me surprendre. Je suis fière de toi, de voir à quel point tu as su rebondir. Tu es à te reconstruire une vie, remplie d'amitiés. Tu es une femme volontaire, déterminée et j'ajouterais… que cette nouvelle femme qui émerge dégage une chaleur humaine qui me réjouit. Je t'aime, ma belle !

— Moi aussi maman. Merci pour tout. Je t'embrasse, à bientôt.

— Je t'embrasse aussi, *bye.*

Sa mère avait raison, Anne devenait plus chaleureuse. Où en serait-elle si Mireille lui avait tourné le dos au lieu de lui ouvrir ses bras ? Des valeurs de cœur guidaient les actions de sa mère, des valeurs qu'Anne avait héritées d'elle, mais dont elle n'avait réalisé la richesse qu'au cours des derniers mois. Son enfance l'avait imprégnée plus qu'elle ne l'avait pensé. Cette réflexion l'amenait à se demander quels souvenirs de sa jeunesse aurait conservés David s'il avait connu des vacances ici ? Ils avaient à peine effleuré cette période de leur vie.

* * *

Les documents s'accumulaient dans le classeur d'Anne. Elle mit la main sur la chemise renfermant ses démarches d'emploi. Son curriculum vitæ terminé, elle écrivit différents modèles de lettre de présentation. Sylvie avait insisté sur leur importance. « C'est la première impression, à ne pas négliger. »

Cinq adresses étaient mentionnées sur la liste d'Anne : tous avaient pignon sur rue dans la région immédiate. Outre le centre hospitalier et la commission scolaire, des établissements gouvernementaux, elle avait effectué des recherches sur trois autres endroits, privés ceux-là : une imprimerie faisant affaire avec quelques maisons d'édition, un grand hôtel et une manufacture d'auvents, de garages et de chapiteaux de toile. Ce dernier choix figurait en fin de liste. Florence lui avait remis l'annonce découpée dans la section des offres d'emploi du journal local. Elle donnerait suite pour avoir bonne conscience auprès de sa nouvelle amie. C'était aussi le milieu qui présentait le plus de similitudes avec l'entreprise des Lampron.

La nuit était complètement tombée quand la rédaction des brouillons fut terminée. Cinq grandes enveloppes, cinq lettres toutes différentes, et son portrait professionnel qu'elle jugeait au point. Alain avait mis de côté ses recherches généalogiques, dégageant l'espace de son bureau pour lui permettre de tout transcrire à l'ordinateur. Il était plus tard qu'elle n'aurait cru. C'était la semaine du solstice d'été, celle des plus longues journées de l'année. Quelques étoiles commençaient à scintiller dans le ciel d'un bleu profond. Quand elle élaborait ses plans d'avenir, elle réalisait qu'il lui manquait cet élément essentiel: une source de revenus réguliers, alors qu'elle n'avait jamais eu à s'en soucier avant. Anne songeait moins souvent à son train de vie passé. Les regrets s'estompaient, le désir de vengeance aussi. Mais une saine fierté grandissait en elle et jamais elle n'irait vers son ancienne belle-famille. Elle demeurait consciente que si rien n'aboutissait à proximité, elle devrait s'éloigner, bien à contrecœur.

Malgré l'aide de Sylvie pour cibler les éléments importants, malgré le temps qu'elle avait consacré pour s'appliquer à le mettre au point, le fait d'acheminer son curriculum vitæ la rendait nerveuse. Ça signifiait que les dés étaient jetés. Elle vit passer toutes les heures de la nuit suivante.

* * *

Le lendemain, une odeur de café et de muffins tout frais sortis du four l'accueillit chez ses voisins.

— J'ai l'estomac noué, dit-elle, rien ne va passer.

Florence l'entraîna dans le jardin. Elle lui glissa un sécateur dans les mains en l'invitant à créer un arrangement floral.

— Concentre-toi sur tes sens, lui intima son amie, ils vont te guider. Essaie de faire le vide dans ta tête. Imagine que pour les quinze prochaines minutes tu n'es qu'un être sensoriel.

Anne réprima un mouvement d'impatience. « Des idées d'artiste, j'ai d'autres choses à faire ce matin, moi. » Florence se retira, la laissant plantée là, l'outil à la main. Presque aussitôt, une merveilleuse musique s'échappa des fenêtres.

Anne regardait les fleurs. Elle aperçut un colibri près des cosmos et s'immobilisa pour l'observer. Il voletait si rapidement qu'on ne voyait pas ses ailes. Si minuscule qu'on aurait pu le confondre avec une grosse mouche. Des gouttes de rosée perlaient encore sur les pétales des roses qui commençaient à éclore. Elle coupa une pivoine, puis devant la profusion, elle en prit deux autres, de couleurs différentes : blanc, rose pâle et fuchsia. Elle cueillit ensuite quelques tiges de cosmos, une énorme branche d'un lilas tardif d'une teinte tirant sur le violet et compléta avec une ramée de roses miniatures blanches, à peine teintées de rose. Lilas, roses, pivoines, les odeurs se confondaient et dégageaient un parfum qu'Anne aurait bien aimé emprisonner dans une bouteille pour le conserver, les fleurs étant si éphémères. L'agencement lui plaisait, mais il manquait un petit quelque chose. Observant le jardin, elle se dirigea vers la tonnelle qui entourait le coin-terrasse et coupa un peu du feuillage de la vigne qui grimpait pour l'ajouter à son arrangement. Tandis qu'elle s'approchait de la maison, la musique devenait plus forte et s'accordait au chant des oiseaux. Apercevant un arbuste vert jaunâtre, elle en tailla un rameau.

— Outch ! s'exclama-t-elle.

Les branches de l'arbrisseau étaient couvertes de minuscules épines. Avec grand soin, elle inséra la tige à travers le bouquet. Juste à côté, une spirée Van Houtte ployait sous la profusion de fleurs immaculées. Un dernier coup de cisaille et les spirées furent disposées de la même façon que la tige de roses. L'effet était spectaculaire, équilibré sans être symétrique. Le feuillage jaunâtre ajoutait une luminosité qui embellissait l'ensemble.

— Ouah ! s'exclama Alain en la voyant entrer. Florence, qu'est-ce que t'en dis ?

— J'en dis que cette chère Anne a du talent pour agencer les couleurs et je me demande si je serai à la hauteur pour…

— Cette musique, coupa Anne, c'est si apaisant, qu'est-ce que c'est? Excuse-moi Florence, je me sens sur une douce envolée.

— Je pensais tout haut, répondit Florence, un regard vers Alain. C'est de Michael Hoppé, on a quelques disques de lui. Attends, celui-ci est *Tapestry*.

— Il a composé ces airs en s'inspirant d'une tapisserie de poèmes qui l'ont séduit, précisa Alain. Est-ce que ta douce envolée a dénoué le nœud de ton estomac pour que tu puisses faire honneur à mes muffins?

Florence prit le bouquet des mains d'Anne pour les glisser dans le pot d'eau déjà préparé.

— Eh bien Florence, je pense que tu avais raison de me forcer la main pour me transformer en «être sensoriel». Ça produit un effet magique. Je me sens étrangement calme et… j'ai une petite faim.

Après un rapide petit-déjeuner, Alain introduisit un nouveau disque de Hoppé dans le lecteur pendant qu'Anne s'installait dans le bureau. Moins d'une heure plus tard, le bruit de l'imprimante crachant les documents indiquait qu'une autre étape était sur le point d'être franchie. Anne rejoignit Alain dans la cuisine, les joues rosies, un sourire confiant illuminant son visage.

— À la grâce de Dieu, dit-elle, montrant ses enveloppes scellées, avec des adresses bien libellées et prêtes à être mallées. Je me rends au bureau de poste tout de suite.

Florence sortit de son atelier pour la saluer; elle portait son sarrau taché de peinture. En pointant le bouquet déposé sur le coin du comptoir, elle dit:

— Tu sais que les rites ont un grand pouvoir. Je ne lis pas dans les lignes de la main, ni dans les cartes, encore moins les tasses de thé. Mais je peux interpréter le message des fleurs, ajouta-t-elle en observant le bouquet. Colère, émoi amoureux, grâce, joie de vivre, voilà le langage de ces fleurs. J'ajouterai : espoir, abondance et victoire ; ça, c'est ce que disent les feuillages. Cet arrangement augure de bonnes choses pour toi.

— J'aimerais un peu plus de détails, répondit Anne, abasourdie.

— En temps et lieu, répliqua Florence. Pour l'instant, je retourne à mes croquis. Et toi…, tu n'allais pas au bureau de poste ?

Sur ce, elle empoigna le vase et s'engouffra dans son atelier, refermant doucement la porte. Alain souriait en haussant les épaules. Quand Florence entrait ainsi dans son studio, elle pénétrait dans un autre univers. Il connaissait son projet du moment, mais n'en souffla pas un mot à Anne. En partant, la jeune femme le remercia chaleureusement. Le cœur confiant, elle traversa la rue, monta dans sa voiture et prit la direction du village.

C'était sa seconde visite au bureau de poste. La première fois, elle était venue pour effectuer un changement d'adresse. Jusqu'à maintenant, le courrier reçu était rarissime : des factures d'Hydro-Québec et de la compagnie du téléphone, l'abonnement à un magazine et des publicités. À sa grande surprise, une musique classique jaillissait d'un haut-parleur dans la pièce d'entrée, l'endroit où se trouvaient les boîtes postales à numéro. Elle franchit la porte pour accéder au comptoir et aperçut d'abord un gros labrador noir qui la considéra sans broncher. Puis, apparut une tête penchée derrière l'étagère compartimentée où les colis attendaient d'être cueillis. Une image de Norman Rockwell lui vint à l'esprit, cette scène où l'artiste est à peindre son autoportrait et se recule derrière sa toile pour regarder son modèle dans le miroir. Le reste de l'homme se présenta rapidement devant le comptoir en affichant un joyeux sourire.

— Bonjour gente dame, que puis-je pour vous?

Il y avait tellement d'enthousiasme dans la voix, on aurait dit qu'elle accompagnait l'envolée de la musique qui sourdait. Déposant ses grandes enveloppes, Anne répondit:

— J'aimerais poster ceci.

L'employé vérifia si elle voulait enregistrer ses envois et les délais souhaités pour faire suivre ses expéditions; il conversait gentiment tout en pesant le courrier, apposant les timbres et estampillant le tout. Anne remarqua que le chien portait un foulard à l'effigie du drapeau canadien noué autour du cou.

— C'est votre mascotte? demanda-t-elle en pointant l'animal.

— Presque, hein...? dit-il comme s'il s'adressait à son chien.

Revenant à sa cliente, il poursuivit:

— C'est un bon compagnon et tout comme moi il apprécie la musique classique. Quand je change le poste de la radio, il grogne son mécontentement. Il est un peu comme un vieux pépère qui n'aime pas qu'on modifie ses habitudes.

— Vous remplacez la dame qui était là avant?

— Oui, je viens d'arriver au village, l'ancienne postière a pris sa retraite.

— Alors on est deux nouveaux arrivants, répondit Anne tout en payant.

— Oui, j'espère que vous vous plaisez autant que moi dans ce joli patelin.

— Difficile de résister à son charme.

Elle le remercia et partit en lui souhaitant une bonne fin de journée.

Chapitre 14

Anne avait entendu parler des festivités de la Saint-Jean. Elle savait que Sylvie recevait sa cousine Lucie pour l'occasion. Une amie de la région de Charlevoix se joindrait à elles. Alain et Florence accueillaient un couple d'amis pour quelques jours. De son côté, la jeune femme avait invité sa mère pour la journée et lui offrit de passer la nuit au chalet, malgré l'état des lieux. Mireille commençait ses vacances et prendrait la direction du Bas-Saint-Laurent avec son amie Élizabeth. Finalement, les deux visiteuses avaient réservé une chambre au motel d'à côté. Elles partiraient tôt le lendemain de la fête nationale pour se rendre à Sainte-Luce-sur-Mer.

Après deux jours de pluie sur la Côte-du-Sud, alors que le soleil brillait de l'autre côté du fleuve, la journée s'annonçait radieuse et chaude. Le midi, Anne et ses invitées étaient conviées chez Florence et Alain pour un repas partagé. Mireille avait préparé du poulet à la cajun à manger froid, une salade grecque et de la limonade. Élizabeth apportait des fraises de l'Île d'Orléans, de la crème bien épaisse provenant de la ferme de son frère et un gâteau éponge au chocolat. Anne savait qu'il y aurait des fromages ; elle se procura donc tout un assortiment de pains de la boulangerie et s'approvisionna en fruits comme en bouteilles de rosé. En maître barbecue, Alain veillait à la cuisson des légumes marinés, des minibrochettes et des saucisses maison de la boucherie du village voisin. Quant aux amis, propriétaires d'un vignoble en Estrie, ils offraient deux caisses de leur vin et des fromages de l'abbaye de Saint-Benoît.

« Quel joyeux repas, convivial et chaleureux ! Si opposé à ceux des Lampron », observait Anne. Distrait par les histoires racontées et les discussions animées, Alain avait laissé sécher quelques légumes et carbonisé des bouts de saucisse. Florence possédait un don inné pour mettre à l'aise ses invités, une agréable chimie avait rapidement opéré avec Mireille. Chez Alain et Florence, tout devenait secondaire pourvu que les gens soient détendus et s'amusent. Le verre de vin échappé sur la nappe, les aliments un peu brûlés et cette vieille chaise qui cassa lorsque Mireille l'empoigna pour s'asseoir, tous ces incidents furent rattrapés avec humour et dérision. On en rit, après tout, personne n'était blessé, ni tombé malade. Anne regardait sa mère, dans le silence, leurs yeux exprimaient à quel point Ruth Lampron aurait réussi à rendre ses invités mal à l'aise s'ils avaient causé de l'interférence au bon déroulement de ses réceptions, même si c'était tout à fait involontaire.

Mireille et Florence avaient parlé un moment en aparté.

— J'apprécie beaucoup le courage et la franchise d'Anne, dit Florence. Je suis très heureuse de sa décision de rester à Berthier. C'est une voisine parfaite. Elle sait demander un service sans être accaparante, on s'entend bien et parfois, j'ai l'impression qu'elle s'adresse à Alain comme elle le ferait avec son père. Je sais qu'elle l'a peu connu. J'espère que ce que je dis ne te blesse pas.

— Pas du tout, répondit Mireille. Au contraire, quand je regarde ton mari, je pense que mon Alain ressemblerait beaucoup au tien. Tu savais que nos deux hommes possédaient le même prénom ? Sa manière d'être attentif aux autres, la façon dont il parle de vos filles, son intérêt pour une foule de choses. Par contre, mon Alain aurait probablement beaucoup moins de cheveux, si je me fie à mes beaux-frères : ils sont chauves tous les deux ! Tu sais, Florence, depuis qu'elle habite la région, je retrouve ma fille et je suis certaine qu'Alain et toi y êtes pour quelque chose. Si tu savais à quel point je vous suis reconnaissante.

— Je ne crois pas qu'on ait tant de mérite, corrigea Florence.

— Oh ! Si. Anne n'avait pas l'intention de rester ici. Ce sont les gens qu'elle a rencontrés qui ont fait pencher la balance, elle s'est attachée à vous, elle vous aime beaucoup. Par contre, je sais que vous êtes saisonniers et je me demande comment elle vivra l'hiver. Je pense que le coin est peu habité durant cette saison.

— Pour l'instant. L'an prochain, Alain commence la retraite progressive. Après bien des hésitations, on a décidé de s'établir ici en permanence. Avec ses plans pour rendre le chalet confortable à l'année, la démarche d'Anne a inspiré mon mari. J'en suis heureuse, parce que, pour ma part, mon idée était faite depuis longtemps.

Les deux femmes avaient parlé de jardins, de fleurs, de la nature qui ressource… et du plaisir qu'elles auraient à se revoir.

Après ce joyeux dîner, Anne et ses invitées avaient fait un saut au chalet pour préparer leurs effets avant de descendre près du fleuve. Élizabeth, qui entrait pour la première fois dans l'habitation, s'émerveillait et ne tarissait pas d'éloges devant la vue et l'aménagement des lieux.

— Mireille m'avait décrit les transformations que tu faisais, Anne, mais maximiser un endroit exigu représente tout un défi et tu l'as réussi haut la main, avait-elle déclaré. J'adore ta cuisinette, c'est très fonctionnel. Et la vue sur le fleuve est omniprésente, je comprends que tu ne veuilles pas accrocher de rideaux dans ces fenêtres.

La fierté se lisait sur le visage d'Anne. Jusqu'à maintenant, tous les commentaires lui confirmaient qu'elle était sur la bonne route. Cette fois, Anne avait trouvé son destin. Au fond, elle constatait que la vraie richesse commençait à affluer dans sa vie.

* * *

Anne, Mireille et Élizabeth avaient parcouru à pied le trajet pour se rendre au quai. Aucun nuage ne faisait obstruction au soleil de ce début d'après-midi. À mesure qu'elles s'approchaient, la musique parvenait à leurs oreilles et la foule devenait plus dense. Petits et grands affichaient le fleurdelisé peint en bleu sur une joue. D'autres marmots faisaient la file devant les jeux gonflables. Plusieurs familles avaient regroupé des tables de pique-nique pour faire bombance. Un bébé sommeillait à l'ombre dans un parc.

Les trois femmes s'installèrent au milieu des rochers près du quai, là où de petites criques offraient une intimité. Elles avaient revêtu leur maillot. Mireille fut la première à faire trempette, l'eau était froide, vivifiante. Anne était agréablement surprise de voir sa mère s'amuser autant. Leur baignade terminée, elles observaient l'animation autour d'elles.

— Eh ! regardez tous ces nageurs qui contournent le quai, fit Mireille.

— Chacun accompagné d'un kayak, ajouta Anne. Quel spectacle coloré ! J'en compte vingt-huit. Tout un défi de nager ainsi dans les eaux du Saint-Laurent, déclara Mireille. Jusqu'où ils vont comme ça ?

— Je pense qu'ils font le tour de la Pointe Verte pour terminer sur la grande plage où des bénévoles les attendent, répondit Anne.

Une fois ce défilé passé, Anne s'allongea sur la couverture. Dans un état de léthargie, elle se laissait bercer par les voix de sa mère et de son amie qui devisaient. « Jamais je n'aurais pensé vivre une telle complicité avec ma mère, pensait Anne. Et cette amie que je ne connaissais pas, je me sens si bien avec elle, c'est comme si elle avait fait partie de ma vie depuis toujours. » Elle entendait des rires, un jappement, des cris de mouettes et sombra dans une agréable torpeur. Le bruit d'un gros bateau à moteur vint troubler sa quiétude.

— Je n'ai jamais été attirée par toutes les machines à moteur, disait Élizabeth. Imaginez tout ce tintamarre et les vapeurs d'essence que le conducteur doit respirer ! Regardez ce voilier qui file voile au vent, n'est-ce pas là une image de la lenteur, de la grâce tout en harmonie avec la nature ?

— Moi aussi, je suis davantage une adepte des activités plus silencieuses, poursuivit Mireille.

— Une fois, enchaîna son amie, j'étais chez ma sœur qui habite Saint-Denis-sur-Richelieu. On avait passé un dimanche sur l'Île de Saint-Ours. Je me suis mise à observer les bateaux qui arrivaient pour traverser l'écluse. Ou plutôt j'étudiais les passagers. Quels mondes différents que ceux de la voile et des motorisés ! Une vingtaine ont défilé. Sur les voiliers, les gens étaient calmes, concentrés sur les manœuvres et leurs amarres à solidifier. Ils étaient discrets et réservés. Les capitaines de *cruiser*, eux, exhibaient leur bedaine bronzée, leurs gros « jewels » et leurs belles « poupounes » en bikini. Ils parlaient fort, tenaient souvent une bière à la main et certains avaient besoin d'aide pour arrimer leur embarcation. J'en ai vu un sans attache, il croyait que les bouées suffiraient. C'est le propriétaire d'un voilier qui lui en a prêté une.

— C'était gentil de la part du capitaine du voilier de l'aider ainsi, reprit Mireille.

— Je pense qu'il était surtout préoccupé par la sécurité, continua Élizabeth. C'était plus sage de lui prêter une amarre que de risquer qu'il vienne frapper sa coque.

Anne écoutait, silencieuse et songeuse. Élizabeth avait raison et le parallèle qu'elle venait de faire aurait pu s'appliquer à sa vie il y a quelques mois. Comme les propriétaires des hors-bords, elle cherchait à épater la galerie, à paraître, à plaire.

— Je prendrais bien une bière, dit soudainement Mireille.

— Bonne idée, répondirent deux voix simultanément, ce qui les fit rire toutes les trois.

Leur glacière contenait du thé glacé, de la limonade et des bouteilles d'eau, mais c'est la bière qui leur faisait envie. Elles montèrent sur le talus en direction de la cantine où l'on vendait hot dogs et rafraîchissements.

Anne reconnut Marthe Simoneau à la caisse. La musique battait son plein, il était difficile de s'entendre. Anne dut répéter trois fois leur commande. Elle paya avec un billet de 20,00 $ et reçut sa monnaie en pièces de vingt-cinq cents et de dix sous. Elle dut tendre les deux mains pour tout ramasser. Elle fulminait.

— Mon Dieu ! fit Mireille. Quelle générosité pour s'assurer que tu aies de la monnaie, mais ça te remplit un portefeuille, ça !

— C'est ma charmante voisine d'à côté, répondit Anne, je pense qu'elle aurait pu me donner des billets, mais j'ai l'impression qu'elle voulait surtout me contrarier.

— J'aime les gens généreux, surtout quand ils sont bénévoles, intervint Élizabeth, ça me donne envie de l'être aussi. Allez, donne-moi ta monnaie Anne, je vous offre une gâterie. Chips ou chocolat ?

Empoignant les pièces, elle retourna à la cantine et demanda trois sacs de croustilles en comptant méticuleusement la monnaie qu'elle rendit à la bénévole. Prenant les trois sacs, elle plongea son regard dans celui de Marthe Simoneau avec un grand sourire en disant :

— Merci infiniment, ma chère dame, ce serait fâcheux que vous manquiez de petite monnaie. Bonne journée et bonne fête nationale.

Elle tourna aussitôt les talons, sans attendre la réaction de l'autre. Revenue sur la plage, elle remit à Anne un billet de cinq dollars, en papier ! Devant l'étonnement de la jeune femme, elle dit :

— C'était sérieux quand je vous ai dit que cette femme m'avait donné le goût d'être généreuse. Ça fait des lunes que je n'ai pas mangé de croustilles.

Elles éclatèrent de rire et poursuivirent leur joyeux papotage tout en observant les gens autour d'elles. À cinq heures pile, Anne aperçut Sylvie Hudon et ses invités sur le quai. Elles avaient convenu de se retrouver pour souper au Bistrot de la Marina. Anne lui fit de grands signes de la main.

Dans le restaurant, le trio de femmes partageait la même table que les trois couples du groupe de Sylvie. Celle-ci présenta son amoureux, sa cousine Lucie accompagnée de son ami, Esther et son mari. Anne était la plus jeune. Pourtant elle nageait avec aisance dans cette ligue de bons vivants. L'endroit était bondé et bruyant. Elle constatait que le degré de décibels augmentait avec le nombre de convives autour d'une table et les verres vides. Une musique jazzée sortait des haut-parleurs et contribuait à amplifier ce tohu-bohu, rendant impossible une conversation sur un timbre de voix normal. Anne était assise entre Esther et Élizabeth, à cheval entre les deux groupes. Elle écoutait les bribes de leur bavardage.

— Dis donc Anne, dit Sylvie, je sais que ta visite doit partir demain. Tu pourrais passer la journée avec nous ? Les hommes vont à la pêche dans l'arrière-pays. On envisage de bruncher au restaurant de La Grève.

— Pourquoi pas ! Je n'avais rien au programme. Mais j'ai prévu de déjeuner avec ma mère et Élizabeth avant qu'elles prennent la route. Venez me retrouver sur « ma grève » après le repas. Vous pourrez laisser vos choses chez moi avant de vous rendre au restaurant. Si je ne suis pas équipée pour cuisiner ces temps-ci, le frigo est rempli de différents breuvages.

— Quel privilège ! commenta Esther, un bout de plage à nous toutes seules.

— Bonne idée ! À condition que tu soupes avec nous, répondit Sylvie. Ça te permettra de mieux connaître mes amies.

C'était agréable de manger ensemble et de passer ce bout de soirée, mais ce n'étaient pas les meilleures conditions pour du papotage. La nourriture était savoureuse et l'appétit au rendez-vous. Le groupe convint d'assister de concert au feu d'artifice en fin de soirée. Mireille se réjouissait de voir ainsi sa fille. Elle tissait des liens, beaucoup plus que durant toute sa période dans la famille Lampron. Anne semblait plus calme aussi, plus sereine et... bien plus accessible.

En sortant de l'établissement, Anne aperçut Agathe, son mari à ses côtés. La table comptait une dizaine de convives. Les deux femmes se saluèrent d'un signe de la main. Elle croisa Thomas Lavoie qui lui glissa quelques politesses.

— Ouf ! ça fait du bien un peu de silence, souffla Sylvie. J'avais oublié à quel point l'endroit est cacophonique quand c'est plein.

Leur groupe se dirigea vers le quai pour admirer un coucher de soleil qui s'annonçait splendide. Au passage, Anne salua le postier, il tenait son chien en laisse et cette fois-ci, un foulard à l'effigie du drapeau du Québec lui ornait le cou. Installée à une table de pique-nique près du quai, la famille du boulanger rangeait les restes de leur repas. La plus jeune, une fillette de cinq ans présentait un visage barbouillé de chocolat et lui cria joyeusement :

— Salut Anne, c'est laquelle ta maman ?

Anne fit les présentations. Tôt le matin, la petite suivait son père dans la boulangerie quand Anne avait acheté du pain. La gamine avait questionné pour savoir pourquoi elle en prenait autant, qui était sa visite, irait-elle au feu d'artifice ? L'arrivée d'un client avait mis fin au flot d'interrogations.

— Coudonc Anne, commenta Mireille, tu m'as l'air de connaître quelques personnes.

— Maintenant que tu le dis, c'est vrai. Tu vois, ici on ne peut pas rester anonyme. Les commerçants, les ouvriers… et sans doute les commères savent tous que je suis « celle qui habite le chalet abandonné pendant des années ». Les gens se présentent. Au début, j'avoue que ça me dérangeait, ça me mettait mal à l'aise. J'avais peur de l'intrusion. Mais je me rends compte que, le plus souvent, leur attitude est pleine de bienveillance. Je crois que ça contribue à me faire aimer mon existence ici. Jamais je n'aurais pensé me laisser séduire de cette façon.

— J'en suis bien contente, ajouta sa mère, j'ai craint que tu t'expatries à Toronto après le décès de David. Tu ne peux imaginer le bonheur que j'ai de te savoir près…, géographiquement et affectivement.

Anne la serra dans ses bras, puis elles rejoignirent les autres. Le bateau des croisières Lachance revenait au quai, les gens sur le pont les saluaient de la main. Sur les rochers en contrebas, deux jeunes garçons armés d'une canne à pêche lançaient leur ligne à l'eau pendant que le soleil dardait ses derniers rayons.

On entendait des chansons du répertoire québécois crachées par les haut-parleurs. Le silence tomba sur leur petit groupe quand le ciel commença à se teinter. En ce soir de la Saint-Jean, il déployait ses plus belles couleurs.

Le calme fut rompu par un bruit de voix sur la plage, les éclats d'une chicane. Anne s'étira pour observer. Elle comprit qu'il s'agissait de violence familiale exacerbée à cause de l'alcool, un fils envers sa mère. Cette scène lui fit prendre conscience qu'un village recèle parfois son lot d'agresseurs, de fricoteurs et de marginaux. Elle avait eu de la chance d'avoir croisé les meilleures personnes. Elle aurait pu rencontrer des ouvriers malhonnêtes, des employés abusant de son inexpérience ou des voisins malfaisants. Au fond, le voisinage avec Marthe Simoneau n'était pas si terrible. Elles arriveraient peut-être à retirer quelques barbelés de la clôture qui les séparait.

Un premier pétard éclaira le ciel. Isolé, signal que le feu commencerait sous peu. La musique avait cessé, seul un murmure survolait la foule. Des lumières dansaient sur l'eau calme, quelques embarcations se tenaient à bonne distance, attendant le spectacle.

Puis le ciel s'enflamma : des explosions de rouge, de vert et de bleu. Des jets d'étoiles scintillantes, des spirales tourbillonnant en tous sens. Des jeux de fontaines près du sol miroitaient sur le fleuve. La musique accompagnait à merveille chaque arabesque, chaque envolée et chaque crépitement que les artificiers faisaient éclater. Des oh ! des ah ! des applaudissements de la foule marquaient les temps forts. Le spectacle s'étira durant trente minutes pour se terminer dans une apothéose où toutes les couleurs, tous les mouvements et toute l'intensité de la musique de *Dégénérations* de Mes Aïeux s'unirent pour une finale des plus extraordinaires.

— Ouah ! lança Mireille, je comprends que tant de gens se déplacent pour assister au feu de la Saint-Jean à Berthier. Tout simplement spectaculaire !

La fumée retombait tandis qu'une partie de la foule se dispersait vers les voitures. Des haut-parleurs reprirent leur hurlement; la musique se poursuivrait jusqu'à minuit pour la danse. Personne de leur groupe n'avait envie de s'attarder, Mireille et Élizabeth partaient tôt, les hommes voulaient se lever à l'aurore pour aller taquiner le poisson. D'un bras, Mireille accrocha sa fille, de l'autre, celui de son amie. Les couples se tenaient par la taille et le petit attroupement emprunta la rue des Peupliers en suivant le flot de gens. Les étoiles scintillaient à travers la fumée qui se dissipait. À la hauteur du chalet de Sylvie, on se souhaita « bonne nuit », « bonne route », « bonne pêche » ou « bonne journée, les filles », selon le cas. Les trois couples entrèrent et les trois femmes poursuivirent jusqu'au motel où Mireille proposa à sa fille d'aller la border.

— Je préfère vous laisser, mais j'avoue que j'aimerais bien. Tu le feras quand tu dormiras chez moi, maman, ajouta Anne.

Elle termina seule le chemin. Les deux autres restèrent sur le seuil de leur chambre de motel jusqu'à ce qu'une lumière éclaire le chalet d'à côté.

Chapitre 15

Il était tout juste huit heures quand Anne rejoignit sa mère à la salle à manger du motel. Mireille et Élizabeth sirotaient leur café. La note était réglée et leurs valises rangées dans le coffre de la voiture. Le restaurant était rempli d'odeurs et de calme, la température s'annonçait splendide.

— Passe de belles vacances, maman, dit Anne en accompagnant Mireille à la voiture. Et merci de ta visite. J'ai beaucoup beaucoup aimé cette journée en ta compagnie.

Les deux femmes restèrent un moment enlacées avant de se séparer.

Les voyageuses parties, Anne revint prendre sa place à table et prolongea cette quiétude en avalant son troisième café. Josée et deux serveuses poursuivaient leur valse d'allers-retours entre la cuisine et la grande salle pour préparer le brunch, toujours achalandé les fins de semaine. Anne songeait à l'agréable moment passé avec Sylvie et ses amies la veille. Elle trépignait d'impatience de les connaître davantage. Cette amitié la surprenait, les trois femmes vivaient si éloignées l'une de l'autre. «Je pense que j'ai beaucoup à apprendre sur ma conception de l'amitié, d'abord que l'âge ne compte pas.» Elle pensait aux liens tissés avec Alain et Florence, et avec Agathe qu'elle affectionnait.

Une demi-heure plus tard, de retour dans sa cuisine, elle fouettait une préparation au fromage pour garnir des craquelins, avec l'esturgeon fumé localement. À trois reprises, elle descendit l'escalier qui menait à la plage pour y apporter des chaises. Elle fut incapable de se concentrer sur la lecture d'un magazine. Son esprit errait, voguant entre le ciel, les eaux du fleuve, les bois flottés qui jonchaient la plage. La semaine précédente, elle en avait entassé une pile sur le rivage. De beaux morceaux pourraient servir à personnaliser sa maison ou le terrain. Durant ses promenades, elle avait observé que les gens utilisaient ces cadeaux du fleuve pour les intégrer dans l'aménagement: une grosse souche décorative entourée de fleurs, des billots devenus un poteau de clôture ou un socle de table extérieure. Ses préférés ornaient les murs d'un chalet bleu nuit qu'elle apercevait souvent au fil de ses randonnées. Trois morceaux de bois y étaient accrochés. Un coude dans la pièce accueillait un pot de grès débordant d'impatiens rose pâle. Une œuvre murale magnifique! En ramassant le bois flotté, elle avait rempli deux sacs-poubelle de détritus vomis par le fleuve: pots de plastique, morceaux de jouet, sandale de caoutchouc, retaille de filet de pêche, briquets Bic, embouts de tampon. Les gens imaginent qu'avec cette immensité leurs déchets se perdent, ni vu ni connu.

* * *

Sylvie avait parlé avec ses amies de cette nouvelle venue à Berthier-sur-Mer, du deuil de la jeune femme, de l'héritage du chalet et de son désir de le transformer. Cette simple information sous-entendait qu'elle avait choisi de refaire son existence à neuf, dans un autre lieu.

— Vivre dans un endroit rempli de réminiscences doit être difficile, murmura Esther.

— Par contre, les souvenirs peuvent mettre beaucoup de baume sur le chagrin, répondit Sylvie. Ils nous rappellent que la vie nous a choyés et certaines personnes y trouvent un élan pour rebondir et continuer, comme c'est souvent le cas quand il y a des enfants.

— Dis donc Sylvie, tu sembles attirer les gens qui viennent de perdre quelqu'un, s'exclama Lucie.

Le commentaire fit sourire Sylvie qui enchaîna:

— On rencontre tous un jour ou l'autre quelqu'un qui vient de perdre un proche, un collègue ou une simple connaissance. Ça fait partie de la vie. Mais certaines morts modifient la trajectoire ou le parcours du destin. Comme pour toi, Lucie. Vois la personne que tu es devenue depuis presque six ans.

— Je suis bien placée pour en témoigner, constata Esther. Le décès de ta mère a changé bien des choses pour toi Lucie, pour le mieux. Ce fut le début de notre amitié. On se connaissait de loin, par l'école, parce qu'on habitait le même quartier. Comme deux étrangères, on restait côte à côte depuis dix ans. Il a fallu une mort pour que naisse autre chose.

Cette remarque fit affluer des souvenirs de Lucie, la happant comme une vague. Dans un éclair, la métamorphose de sa vie lui revint.

— Lucie, fit Sylvie, tu as construit ta vie depuis la mort de ta mère. Tu vis maintenant dans la belle région de Kamouraska, dans la jolie maison bâtie par son père au temps de sa jeunesse.

— Je donnerais cher pour avoir autant de lilas autour de ma maison, ajouta Esther. Quand je pense que ton père en a planté plusieurs lui-même. As-tu calculé l'âge que ça leur donne ?

— Et puis, tu as eu le courage de suivre un cours malgré la mi-quarantaine, de la haute couture, s'il vous plaît, dit Sylvie en souriant. Tu remplis à l'occasion des contrats pour les costumes de la troupe de danse, mais surtout, tu peins. Qui aurait dit que ça prendrait autant de place dans ta vie ? Vois comme ta participation à des symposiums et à des expositions augmente d'une année à l'autre.

— Sans compter le temps consacré à l'enseignement de l'art aux enfants dans les activités de loisirs à Rivière-du-Loup, ajouta Esther.

Oui, Lucie avait fait des pas de géant depuis la mort de sa mère. Elle avait effectué un voyage en France pour visiter Sylvie durant son séjour de trois ans. Ce périple d'une quinzaine de jours au départ s'était prolongé de deux mois. Elle avait fréquenté plusieurs galeries, des musées et Sylvie l'avait mise au fait des cours possibles auprès d'artistes. Lucie avait suivi un atelier d'une semaine en Belgique et un autre en France avec des peintres aquarellistes. Elle avait exploré l'huile, néanmoins, c'est par l'aquarelle qu'elle parvenait le mieux à traduire l'essence de ses sujets. Dans la case profession d'un formulaire, comme quand elle avait demandé son passeport, elle avait été fière d'inscrire : « Artiste peintre ».

L'amitié occupait une place centrale dans sa vie, celle d'Esther et de sa cousine Sylvie étaient sans doute les plus précieuses. Sans leur présence, Lucie ne serait pas la personne qu'elle était aujourd'hui. Elle entretenait des liens avec des peintres dont le cheminement l'inspirait, des peintres ayant découvert leur talent dans la cinquantaine. L'un d'eux avait maintenant soixante-douze ans.

Oui, la mort de sa mère l'avait mise au monde. Lucie n'avait rien de tout cela dans sa vie à quarante-cinq ans, quand sa mère mourut. Absolument rien ! Elle avait connu la servitude, la brusquerie, le désamour. Maintenant âgée de cinquante et un ans, elle avait le sentiment d'avoir gagné à la loterie. Cependant, elle craignait que la présence d'Anne soit comme un nuage au-dessus de sa tête.

— Notre trio est très important pour moi, j'espère que la chimie ne sera pas modifiée.

— Ne t'inquiète pas, la rassura Sylvie avec une grande douceur dans la voix. Notre amitié est sacrée et moi non plus je ne souhaite pas de changement. Mais la journée de pêche des hommes est une belle occasion pour un moment entre filles. C'est pourquoi j'ai proposé qu'Anne se joigne à nous. Depuis son arrivée, elle s'est liée à ses voisins d'en face. Et à Agathe, une résidente. Mais elles ont de la visite et Anne se retrouve seule pour le week-end, dans un chalet en plein chantier. C'est un peu comme cette fin de semaine chez toi, Lucie, où tu souhaitais nous présenter tes amis peintres. On a passé un bon moment avec eux, Esther et moi, on a pu découvrir des gens que tu côtoyais en dehors de notre trio. Est-ce que ça a changé quelque chose ?

— C'est pas la même chose, rétorqua Lucie. Mes amis ont leur famille, leur travail, elles sont du coin. Anne a perdu son mari, elle arrive dans un patelin inconnu, elle est seule.

— Lucie, intervint Esther, est-ce que tu verrais une similitude entre la situation de cette jeune femme et la tienne… au moment où notre amitié est née ?

Sylvie et Esther échangèrent un regard, toutes deux avaient la même impression sur les résistances de Lucie face à la présence d'Anne. Sylvie poursuivit :

— Écoute, Lucie, malgré notre amitié, j'ai des amies en dehors de notre cercle. Je passe maintenant mes étés dans ce village, Anne est une fille que je trouve attachante et des liens se développent entre nous. Je voulais juste vous la faire connaître.

Lucie avait exprimé par un signe de tête qu'elle comprenait les propos de sa cousine et s'en voulait de son manque d'ouverture.

La serveuse apporta l'addition. Moins de dix minutes plus tard, elles descendaient l'escalier qui menait sur la petite grève pour y rejoindre Anne.

Cette dernière fut tirée de sa réflexion par leurs voix. Familière de l'endroit, Sylvie ouvrait le défilé. Esther et Lucie s'émerveillaient du point de vue, puis chacune laissa tomber son sac sur le sable. La crème solaire répandait une odeur de noix de coco qui se mélangeait à celle du varech laissé par la marée descendante.

Elles marchèrent sur les rochers plats, jusqu'au fleuve. Le soleil réchauffait les flaques d'eau qui remplissaient les cavités.

— Attention, dit Sylvie, il y a parfois de la mousse sur les roches, c'est glissant.

Elles se rendirent à l'embouchure de la rivière. Lucie resta plantée un moment dans cette eau froide à se faire masser les chevilles par le courant. Quand elle en sortit, ses pieds étaient aussi rouges que l'enseigne du restaurant de La Grève.

Depuis le début de la journée, la grande plage était envahie de gens et de voitures.

— Je n'avais jamais vu ça, des autos sur une plage, commenta Anne. Ma mère appelle ça « le sacrilège de Berthier ».

— Elle a raison, reprit Esther. Si j'avais de jeunes enfants, je pense que je ne serais pas tranquille avec des véhicules qui circulent, c'est dangereux !

— Je sais que le ministère de l'Environnement veut faire changer les choses, dit Sylvie. Mais c'est une vieille tradition, un droit acquis et le stationnement des visiteurs demeure un problème. La première fois que j'ai vu des images prises au début du siècle, avec cette plage remplie de voitures, j'ai d'abord pensé que c'était une mise en scène pour la photo. Mais, quand j'y suis venue pour l'un des premiers week-ends d'été, cette circulation m'a horrifiée. Il y a l'aspect sécurité, comme tu le soulignes, Esther, mais aussi toute la pollution et la poussière. J'en ai déjà vu s'enliser, mais c'est loin de les arrêter. Anne, tu es chanceuse de posséder ton bout de plage juste à toi. Les plages ne sont pas privées, à la rigueur n'importe qui pourrait s'y installer. Mais devoir passer sur un terrain privé ou traverser la rivière pour s'y rendre aide à préserver la quiétude des lieux.

Revenant vers leur petite plage, Anne monta avec Esther pour rapporter des rafraîchissements, un panier garni de grignotines et un autre de fraises cueillies le matin par Florence. Le transport de leur matériel fut l'occasion d'ouvrir la discussion sur un moyen plus facile de circuler les bras chargés. Depuis un moment, Anne réfléchissait à une façon de se simplifier la tâche.

— Tu as raison, confirma Esther. Quand quelque chose est trop alambiqué, on finit par l'espacer puis on laisse tomber, du moins en ce qui me concerne. Je n'aime pas ce qui est compliqué et je finis par abandonner. Mais si c'est quelque chose qui compte vraiment, je cherche des solutions et j'arrive à trouver. Dans le fond, ce à quoi j'ai renoncé ne me tenait pas vraiment à cœur.

— Comme d'aller t'entraîner au gymnase ? mentionna Sylvie.

— Comme de tenir ton budget dans ton petit cahier noir plutôt que d'utiliser ton ordinateur ? renchérit Lucie.

— Comme de renoncer à faire pousser des asperges ? poursuivit Sylvie.

— Comme d'abandonner le vélo en montagne ? continua Lucie.

Anne était mal à l'aise pour la pauvre Esther bombardée ainsi par ses supposées amies qui lui jetaient ses faiblesses au visage. Jusqu'à ce que cette dernière pouffe et réponde dans un grand éclat de rire :

— Allez-y, continuez, payez-vous ma tête ! Vous savez bien que quand je laisse tomber quelque chose, c'est que j'ai un substitut qui me convient davantage. C'est ce qui s'appelle « choisir ses batailles ». Si on cherchait plutôt un moyen de faciliter le portage de bagages dans l'escalier, ajouta-t-elle d'un ton sérieux.

Anne découvrait dans cet humour un ingrédient qui cimentait l'amitié des trois femmes. Surprise aussi de constater qu'Esther soulevait une question qui la préoccupait. Un vent de folie souffla sur le groupe.

— Es-tu allée dans la cave? commença Sylvie. Il y a peut-être un passage secret et une porte dissimulée dans les fondations pour accéder à la plage.

— Tu pourrais faire construire une remise au pied de l'escalier pour y ranger des choses, enchaîna Lucie.

— Ou installer un genre de dalot ou une glissoire pour y acheminer tes affaires, reprit Sylvie. Mais cette solution est incomplète, le problème pour remonter demeure.

— La meilleure idée, continua Esther, ça pourrait être une petite nacelle, actionnée par des poulies pour monter et descendre les objets, un peu comme une corde à linge à la verticale.

— Un système qui ressemble à celui des puits de l'ancien temps? questionna Lucie. Au lieu d'un seau, ce serait une boîte, un peu comme une nacelle de montgolfière.

— Eh bien! dites donc, réussit à articuler Anne, vous avez des suggestions qui paraissent farfelues à première vue, mais quelque chose commence à prendre forme.

— Je suis certaine que si tu parles de cette idée au menuisier de tes fenêtres, ajouta Sylvie, il te proposera une solution. Je n'en reviens pas de constater à quel point il est «patenteux». Tu pourrais lui en glisser un mot, Anne. Si quelqu'un arrive à dessiner un croquis de l'idée, je suis convaincue qu'il pourra arranger quelque chose.

En effet, Anne trouvait ce menuisier rebouteux, patenteux et inventif. Il trouverait sûrement un moyen de transporter plus facilement des objets sur la plage. Pas avant trois semaines cependant, une fois les fenêtres terminées.

En remontant les contenants de victuailles et les chaises, Anne aperçut au passage la silhouette de Marthe Simoneau qui taillait des branches dans la haie mitoyenne. Hasard ou poussée de curiosité pour savoir à qui appartenaient les voix venant de chez elle ?

Malgré les pièces vides et les travaux inachevés, les visiteuses se montraient curieuses de voir l'intérieur du chalet d'Anne. Elles s'enthousiasmèrent devant le panorama offert par la fenestration.

— J'envie la belle pièce que tu as ajoutée, fit Sylvie. Un coin de rêve pour un artiste. Qu'est-ce que tu vas en faire ?

— Disons que ce sera un endroit polyvalent, répondit Anne. Repas, lecture, mais uniquement des choses agréables. Dommage que je ne sois pas artiste, c'est vrai que l'endroit peut être inspirant.

— Qu'est-ce que t'en sais ? demanda Lucie. Paraît que tout le monde possède un côté artiste, il faut juste trouver son filon.

— Tu parles comme s'il s'agissait d'une mine à creuser, rétorqua Anne.

— Un peu, rajouta Lucie, ou un travail d'archéologie pour trouver ce qui nous allume. Puis on laisse aller son imagination.

* * *

L'après-midi tirait à sa fin. Les quatre filles étaient installées à l'ombre du gros érable chez Sylvie. Le vin alimentait la conversation. Une brise de l'est se levait, manger dehors s'annonçait impossible.

Anne fut stupéfaite d'apprendre que Lucie et Sylvie, pourtant des cousines, se fréquentaient seulement depuis la mort de la mère de Lucie, survenue quelques années plus tôt. Ce décès avait contribué à la mettre au monde en lui laissant la liberté d'ouvrir des portes.

— C'est vrai, fit Lucie, quand ma mère a disparu, j'ai retrouvé une famille, celle de mon père, les Hudon. Je n'avais pas douze ans quand il est mort, mais je crois que ma mère avait mis une distance avec eux bien avant cela. Je n'ai aucun souvenir des contacts avec la famille Hudon.

— C'est souvent le cas dans certaines familles, commenta Anne.

— Et n'oublie pas notre oncle de Québec, reprit Sylvie, le seul de sa génération toujours de ce monde, il a veillé sur toi durant des années, et à ton insu.

— Comme un ange gardien…, fit Lucie comme pour elle-même, et toi Sylvie, tu as été une vraie fée, par ton amitié et parce que tu as presque servi d'entremetteuse pour que je rencontre l'amour, alors que je n'y pensais même pas. La vie à deux, c'est un grand bonheur dans ma vie.

— C'est vrai, dit Esther, mais j'avoue que je me sens un peu dans un cul-de-sac avec ma vie de couple de ce temps-ci.

— Pourquoi tu dis ça ? questionna Lucie.

— Depuis la retraite de mon mari, nous devons apprendre à vivre au quotidien. Son métier de camionneur fait qu'il était souvent absent. Je me suis mise à apprécier les longs moments de solitude avec la présence ponctuelle de notre fils, dans un minimum de routine. Avec son métier de solitaire, il écoutait constamment la radio, une façon d'avoir de la compagnie. Eh bien, il garde cette habitude d'un babillage permanent alors que je préfère le silence pour mieux entendre la nature. Il aime prendre ses repas à heures fixes, alors que je mange quand j'ai faim ou entre deux tâches. Et la télé ! J'ai peu d'intérêt pour cet appareil, alors que mon homme rattrape le temps perdu. Aujourd'hui, je me sens coincée dans un rôle de ménagère. Femme au foyer, « le beau piège de la retraite ».

— C'est une période de transition pour toi, ajouta Sylvie. Même si retourner dans Charlevoix était un souhait très cher, c'est tout un changement pour vous deux !

— Oui, je n'avais pas prévu que cette décision modifierait autant notre façon de vivre. Ma librairie me manque beaucoup aussi. Je serais même prête à travailler quelques heures comme employée s'il y en avait une. Mais il n'y en a pas une digne de ce nom dans mon coin. Je peux toujours trouver les dernières parutions, des romans populaires, des livres de cuisine et quelques biographies de vedettes dans certaines pharmacies ou dans les dépanneurs, mais pour le reste… Québec est l'endroit le plus proche. Bon, fini les lamentations ! On est ici pour prendre du bon temps, non ?

Une bourrasque emporta des serviettes de papier et aurait fait basculer la desserte si Lucie ne l'avait empoignée à temps. Les légères esquisses de nuages en forme de vagues qui se découpaient sur le ciel bleu depuis le matin cédaient la place à de gros cumulonimbus, nuages annonciateurs de pluies violentes. Le nordet amenait avec lui la pluie, le vent et reléguait la vie à l'intérieur.

Elles avaient tout rentré rapidement ; Sylvie courut fermer les fenêtres de la chambre et de la salle de bain.

— J'avais un doute, je me demandais si on pouvait manger dehors, là j'en ai plus, annonça Sylvie.

— Je pense aux gars, dit Esther. J'espère qu'ils ne sont plus sur le lac.

— Même si sa retraite bouleverse un peu tes habitudes, tu y tiens à ton homme, répondit Sylvie tout en jetant un œil à l'horloge. À cette heure-ci, ils doivent être en train d'évider leurs truites pour se préparer à souper avec leur guide. Mais je ne pense pas qu'ils aient du vent aussi fort. On est au bord du fleuve tandis qu'ils sont dans le bois, à plus de cinquante kilomètres dans les terres. Ils sont à l'abri comparativement à ici. Heureusement qu'on n'avait pas prévu de barbecue.

Esther et Lucie transportèrent leur sac de voyage dans la pièce fermée. Anne aida Sylvie à replacer la table. Lucie et Esther entamèrent les préparatifs du souper. Sylvie confia à Anne le soin de dresser les couverts, lui indiquant où trouver serviettes, vaisselle et ustensiles. Saladiers, plateau de viandes froides, terrine et fromages garnirent le comptoir. Chacune emplirait son assiette. Une baguette tranchée, des marinades maison et un assortiment de craquelins furent déposés au centre de la table. Lucie sortit du réfrigérateur deux pots Mason remplis de soupe et les agita vigoureusement avant de la verser dans les bols.

— Le gaspacho est servi, annonça-t-elle; c'était le signal de prendre place à table.

Anne repensait aux séjours à la maison de campagne des Lampron, grande, pleine de gens, la somptueuse table et les repas plutôt arrosés. Et toutes ces conversations vides qui transpiraient la compétition. Bien paraître animait tout ce beau monde. Réussir, s'enrichir et s'en glorifier. Pourtant le minuscule chalet de Sylvie lui plaisait davantage. Jamais auparavant elle n'avait connu de moments de complicité franche comme durant cette journée. Jamais elle n'avait été si détendue, entourée de gens sincères et conviviaux. Elle savourait le plaisir de cette soirée et apprenait le vrai sens de l'amitié.

— J'admire l'affection qui vous lie, fit Anne. Je considère comme un privilège que vous m'ayez invitée à me joindre à vous. L'atmosphère est chaleureuse et conviviale, c'est ce que je souhaiterais dans ma nouvelle habitation. Simplicité, sérénité et authenticité.

— Incluant les courtes périodes de doléances? demanda Sylvie avec un brin de moquerie. Mais ça ne te ressemble tellement pas, Esther, c'est la première fois que je t'entends parler de quelque chose qui te dérange.

— C'est vrai, Anne va sans doute me prendre pour une « chialeuse ».

— Pas du tout, répondit Anne. Je pense que des petites parenthèses pour se vider le cœur peuvent contribuer à désamorcer bien des rancœurs.

— Très vrai ! ajouta Sylvie.

— Mais sachez que j'ai aussi de beaux projets, ceux qui donnent une belle énergie pour avancer dans la vie. Entre autres, faire des recherches sur la généalogie de ma famille, travailler comme bénévole à la bibliothèque locale, m'atteler à quelques bricolages et travaux d'aiguille pour raffiner et personnaliser la maison, me mettre à la méditation ou au yoga. Et cette petite évasion prévue en octobre, dans le condo de Sylvie pendant que tu seras dans le Maine avec ton amoureux. Un moment de solitude pour réfléchir. Au retour, je ferai le point avec mon homme. Pauvre lui, il endure mon impatience, mes moments d'irritation, il met ça sur le compte de la ménopause. Mais moi, je sais que ce n'est pas la ménopause, je n'ai presque pas eu de désagréments durant cette période. Je pense que mon erreur, c'est de n'avoir pas pris le temps de concevoir comment je voulais vivre cette étape de ma vie. Mais je vais me reprendre. C'est un gars ouvert, plein de bonne volonté, ses plans pour la retraite sont mieux définis que les miens. On a juste besoin de s'arrimer ensemble pour être bien tous les deux. Maintenant, je passe le micro à une autre.

— Lucie, dit Anne, j'ai vu certains de tes tableaux. J'aime beaucoup. As-tu étudié aux beaux-arts ?

Lucie éclata de rire.

— Enfant, répondit-elle, j'adorais dessiner. Peut-être aurais-je pu envisager de telles études si mon père avait vécu plus longtemps. J'ai suivi mes premiers cours l'année qui a suivi la mort de ma mère.

— Incroyable ! fit Anne.

— Ça signifie qu'il n'est jamais trop tard pour marcher vers ses rêves, ajouta Sylvie.

La pluie avait commencé et claquait dans les fenêtres. Le ciel était devenu noir. Elles se levèrent pour ramasser la vaisselle sale et préparer le café. Quand Sylvie ouvrit la porte du réfrigérateur pour sortir le lait et la pâtisserie, Anne aperçut la vache et demanda à quel moment elle pourrait connaître l'histoire de Ramona. Un éclat de rire général suivit sa question.

— Votre réaction me rend encore plus curieuse, dit Anne.

— Disons que ça tombe vraiment à point ! répondit Esther. Parce que, pendant la prochaine demi-heure, peut-être plus longtemps, on va plonger dans le monde de l'enfance.

Des points d'interrogation apparurent dans les yeux d'Anne. Sylvie déposa un saint-honoré au centre de la table pendant que Lucie disposait les tasses et remettait une assiette à chacune.

— Qui a cuisiné ça? questionna Anne. C'est magnifique ! Ça sent la vanille et le caramel.

— J'ai préparé les petits choux hier et on les a montés ensemble ce matin avant d'aller bruncher, répondit Sylvie.

Anne voyait bien qu'il n'y avait aucun couvert sur la table, elle n'osait le mentionner. Les trois autres plaisantaient comme si elles avaient une histoire en commun dont elle était exclue. Sylvie brisa la glace, refusant de prolonger le malaise de son invitée.

— La règle exige de manger un Saint-Honoré que j'ai cuisiné avec les doigts. C'est collant, gommant, un brin disgracieux, mais ça fait du bien de redevenir enfants pour un moment. En plus, ça « décorsette » un ego trop engoncé.

Sans plus attendre, Sylvie, Esther et Lucie pigèrent un chou à même l'assemblage de l'élégant dessert. Un peu figée et déconcertée, Anne s'abandonna à cette délicieuse folie, attrapant à son tour une pièce de la pâtisserie. Tout à coup, elle éclata de rire. Une image lui traversa l'esprit, celle de Ruth Lampron, faisant irruption dans la petite cuisine, les yeux ahuris par ce manque flagrant à l'étiquette et aux bonnes manières.

— À ma belle-mère, dit-elle en prenant un second morceau et le soulevant à la façon dont on lève un verre pour porter un toast.

— À ta réaction, j'en déduis qu'elle est de ces gens coincés dans les protocoles, avança Esther.

— Et comment !

— Comment elle est, ta belle-mère ? interrogea Lucie.

— Ramona d'abord, répondit Anne, ma curiosité n'en peut plus.

— Il était une fois, commença Sylvie… non, sérieusement. J'ai grandi dans une ferme. Mon père attribuait un nom aux veaux nouveau-nés. Nous, les enfants, assumions les soins d'un animal sous notre responsabilité, comme de distribuer la portion de grains, de foin ou d'eau, et bien sûr, les câlins. Le printemps de la naissance de Ramona, il y a eu plus de veaux que d'enfants et un animal n'avait pas été choisi. Il devait avoir trois semaines quand une vache l'a bousculé. Sa tête a heurté un bout de clôture brisée et un morceau de métal lui a blessé un œil. Le vétérinaire l'a soigné, mais un voile est resté sur le globe oculaire. Je me rappelle très bien cette scène. C'était ma première journée d'école et j'attendais l'autobus scolaire juste à côté du pâturage où broutaient les vaches qui avaient vêlé le printemps précédent et leurs veaux. Quand je suis revenue de l'école, je me suis précipitée dans la grange pour dire à mon père que je voulais devenir la « marraine » de Ramona, peu importe le travail de surplus. Je me suis attachée à ce veau « handicapé de l'œil ».

— La psychologue dormait déjà en toi, fit Esther.

— Possible, continua Sylvie en riant. Je lui apportais des gâteries plus souvent qu'à son tour. L'été de mes huit ans, je n'ai pas eu le droit d'aller à l'étable, comme mon frère, pendant une visite du vétérinaire. Je pense qu'on me trouvait trop jeune pour assister à l'accouplement du taureau avec une vache. Alors, j'ai décidé d'aller dîner avec MA vache plutôt qu'à la table familiale. Toute seule, j'ai préparé un sandwich au beurre d'arachide, j'ai pigé quelques biscuits en feuille d'érable dans la grosse boîte qui trônait dans le garde-manger et je suis allée cueillir un casseau de fraises dans le potager. Ensuite, je suis partie avec mon lunch glissé dans un sac de papier. Ma grand-mère m'a fait remarquer que je n'avais rien à boire, je lui ai répliqué que je boirais du lait de Ramona. J'ai marché jusqu'au champ d'un pas décidé.

— As-tu remarqué que tu as encore le pas décidé? fit Lucie.

— Ma mère disait que je marchais à quatre pattes avec, déjà, cette allure décidée. Bref, une fois dans le pâturage, je me suis assise sur une grosse roche et j'ai mangé en racontant mon sentiment d'injustice à Ramona. Elle m'a écoutée de son air tranquille en continuant de mâchouiller de l'herbe. Je me souviens d'avoir plongé mon regard dans le sien en lui disant « merci de me comprendre ».

— Et pour le lait? demanda Anne.

— Bien, comme ma préférence allait au lait froid, je m'en suis servi un grand verre à mon retour. Dans ma famille, on m'a longtemps taquinée à propos de Ramona.

— Quand Sylvie a raconté cette histoire, ajouta Lucie, des éléments ont surgi de mon esprit par association d'idées: frigo, lait froid, vache... le lendemain, je lui ai présenté le croquis qui est reproduit sur le frigo.

— La vieille dame à qui appartient le chalet a grandi elle aussi dans une ferme, cette fantaisie lui a plu, ajouta Sylvie.

— Lucie, je trouve ça imaginatif, cette association d'idées, dit Anne.

— À ton tour, maintenant, reprit Lucie, comment elle est, ta belle-mère?

Sylvie profita du moment pour dégager la table et apporter le bol d'eau citronnée pour le nettoyage des doigts. Elle sortit une bouteille de porto et devant l'assentiment de ses compagnes, emplit quatre verres. La pluie tombait encore, mais avec moins de violence.

Contrairement à Sylvie, Anne trouvait que les vaches présentaient un faciès arrogant et snob, avec un cerveau au volume réduit. Comme sa compagne, une association d'idées glissait dans son esprit: petite voix, vache, Ruth…, mais cette pensée s'évanouit dans le silence. Certes, sa belle-mère était une femme brillante, mais dénuée de cette intelligence émotionnelle qui suscite admiration et respect.

Au cours des dernières semaines, elle avait travaillé fort et beaucoup réfléchi. Des gens comme sa mère, Agathe, Florence et les trois femmes réunies autour de cette table appréciaient leur existence. Cela transpirait et rayonnait de façon contagieuse. Pour son grand bonheur, elle avait contracté le virus. Anne se rappelait avoir accompagné une collègue à une conférence sur l'intelligence émotionnelle, on pouvait la développer, disait l'orateur. Elle croyait en posséder quelques parcelles, surtout dans son milieu de travail. Cependant, côté privé, elle avait des croûtes à manger, le regard d'autrui comptait trop. Tel un ouragan, les derniers mois l'avaient bousculée. Aujourd'hui, une brise soufflait doucement et modifiait sa vision des choses. Elle commençait à penser que les gens satisfaits de leur destinée visent l'équilibre et n'accordent pas toute la place au travail et au prestige. C'était un leurre de croire que la réussite professionnelle apporte tout. Anne comprenait que cette intelligence émotionnelle aidait à développer la sérénité et la stabilité. Maintenant, des modèles surgissaient dans sa vie et elle comptait bien se laisser guider. Son désir de vengeance à l'endroit de Ruth Lampron s'estompait, mais la blessure était encore vive. Elle doutait de pouvoir tracer un portrait exact à ses amies de celle qui avait fait basculer son existence. Les nouvelles rencontres et des surprises inespérées avaient freiné sa chute dans un profond puits. Anne hésitait à dévoiler ses aspirations de jeune adulte. Elle avait tourné le dos à sa famille pour sauter aveuglément dans un destin aux apparences idylliques.

Elle décrivit l'entreprise Lampron où elle avait fait la connaissance de son amoureux, son travail apprécié, les défis intéressants. Elle parla de David, son bien-aimé disparu tragiquement, de leur déception de ne pouvoir devenir parents. Elle dépeignit Ruth comme étant trop attachée à son fils qu'elle plaçait sur un piédestal. Aux yeux de cette mère, aucune femme n'aurait pu être à la hauteur. Elle détailla les séjours à la maison de campagne où la vie sociale et mondaine était régentée par Ruth, coincée dans ce qu'il faut dire ou pas; faire ou pas, marquée par l'étiquette et les bonnes manières, le tout baignant dans la prétention.

Anne décrivit sa mère en femme courageuse qui s'était débrouillée pour élever ses enfants et nota la distance géographique et les obligations professionnelles qui rendaient leurs rencontres peu fréquentes.

— J'avais l'impression que tu détestais ta belle-mère, fit Lucie quand le silence retomba.

— Tu as raison, je ne l'aime pas beaucoup, répondit Anne, honteuse d'avouer de vils sentiments.

Comme pour elle-même, Lucie dit tout haut:

— Je croyais qu'on détestait quelqu'un pour ce qu'il nous avait fait de mal et non seulement pour ce qu'il était. Quand ce sont les traits de caractère ou les attitudes qui nous déplaisent, on parle plus d'antipathie.

Le silence retomba. Anne se sentait dans un cul-de-sac. La honte l'empêchait de se confier à fond. Elle connaissait peu Esther et Lucie et enviait leur belle complicité, mais ce n'étaient pas de bons arguments. La lueur d'un éclair suivi d'un violent coup de tonnerre entama ses résistances. Des larmes silencieuses glissèrent sur ses joues. Son regard plongea tour à tour dans celui de Lucie puis dans celui d'Esther pour s'attarder dans les yeux bleus de Sylvie. À ce moment, elle recommença son histoire, y ajoutant quelques chapitres remplis d'espoirs déchus, de tensions, de désillusions et finalement cette grande frustration, celle d'avoir tout perdu, avec au cœur, un goût de vendetta.

— Maintenant, je la comprends, ta haine, marmonna Lucie quand le silence se fit. J'aurais juste une chose à ajouter, ne la laisse pas t'empoisonner l'existence, tu vaux mieux que ça.

Les phares d'une voiture inondèrent la cuisine d'une éblouissante lumière, les hommes revenaient. Il était vingt-trois heures. Avant qu'ils n'entrent, Anne avait ajouté :

— Merci de m'avoir écoutée. Je sais, n'importe qui peut le faire, mais pas sans juger. Toute ma vie d'adulte, je l'ai ajustée en fonction des jugements sans rien remettre en question, conditionnée par le souci de l'opinion des autres. Quand on est en chute libre, c'est un peu comme s'enfoncer dans le tunnel qui précède la mort. On voit défiler sa vie avec toutes les adhérences malsaines qui y sont collées. Maintenant, je n'ai qu'une envie : tout recommencer et peaufiner le travail.

La porte s'ouvrit brutalement, les trois hommes s'engouffrèrent rapidement dans le chalet, demeurant coincés sur le minuscule tapis pour éviter de détremper le plancher. Ce n'était pas parce qu'ils dégoulinaient que les femmes restèrent en retrait. Elles étaient enveloppées dans une bulle qui leur était inaccessible, la pièce baignant dans une douce lumière.

* * *

Anne traversa la journée du lendemain en solitaire. La violence de la pluie s'était transformée en douce ondée qui embrumait le site. Enveloppée dans une moelleuse robe de chambre, elle contemplait le paysage à travers la fenêtre. Le fleuve demeurait invisible au-delà du rocher au bout de la plage. Le livre d'Anne Lindbergh reposait sur ses genoux. Elle doutait de la pertinence de s'être livrée à Sylvie et ses amies. Elle craignait encore les jugements. Cette journée entre filles était empreinte de confiance et de complicité. Elle n'avait rien connu de semblable, même avec Lysane et Joanie. De vraies amies se manifesteraient et prendraient de ses nouvelles. Or, rien ! Pas d'appel, ni de lettres, ni de courriel alors qu'elle leur avait fait parvenir ses nouvelles coordonnées. Anne avait reçu un simple accusé de réception. Tout à fait anonyme, même pas un « comment vas-tu ? ». Ça laissait un goût de fiel dans le cœur. Au fil des semaines, elle réalisait que peu de choses de son passé lui manquaient. Sauf David. Ces derniers jours, observer les couples la rendait nostalgique de la complicité et de la tendresse. Sa mère avait eu ses enfants, des bouées auxquelles se rattacher alors qu'elle s'était retrouvée seule dans un long couloir froid. Elle laissa les larmes mouiller ses joues. Sa blessure d'orgueil guérissait doucement, mais l'absence de David était encore douloureuse quand elle prenait un temps d'arrêt. Cherchait-elle à s'étourdir ? Après réflexion, elle conclut qu'elle se trouvait en mode survie émotionnelle. Peut-être arriverait-elle à guérir. Ces dernières semaines, la solitude lui semblait moins lourde.

Bien qu'inachevée, sa demeure était agréable. Anne appréciait la vie du village, simple, chaleureuse, ralentie et imparfaite, mais combien plus authentique !

Du livre, Anne sortit une feuille sur laquelle elle avait inscrit quelques mots. Des idées, des concepts nouveaux pour la femme mondaine qu'elle s'était appliquée à devenir. *Vie simple versus vie multiple, état de grâce, masque, vie créatrice, paix intérieure…*

Les chapitres portaient le titre d'un coquillage et l'auteure réfléchissait aux parcelles de son existence en analogie avec le mollusque. Anne parcourait les pages. Des mots la touchaient, d'autres la chaviraient. Parfois, au bout d'une phrase, elle laissait errer son regard, comme pour plonger au cœur de son destin.

« *Me voilà en train de déposer l'hypocrisie: quel repos ça va être! Car il n'y a rien qui nous épuise comme le manque de sincérité…* »

Cette lassitude ressentie peu après son arrivée, elle l'avait ignorée et mise sur le compte des bouleversements des dernières semaines. La colère qui la rongeait, la frustration de se retrouver dans un lieu non choisi, l'amertume devant le sentiment de vide, la solitude, tout ça la rongeait. Mais il y avait plus que cela. Anne pensait au conte de Cendrillon, une course à la reconnaissance. Elle avait joué un rôle, celui de Charlotte ou de Marguerite qui aspiraient se rendre au bal du prince et rêvaient de devenir l'élue, se croyant supérieures et traitant avec désobligeance la pauvre Cendrillon. Quoiqu'elle ne fût pas aussi odieuse que les deux sœurs, Anne s'identifiait maintenant à ce dernier personnage. La gentillesse des petites souris rappelait celle des gens d'ici, sincères et voulant l'aider. Elle avait croisé quelques bonnes fées sur sa route.

« *C'est dans… les déserts du cœur que l'on se sent perdu, étranger.* »

Perdue, voilà un sentiment qui l'animait. Le cœur comme un désert aride, presque dépeuplé. Quels liens s'étaient tissés ? Aucune amitié sincère, une distance de sa famille… et son affection pour David ?

Anne amorçait le chapitre sur la coquille d'huître, similitude avec la vie de couple et, sans savoir pourquoi, elle en appréhendait la lecture. Bien sûr, on peut toujours balayer de la main les messages ou les enseignements contenus dans un livre, ce qui est écrit n'étant pas obligatoirement LA vérité. Pourtant, jusqu'à maintenant, Anne s'identifiait à cette femme, elle faisait sienne toute la réflexion de ce bouquin dont les propos lui parlaient haut et fort.

« *… le mariage… devient alors un ensemble de liens, une toile tissée de fils… cette toile est l'œuvre de l'amour… Elle est communication, langage commun du couple…* »

« *… de s'apercevoir qu'ils vivent dans une coquille qui date, dans une forteresse qui a survécu à sa raison d'être.* »

Des larmes affluèrent à nouveau. Trop de fils tissés par Ruth Lampron, d'images sociales et de superficialités s'étaient immiscés dans la toile de son couple. Avec le temps, ses conversations avec David se résumaient presque à échanger sur l'horaire de leur agenda respectif, les projets pour les congés ou les week-ends, des commentaires sur l'actualité ou sur les lieux visités durant leurs vacances. Ils avaient cessé de se dire leur amour, de partager le fond de leur pensée, d'exprimer leurs aspirations ou leurs rêves. Craignant sa réaction, de peur de le blesser, Anne n'avait jamais parlé avec David du sentiment d'incompétence ressenti envers sa belle-mère, dans la mesure où son fils l'adulait. Douloureusement, elle arrivait à la conclusion que la raison d'être de son couple était d'abord d'accéder à un statut. L'amour avait-il été seulement un accessoire ? Bien sûr, ils s'étaient aimés, de cet amour enflammé de la jeunesse, celui de l'attrait physique, de l'admiration réciproque. Rapidement, le rythme de leur vie les avait emprisonnés dans l'habitude. Enveloppée dans le tourbillon rose bonbon de ce nouvel univers, Anne était devenue une femme, mais elle était demeurée une adolescente rêveuse.

Sa fierté, sa plus belle réussite, c'était son travail. Si peu de sa vie privée.

Anne composait très bien avec la solitude, la goûtant même depuis son arrivée au village. Mais Dieu qu'aujourd'hui elle aurait souhaité une oreille attentive ou une épaule sur laquelle s'appuyer.

* * *

Midi trente. Elle s'était assoupie, un mal de tête la tenaillait. Déployant un effort pour bouger, elle se dirigea vers la salle de bain, ingurgita deux comprimés d'Advil et prit une douche. Attachant ses cheveux en queue de cheval, elle songeait qu'une visite chez le coiffeur pourrait lui remonter le moral. Habillée et maquillée, elle se sentit mieux, la migraine se dissipait et elle mourait de faim.

Elle avala quelques fraises et une banane, et partit vers Lévis. Gros déjeuner-dîner au restaurant Cora, bouquinerie à la librairie Renaud-Bray où elle acheta un magazine, deux romans, un disque, puis direction cinéma. Généralement, les films avec Steve Martin ne figuraient pas parmi ses choix, mais elle avait besoin de rigoler et les rires des spectateurs avaient eu un effet contagieux.

À son retour, le restaurant de La Grève était bondé quand elle s'arrêta pour commander un repas. À travers l'effervescence, Josée la salua chaleureusement et porta sa requête à la cuisine. Les portes battantes remuaient sans cesse, les serveuses gardaient le sourire malgré l'incessant va-et-vient. En l'apercevant dans le hall, Sébastien s'approcha.

— Désolé ma belle, c'est plein, à moins que tu aies une réservation.

— Ça va, fit Anne, j'attends ma pizza. Les affaires roulent à ce que je vois.

— C'est presque toujours comme ça les fins de semaine de l'été, répondit-il joyeusement. C'est bon signe et je ne m'en plains pas. Bonne soirée, faut que j'y aille.

Rentrée chez elle, Anne s'installa au comptoir et mangea tout en feuilletant son magazine, puis plongea dans un polar. Depuis son adolescence, elle n'avait pas lu ce genre de littérature. Instantanément, le récit la captiva et elle en oublia ses tourments.

* * *

Peu avant midi, le lendemain, on frappa à la porte du chalet. Anne balayait les débris laissés par la fin des travaux de menuiserie ; le plâtrier devait passer en fin de journée. C'était Sylvie.

— Bonjour ! fit-elle, t'as un peu de temps ?

— Un meuble à déplacer? demanda Anne en souriant.

Captivée par la lecture de son polar, elle s'était couchée très tard. Malgré une nuit écourtée, elle avait l'humeur plus gaie que la veille. L'action lui donnait de l'énergie. Fidèle au poste, Thomas Lavoie était arrivé avec son coffre à outils dès sept heures trente. Il avait fini d'installer les cadres de porte et les plinthes avant le tirage des joints.

— Non, pas de meubles à déplacer, dit Sylvie. Je voulais juste jaser un peu.

— Eh bien, laisse-moi le temps de terminer, je mets la cafetière en marche puis on descend sur la plage. Et peut-être que je vais profiter de ta présence pour que tu m'aides à installer de vieux draps pour faire un écran entre l'entrée et le reste de la maison.

— Oh ! dit la visiteuse, je n'avais pas en tête que ton chantier était en branle ce matin ; mais si je peux t'aider, j'aurai moins l'impression de te déranger. On peut laisser tomber la jasette et le café si tu as autre chose à faire.

— Non, après ça j'ai fini... pour le moment, poursuivit Anne. Thomas Lavoie est arrivé avant que j'aie eu le temps de prendre un café et j'en ai besoin.

Elle termina le nettoyage et sortit une pile de draps. Anne avait déjà fixé de minces clous dans la fente des cadrages. Sylvie s'aperçut que certaines pièces de tissu étaient assemblées.

— C'est toi qui as cousu ça ?

— Oui, ma mère m'a prêté sa machine à coudre, je l'ai installée au deuxième. J'aimerais fabriquer des rideaux et quelques coussins, j'ai exploré un magasin de tissus à Lévis et j'ai le goût de m'essayer.

Pendant quinze minutes, elles suspendirent les vieux draps. Un dernier panneau bouchait l'ouverture de la cuisine pour revenir vers la porte.

— La poussière ne sera pas complètement bloquée, mais les dégâts seront limités, dit Anne. Bon, le café est presque prêt.

Elle attacha une pince de menuisier telle une embrasse pour fixer le rideau improvisé, facilitant ainsi l'accès à la cuisine.

— Dis donc, l'interrogea Sylvie, tu as déjà tenu un hôtel pour disposer d'autant de draps ?

— Pas du tout, répondit Anne en riant. C'est Josée qui m'a refilé la vieille literie qu'ils n'utilisent plus.

— En tout cas, continua Sylvie, je trouve ton système ingénieux. Cet espace dégagé donne vraiment l'impression que la surface est augmentée. Qui a dessiné tes plans ?

— C'est moi. Dans mon travail, je jonglais régulièrement avec des esquisses pour concevoir des cuisines, des entrées, des salles de bain, je me suis familiarisée avec les mesures, les détails à prévoir comme l'électricité ou les éléments de plomberie. Disons que je me débrouille.

Anne remplit deux tasses, elles prirent la direction de la grève, empoignant une chaise pliante au passage. Le ciel demeurait voilé, mais le vent s'était dissipé et le soleil tentait de percer la couche de nuages. La marée se retirait en douceur, le clapotis des vagues était à peine perceptible.

— Tu sais, commença Anne, je me plais beaucoup ici. C'est vrai que c'est l'été et que l'endroit est magnifique. Peut-être que l'hiver m'apportera des surprises. Et puis, je n'ai pas encore adopté un rythme de vie normal.

— Qu'est-ce que tu veux dire ?

— Tout gravite autour du travail, ce qui donne une cadence : semaine et week-end, lieu de travail et privé. Je ne sais pas ce que l'avenir me réserve et pour être franche, j'ai peu d'attentes d'ici deux mois. L'été, tout est au ralenti avec la période des vacances. J'ai de quoi subsister pour le moment. Mais fin août, septembre, va falloir que ça bouge, sinon… J'essaie de ne pas trop y penser. Je préfère me concentrer sur les travaux pour rendre cet endroit confortable et être en mesure d'affronter l'hiver.

— Anne, tout ce qui t'est arrivé m'a beaucoup émue. Tu prends le taureau par les cornes, tu es une fonceuse. Je tenais à te le dire.

— T'aurais dû me voir hier, une vraie Madeleine.

— Ton récit a également touché Esther et surtout Lucie. Lucie, elle part de très loin. Elle n'avait presque rien, mais elle a gagné beaucoup.

— J'ai cru comprendre que ce n'était pas facile avec sa mère.

— En effet, c'est son histoire, peut-être qu'elle te la racontera un jour, ça lui appartient.

Le silence tomba. Des kayaks glissaient sur l'eau, taches rouges et orange qui suivaient leur reflet sur le fleuve miroitant. Un bateau des croisières Lachance les dépassa rapidement, laissant quelques vagues qui les firent valser doucement peu après son passage. Anne rompit ce moment de quiétude.

— J'aime ta réponse, Sylvie. Tu sais hier, je me demandais si j'avais bien fait de tout vous raconter. J'ai été tellement idiote. Maintenant, je me rends compte à quel point le monde où j'ai vécu peut devenir destructeur. Ta réponse m'indique que vous trois, vous ne nagez pas dans ces eaux-là. Vous êtes un beau trio, j'envie votre amitié, votre complicité.

— Tu y parviendras bientôt, toi aussi tu essaies de nager dans ces eaux-là. Si tu fréquentes quelqu'un qui parle contre les autres, qui « mémère », qui a souvent la médisance pendue au bout de la langue, est-ce que t'as le goût de devenir son amie ?

— Il y a quelque temps, je t'aurais répondu que ça n'était pas grave si elle avait un certain *standing* social, ce qui comptait, c'était de faire partie d'un cercle. Maintenant, je vois les choses autrement. Je pense que si cette personne discrédite quelqu'un de cette façon, elle doit faire la même chose avec moi quand je ne suis pas là.

Il y a quelque temps… Bien des choses avaient modifié le code de vie d'Anne depuis quelque temps. Progressivement, elle retirait les pelures de l'apparence et s'enracinait dans une terre fertile en richesse humaine.

Chapitre 16

Anne organisait son temps à sa guise depuis plusieurs semaines. L'habitude des horaires plus structurés revint rapidement quand un tourbillon la happa de façon impromptue. Une entrevue ! En plein mois de juillet ! Un appel téléphonique de la compagnie TANGAR de Saint-François la sollicitait pour une entrevue le... surlendemain. Elle savait que ce vocable provenait de la fusion de Tanguay et Gariépy, noms des propriétaires fondateurs. Une manufacture d'auvents, de garages et de chapiteaux de toile dont la surface initiale avait quadruplé. Leurs clients se trouvaient dans tout l'est du Québec et des commandes venant de la Nouvelle-Angleterre et du Nouveau-Brunswick avaient amené la compagnie à déployer ses ailes hors du Québec. Les articles étaient reconnus pour leur grande qualité de fabrication et leur durabilité.

À mesure qu'Anne en apprenait plus sur l'entreprise, elle y voyait des similitudes avec celle des Lampron. Une industrie familiale qui a débuté avec un produit vedette, qui a connu une progression parce qu'elle a su s'adapter en développant des objets en réponse aux nouveaux besoins et qui a pris de l'expansion hors de la province.

Anne voulait cet emploi d'adjointe aux ventes et développement, elle en avait besoin. Un goût d'amertume subsistait de la fin de son travail chez Lampron et provoquait une certaine inquiétude. Dans un autre milieu, pourrait-elle jouir de toute la latitude et de cette même liberté pour faire avancer les dossiers ? Jean-Guy Lampron connaissait ses compétences, Anne avait fait ses preuves et comptait sur la confiance indéfectible du PDG. De plus, David était son compagnon. Jusqu'à quel point ce statut avait-il pesé dans la balance ? Finalement, elle arrivait à la conclusion que son expérience serait un atout majeur. Son discernement, ses talents d'entregent et de diplomatie l'avantageaient. Des qualités profitables à une entreprise qui devait gagner la confiance de nouveaux clients pour poursuivre son expansion. Elle plongerait, espérant poser les pieds dans un milieu au climat agréable.

Le jour de l'entrevue, un mal de tête lui martelait les tempes et l'angoisse lui nouait l'estomac ; elle n'avait pu avaler autre chose qu'un jus de pamplemousse. Son malaise lui confirmait qu'elle tenait ardemment à cet emploi. « Quand je tiens à quelque chose, les étapes pour y arriver me rendent anxieuse. »

La veille, Marthe Simoneau l'avait vue revenir de chez Florence avec son costume dans une housse. Le sourire de cette voisine, plutôt inhabituel, avait encouragé Anne à lui parler de son rendez-vous et de la nécessité de « s'habiller sur son trente et un ».

— Je pense pas que vous ayez grand chance, avait-elle rétorqué, vous êtes pas du coin.

— À mon avis, si on voulait écarter les gens de l'extérieur, on ne les appellerait pas pour une entrevue, avait-elle répondu. Je doute qu'une compagnie de cette envergure ait du temps à perdre pour convoquer quelqu'un, juste comme ça. Et même si ça ne fait pas longtemps, je suis maintenant de la région et résidente à l'année. J'ai à faire, bonne journée, madame Simoneau.

Tout en se préparant à sa rencontre et pour oublier la remarque désobligeante de cette chipie, Anne repensa aux mots d'encouragement. Florence lui avait dit que sa meilleure arme était de rester elle-même. Agathe lui avait rappelé de faire confiance à la vie. Josée, ravie qu'elle ait adopté le village, avait souligné que les employeurs apprécieraient son type de personnalité. Sa mère lui avait souhaité « merde ! » et Mireille avait ajouté que la spontanéité et la loyauté sont des attitudes qui rapportent.

Si elle faisait confiance à ses capacités professionnelles, l'étape des références l'inquiétait tout de même. Le nom de Jean-Guy Lampron devenait évident, il était son unique source pour des recommandations. Serait-il vraiment objectif dans le portrait qu'il dresserait de son ancienne employée ? Préférant prévenir, elle fit un appel téléphonique tôt le matin, la veille de son rendez-vous.

Deux coups, trois coups... Anne espérait qu'il n'avait pas changé son numéro de cellulaire. Tenter de joindre Jean-Guy Lampron par le numéro de la compagnie, c'était prendre un risque : trop d'intermédiaires avant qu'un appel ne parvienne au grand patron.

— Allô, répondit une voix sèche.

Manifestement, elle le dérangeait.

Connaissant les habitudes de Jean-Guy, Anne avait pourtant choisi le bon moment. Elle savait qu'il serait arrivé au bureau avant tout le monde, qu'il passait la première demi-heure, seul dans son antre pour faire le suivi de ses courriels, lire la section Affaires du journal et mettre au point l'ordre du jour des rencontres prévues. Son café terminé, il ouvrait la porte, signifiant ainsi que la journée débutait.

— Bonjour Jean-Guy, c'est Anne. Je ne vous dérangerai pas longtemps. Je veux juste vous prévenir que je suis convoquée à une entrevue et qu'il est probable qu'on vous contacte pour des références. La compagnie Lampron a été mon unique employeur jusqu'à maintenant. Je pense avoir accompli du bon boulot et j'espère que ce qui s'est passé au niveau familial ne déteindra pas sur la vie professionnelle. Pour ma part, si on me demande pourquoi j'ai quitté l'entreprise, je répondrai que j'étais incapable de continuer depuis le décès de mon conjoint avec qui je travaillais et que je suis dans la région pour être plus près de ma famille. Voilà… en terminant, je tiens à vous dire que mon travail chez vous fait partie du meilleur de ce que j'ai eu dans ma vie d'adulte, merci de m'avoir permis d'y prendre mon envol.

Anne avait révisé en boucle les propos de son appel. Elle évitait toute trace d'amertume, ou d'accablement ou un ton implorant. Elle avait parlé avec calme et assurance, remplie de confiance.

— N'aie crainte, Anne, répondit-il après un bref silence. La voix était chaleureuse. Comment se passent les choses pour toi ?

Cette question la prit au dépourvu. Elle eut alors la confirmation que tous ces événements étaient l'œuvre de Ruth. Il y avait bien cette clause, conditionnelle à la présence de David, mais Anne savait que son contrat aurait pu être modifié, le contexte étant tout autre qu'au moment de son embauche. Ruth Lampron avait profité de cette modalité pour se débarrasser d'elle et le seul reproche qu'elle pouvait adresser à Jean-Guy, c'était de l'avoir laissée agir de la sorte. L'homme fort de l'entreprise n'était qu'une marionnette. Hors du bureau, cette faiblesse était déguisée sous une réserve naturelle. Maintenant exclue de cette famille, Anne considérait que sa vie lui appartenait. Elle se débrouillait bien, mieux qu'elle ne l'aurait cru. Rien ne l'obligeait à en faire part à son ex-beau-père, même en sachant que cela lui aurait donné meilleure conscience. Le connaissant, le remords devait le ronger. La jeune femme n'était pas prête à lui faire ce cadeau.

— Ça va, répondit-elle simplement.

Silence…

— À quel endroit vas-tu passer cette entrevue ? finit-il par demander.

Anne précisa le nom de l'entreprise et celui de la personne qui l'avait contactée en indiquant que la rencontre de sélection avait lieu le lendemain. Il connaissait la compagnie et il était conscient qu'Anne y ferait de l'excellent boulot. Il était tout de même soulagé qu'ils ne soient pas concurrents.

— Tu peux compter sur moi, reprit Lampron, je sais ce que tu vaux pour un milieu de travail. Je vais aviser qu'on me passe en priorité tout appel venant de TANGAR… et bonne chance, Anne, tu es la meilleure candidate qu'ils puissent recruter.

— Merci… et bonne journée. Anne raccrocha le récepteur.

C'était fait. Elle ignorait à quoi s'attendre comme réaction de la part de Jean-Guy. Un bref moment, elle le plaignit d'être prisonnier de sa vie de couple et des manigances de Ruth. Rapidement, ce sentiment se transforma en mépris, il n'avait qu'à s'affirmer ! « Je ne vais tout de même pas m'apitoyer sur son sort. »

* * *

En pénétrant dans le siège social de TANGAR, Anne fut déçue de sa première impression. Déjà qu'elle s'imaginait mal qu'une compagnie de cette envergure puisse avoir pignon sur rue dans un minuscule village. Une industrie qui générait des centaines de milliers de dollars aurait dû avoir un bureau d'accueil plus spacieux et une salle d'attente avec plus de panache. Elle débarquait dans un décor des années quatre-vingts avec l'omniprésence de mélamine, des fauteuils semblables à ceux d'une clinique médicale, de vieux magazines éparpillés sur une table basse, des stores verticaux au blanc jauni. Son cœur battait la chamade quand elle se présenta à la réceptionniste.

— Oui, madame Savoie, vous êtes attendue. Je préviens monsieur Tanguay, il vous recevra bientôt. Vous pouvez vous installer dans le petit salon d'à côté, ajouta la jeune fille, lui indiquant une porte ouverte qu'elle n'avait pas vue.

— Merci, dit simplement Anne, en répondant au gentil sourire.

Elle prit place dans un fauteuil bergère. Une musique s'échappait de haut-parleurs et la pièce était baignée dans une atmosphère feutrée, comme si on l'avait subitement projetée dans un club privé. La fenêtre s'ouvrait sur un paysage campagnard; elle aurait pu se trouver dans le salon d'une demeure familiale plutôt que dans des locaux industriels. Un vase rempli de fleurs fraîches trônait sur une table. Un mur était tapissé de photos des différentes époques de l'usine à côté de diplômes et de certificats honorifiques. Se levant, elle s'approcha de la fenêtre pour examiner une maquette. Deux habitations étaient entourées des produits TANGAR. Celle de droite était campée dans un décor hivernal. Il y avait un abri pour la voiture et un plus petit pour une souffleuse à neige. La galerie avant était également couverte. La seconde maison représentait la belle saison, un auvent surplombait un large patio, un parasol assorti ombrageait une table et au fond, sur un espace gazonné, un autre abri accueillait un minuscule peintre installé à un chevalet. D'un côté, sapins saupoudrés, bonhomme de neige, raquettes piquées dans des congères; de l'autre, parc de jeux d'enfants, bicyclettes sur leur béquille, étals de légumes sous un chapiteau créaient une scène où des personnages étaient disséminés. Absorbée par l'exploration de ce décor miniature, sa nervosité s'était volatilisée comme par magie, Anne n'avait pas entendu les pas et fut surprise par une voix.

— Bonjour madame Savoie, je vois que notre maquette a attiré votre attention. Vous avez ici une vision d'ensemble de nos produits.

Devant elle se tenait un homme, grand, début cinquantaine, les tempes grisonnantes et des yeux bleus mis en évidence par un léger hâle. Il était vêtu d'un jeans, d'une chemise denim pâle et d'un veston de lin noir. Il souriait d'un air amusé. Elle était littéralement et déjà sous le charme.

— Bonjour, finit-elle par dire.

Guillaume Tanguay se nomma en lui donnant une solide poignée de main.

— Venez, ajouta-t-il en cédant le passage, lui indiquant la direction à prendre.

En parcourant le corridor qui les menait à une salle de conférence, il présenta la réceptionniste qui l'avait accueillie. Il remercia Anne de s'intéresser à leur entreprise et l'informa que l'entrevue durerait un peu plus d'une heure. Anne suivait en l'écoutant, se demandant si la conversation visait à dissiper la nervosité du candidat ; elle percevait un souci de mettre l'autre à l'aise. Une fois dans la pièce, Anne rencontra la directrice du personnel et le directeur du marketing.

L'entretien se déroula dans une atmosphère conviviale. Le malaise du début évaporé, Anne avait retrouvé tous ses moyens. Elle relata avec aisance ses réalisations antérieures, exprima ce qu'elle appréciait le plus dans ses anciennes fonctions, fit la description de sa notion du travail d'équipe.

On la questionna sur ses attentes et ses disponibilités. Comme elle l'avait anticipé, on lui demanda des références. On lui donnerait des nouvelles dans la semaine. Guillaume Tanguay l'avait raccompagnée. « Quel homme courtois et plein de gentillesse... ! »

Roulant doucement dans le village, Anne repensait à la rencontre. Un sourire illuminait son visage tant l'espoir et l'enthousiasme l'habitaient. Cet endroit figurait en dernier parmi ses choix. Chez Lampron, elle avait participé à des sélections de personnel pour l'embauche de collaborateurs dans son équipe. « Quel revirement de situation et quelle différence dans l'approche ! » songeat-elle. Le directeur administratif était de toutes les entrevues. Avec lui, l'employeur trônait en maître d'un côté de la table. Impersonnel, distant et l'œil scrutateur..., tout pour rendre un candidat inconfortable. Ses premiers critères: productivité et efficacité. Au contraire de TANGAR où primait le souci que l'employé s'accomplisse dans son travail. Peu importe la place qu'il occupait, la vision de l'entreprise était qu'un travailleur satisfait favorisait une meilleure efficacité qu'une pression autoritaire. Cette philosophie était expliquée à tous les candidats dès le début des entrevues, cela même si la rencontre se limitait à quinze minutes au moment de la révision de la fiche de recrutement des ouvriers qui postulaient.

Anne n'eut pas à attendre longtemps avant d'obtenir une réponse. Le téléphone sonna le vendredi après-midi pendant qu'elle discutait avec l'un des entrepreneurs concernant la reconstruction du toit qui s'amorcerait plus tôt que prévu.

L'appel venait de Jacinthe Labrie, la directrice du personnel. Anne était embauchée et commencerait dans dix jours. Le choix de sa candidature avait fait l'unanimité, d'où la confirmation rapide. Elle ne saurait jamais que Jean-Guy Lampron avait confié à madame Labrie que le dynamisme, l'esprit visionnaire et la qualité du travail de la jeune femme laissaient un grand vide « chez eux ».

Ce soir-là, allongée dans son lit, Anne écoutait le bruit des vagues. Elle pensait à une chambre-grenier dont la fenêtre s'ouvrirait sur la mer. Elle rêvait d'une vie différente. Les fils de sa destinée s'entrecroisaient pour lui tisser un nid. Elle disposait d'une maison, une bicoque abandonnée devenue le refuge d'une détresse qui s'estompait. Elle comptait des amis sincères, complices, authentiques qui, sans le savoir, l'aidaient à trouver sa voie. Anne avait sa mère, ce chaleureux rapprochement qui lui permettait de s'appuyer sur de nouvelles valeurs, ou plutôt, c'étaient celles de son enfance, reniées à l'adolescence et choisies délibérément pour poursuivre sa route. Elle aurait maintenant un travail. À proximité, comme souhaité, dans un milieu, elle en avait la certitude, où elle pourrait s'accomplir et se réaliser. Tout se trouvait en place pour reprendre un rythme plus régulier que celui des derniers mois. Le ressac du fleuve sur les rochers produisait un effet hypnotique et les flots la berçaient comme l'avait fait sa mère pour la consoler de la peine de sa chute libre après la perte de David et de son *standing* rêvé. Les marées effaçaient les traces de vengeance, comme les constructions de sable sur la grève. Le vent séchait ses larmes et gonflait son cœur d'espoir.

Chapitre 17

En juillet, le village s'animait davantage qu'Anne l'avait imaginé. Le beau temps amenait son flot de touristes en bordure du fleuve. Anne profitait amplement de son bout de plage. Même en son absence, Sylvie venait s'y réfugier pour lire. Florence s'y installait avec son carnet de croquis, assise sur les rochers en contrebas de la maison, sur le haut de la falaise ou sur la grève. Si elle tolérait qu'Anne glisse parfois un regard derrière son épaule quand elle dessinait, elle refusait systématiquement que quiconque entre dans son atelier pour entrevoir un projet inachevé. Cet été-là, Florence fut plus cachottière que d'habitude. Elle gardait le secret sur les toiles qu'elle peignait, même à l'homme de sa vie. En fait, Alain pourrait jouir d'une primeur en aidant sa douce à installer ses œuvres sous le chapiteau, le week-end de la Foire des Arts, en septembre.

Anne recevait régulièrement la joyeuse visite d'Agathe, le temps d'une escale lors de ses promenades à vélo. Les deux femmes descendaient sur la plage et bavardaient, en buvant une tisane ou une limonade. Avec cette amie, Anne apprit à identifier les oiseaux qui traversaient son champ de vision. Elle connaissait maintenant l'hirondelle des granges, le merle d'Amérique et l'oriole de Baltimore. Après avoir éveillé sa curiosité, Agathe lui prêta des livres d'ornithologie. Souvent, Mireille parcourait la route pour passer des journées de congé avec sa fille. Elle apportait un goûter et les deux femmes restaient au bord de l'eau de longs moments. La petite grève d'Anne était beaucoup mieux que la grande plage bondée de monde… et remplie de voitures. Malgré le capharnaüm causé par le chantier au chalet, ses démarches d'emploi et le plongeon prochain dans son nouveau travail, Anne profitait de son premier été dans ce village.

* * *

L'installation des nouvelles fenêtres fut devancée. Ce même jour, le conteneur demandé avait été livré devant la maison pendant l'absence d'Anne. Sa voisine coupait le gazon et arrêta sa tondeuse pour venir à sa rencontre.

— Bonjour madame Savoie, dit-elle en lui tendant un papier. J'ai signé pour confirmer cette livraison, indiquant le mastodonte orange. J'espère que c'est correct ?

— Oh merci ! Oui, c'est parfait.

— Y en aura pour longtemps encore ? s'informa Marthe Simoneau.

— Je ne peux pas vous dire, répondit Anne, mais jusqu'à maintenant les travaux avancent plus vite que prévu. C'est surprenant, on parle plus souvent de retard quand il s'agit de construction et davantage si ce sont des rénovations. Mais avec la prochaine étape, j'ai bien peur que vous ayez à subir le bruit.

— C'est sûr que le bruit des « gun à clous » me tape sur les nerfs. Si j'viens ici, c'est pour la tranquillité. Mais bon ! On fait pas d'omelette sans casser d'œufs comme on dit. Je suppose que vous f'rez pas de travaux tous les étés. J'espère que vous n'allez pas vendre pour que quelqu'un d'autre recommence tout un barda pour mettre la maison à son goût.

— Ne vous inquiétez pas, répondit Anne en réprimant un sourire. Vous supposez juste, quand tout sera fini, j'en serai quitte pour plusieurs années. Merci encore d'avoir signé.

Anne souhaitait que tout soit achevé pour septembre. Elle comptait aménager le terrain durant l'automne et vraiment jouir de l'endroit l'année suivante. Les lieux *clean* et le silence revenu, peut-être que Marthe Simoneau se montrerait plus aimable. Elle espérait moins de tension avec cette voisine, mais elle ne ferait sans doute pas partie de son cercle de fréquentation. Son côté mégère lui rappelait trop une certaine Ruth.

* * *

Anne amorça sa nouvelle vie professionnelle remplie de fébrilité et de joie. La première demi-journée se déroula en compagnie de Jacinthe Labrie, la directrice des ressources humaines ; elles firent la tournée des bureaux et une rapide visite de l'usine. Partout où elle passait, Anne constatait un climat chaleureux. Dans l'usine, elles croisèrent Guillaume Tanguay en discussion avec un employé. Elles arrivèrent à son niveau et il la présenta au contremaître. L'homme, un colosse à la stature d'un joueur de football, donna une cordiale poignée de main, lui souhaitant la bienvenue. Son sourire rayonnait jusque dans ses yeux lumineux d'un bleu très franc. À son passage, les gens se retournaient et saluaient d'un signe de tête. Anne remarqua des affiches rappelant les consignes de sécurité et constata que toutes étaient rigoureusement appliquées. L'endroit était bruyant, mais ordonné et coloré. Tous les murs étaient blancs, en revanche, les planchers et les hauts plafonds comme les immenses poutres d'acier étaient noirs. Toutes les structures du bâtiment étaient peintes de noir et de blanc alors que les accessoires de mobilier étaient peints dans les teintes de vert acide, bleu turquoise et rouge « napa ». Quant aux articles de bureau, ils étaient d'un jaune tournesol. En sortant de l'usine, elle dit à Jacinthe :

— Ce mélange coloré donne beaucoup d'éclat et de gaieté à l'endroit.

— Ce sont les couleurs du nouveau logo de l'entreprise. En fait, au moment où on a développé les produits de toile, on a lancé un concours parmi les employés pour trouver un symbole et des couleurs qui nous représenteraient. C'est un jeune machiniste qui a gagné, il est bourré de talent en dessin. Guillaume lui a suggéré d'entreprendre des études en graphisme, mais ça ne l'intéresse pas. Il dit dessiner pour s'amuser. Depuis ce concours, quand on a besoin de produire du matériel de promotion ou des publicités, il est libéré de ses tâches pour travailler sur le projet. Tu auras sûrement à collaborer avec lui.

— Et qui le remplace à l'usine dans ce cas-là ? demanda Anne.

— C'est un autre employé. Tu verras, ici plusieurs employés, à l'usine comme dans les bureaux, ne sont pas confinés à une seule tâche. Ils sont formés pour être efficients dans deux ou trois postes différents. Ça permet de l'interchangeabilité en cas d'absence ou pour des projets spéciaux. On fonctionne ainsi sur une base volontaire, mais il y a de plus en plus d'adeptes de cette formule.

— Ils sont polyvalents en somme, murmura Anne sur le bout de la langue.

— En quelque sorte, rétorqua Jacinthe. On mise sur le potentiel humain et on essaie d'utiliser les forces ou les talents de chacun en dehors de son travail habituel. Comme le gagnant du logo par exemple. Il ne s'imagine pas enfermé dans un bureau à longueur de journée pour dessiner, il y perdrait son plaisir, dit-il. Il a besoin de bouger, de travailler avec une grosse dose d'huile de bras. Mais quand on fait appel à lui pour un projet de graphisme, il est enchanté. Il y a Thérèse aussi, une femme spéciale. Elle est technicienne à la paie. Précise, routinière, elle aime les choses répétitives. Mais elle adore coudre et fabrique tous ses vêtements. Sans être extravagante, elle a le don d'ajouter une touche originale à ce qu'elle porte. Eh bien chaque année, on la sort trois semaines de son bureau. Elle se joint à la petite équipe des concepteurs dans l'élaboration des nouveaux produits de la belle saison. Contrairement aux abris pour l'hiver, d'un style unique, les accessoires d'été suivent la mode. Et crois-moi, Thérèse est à l'affût de ce qui s'en vient. On dit même à la blague qu'elle est l'initiatrice des tendances et je pense qu'on n'est pas loin de la vérité. Les couleurs en vogue sont sensiblement les mêmes dans la mode vestimentaire, la décoration et les produits de maquillage. Thérèse s'y intéresse, elle fouine partout pour se tenir au courant. Sa passion est pour nous un atout.

— Mais comment vous faites pour trouver les talents cachés de chacun ? interrogea Anne. Et puis, ce n'est pas tout le monde qui possède des aptitudes en graphisme ou en mode.

— Tu serais surprise. D'ailleurs, il n'y a pas que le côté créatif qui entre en jeu. Je te donne un exemple. Quand tu te rends dans les salons de l'habitation, qui est-ce que tu vois sur place pour promouvoir le produit ? Des vendeurs cravatés. Nous, on ne met qu'un vendeur à la fois et ce sont des employés qui y vont. Les intéressés se manifestent, c'est leur travail le temps de l'exposition. Et les résultats sont concluants. Notre façon de faire développe un grand sentiment d'appartenance à l'entreprise, nos employés sont fiers de travailler ici. Si tu es fier de ce que tu fais, tu risques d'en parler avec passion. Il n'y a pas meilleur ambassadeur pour la promotion. Pour ce qui est de savoir comment découvrir la petite perle qui sommeille en chacun, une fois la période de probation terminée, chacun remplit un questionnaire qui n'a rien à voir avec ses tâches. On les interroge sur les passe-temps, les champs d'intérêt, les sports ou les loisirs pratiqués, les gens qu'ils admirent, leurs rêves, etc. Au fond, on veut connaître la personne derrière l'employé. C'est un guide aussi quand on organise des activités sociales.

— Quelle est la position du syndicat concernant votre philosophie d'interchangeabilité ? s'informa Anne.

— Aucun syndicat ici. La seule tentative pour syndiquer les ouvriers remonte à dix ans et elle a échoué. En réalité, le projet est mort dans l'œuf. On offre un fonds de pension, une banque de congé que l'employé utilise à sa guise. On fonctionne aussi sur le modèle d'une coopérative. Un pourcentage des bénéfices est redistribué aux employés annuellement. On a un fonds de réserve pour des bourses d'études destinées aux enfants pour le premier cycle universitaire. Notre prochain projet est le développement d'un service de garde à l'intérieur des murs du siège social et pour lequel tu seras mise à contribution.

— Mais un tel projet n'a pas de lien avec les produits de l'entreprise, fit Anne, surprise.

— Oui, il y a un lien, rétorqua Jacinthe en la regardant dans les yeux. C'est un atout dans la qualité du milieu de travail de nos employés, de leur bien-être. Tous les deux ans, on fait circuler un sondage pour connaître les éléments qui pourraient les aider, un moyen de faciliter leur travail. Le dernier a eu lieu juste avant les vacances et 53 % souhaitaient une garderie à proximité. Le service de garde à l'école s'est développé depuis deux ans, mais dans le village il n'y a que deux endroits privés en milieu familial. Le gardiennage demeure un souci pour les parents de tout-petits.

Revenues au bâtiment administratif, les deux femmes s'étaient dirigées vers la cuisinette pour prendre un café.

— C'est tellement différent de l'endroit où j'étais avant, commenta Anne. Je suis très surprise de la considération que vous avez pour vos travailleurs. J'en suis ravie. J'adhère tout à fait à cette approche qui me paraît… un peu utopique quand même !

— Pour nous, ce n'est pas une utopie, les résultats sont là. Qu'est-ce qui est coûteux pour une entreprise ? Les griefs parce que ça prend des avocats, les absences maladie, les gens insatisfaits – ce qui a un impact sur le rendement –, la formation à cause du roulement de personnel. On n'a à peu près aucun de ces problèmes.

Depuis trois ans, les seuls départs ont été ceux pour la retraite. En ce moment, on a trois congés parentaux et un concernant un représentant qui se bat contre un cancer. La grande majorité de nos employés sont contents d'être ici. Lait, sucre?

— Noir, répondit Anne. Investir dans l'humain, c'est votre philosophie. Mais il faut de l'audace et c'est aller à contre-courant dans le monde des affaires actuel.

— Mais ça fait son bout de chemin. Nous, on a dépassé le stade d'une PME, cette vision fait des petits. On n'y voit que des avantages. Je reviens à notre jeune graphiste. On n'aurait pas les moyens d'en engager un à temps plein parce qu'on n'est pas assez gros pour ça. Un spécialiste malgré sa formation, son bagage et toutes ses compétences n'aurait probablement pas un sentiment d'appartenance aussi fort, celui qui donne des ailes, ce serait un contrat parmi d'autres. On retiendrait sans doute les services d'un consultant si on n'avait personne avec ce talent. Mais on l'a! La mode est aux contractuels, au travail à la pige. Dans ces conditions, je ne crois pas que les gens aient le même investissement émotif. À mon avis, c'est une faille dans beaucoup d'entreprises. En passant, ce « bistrot » comme on appelle la cuisinette, est le projet concrétisé depuis le dernier sondage. Il n'y avait qu'un coin moche et pas fonctionnel. Plusieurs allaient manger chez eux, à la course. Depuis, il est possible de prendre une demi-heure pour dîner et de partir plus tôt ou d'accumuler les heures de la semaine et de prendre congé le vendredi après-midi. C'est une décision qui appartient à chaque équipe de travail et qui peut être modifiée tous les six mois.

Le bistrot TANGAR s'emplissait. Anne remarqua qu'une porte-fenêtre donnait sur un charmant coin de verdure : une terrasse entourée de thuyas et d'un bosquet de spirées aux branches retombantes. Quelques potées de géraniums ajoutaient de la couleur. Un groupe mangeait à l'extérieur autour de l'une des tables à pique-nique. Tous, sans exception, avaient salué Anne avec gentillesse, plusieurs lui avaient dit « Bienvenue chez nous ». Les propos de Jacinthe Labrie tout au long de l'avant-midi n'étaient pas que de belles paroles, elles reflétaient vraiment l'ambiance de ce milieu. Finalement, Anne était très heureuse que son dernier choix professionnel devienne celui où elle évoluerait désormais.

Elle atterrit avec grand bonheur dans ce nouveau travail. Malgré sa méconnaissance des produits, elle y nageait comme un poisson dans l'eau. Elle se plongea dans ses dossiers et le travail d'équipe lui permit de connaître rapidement ses collaborateurs. Guillaume Tanguay lui soumettait progressivement les dossiers et lui mentionna ceux où son apport serait sollicité. Cette façon de travailler misait d'abord sur le travail en groupe. Quand un projet allait moins rondement, c'est en équipe qu'on cherchait ce qui avait achoppé et non quelqu'un à pointer du doigt. Dans un même état d'esprit, les succès étaient attribuables à une équipe plutôt qu'à un seul individu. « Ici, ce n'est pas la place pour les gros ego », avait glissé le grand patron.

Anne avait toujours trouvé une grande source de satisfaction dans le travail. Elle était performante, perfectionniste et la passion l'animait. Chez Lampron, elle avait contribué à recruter de gros clients. Ses réussites étaient souvent soulignées lors de cinq à sept. Elle se sentait alors comme une athlète sur le podium recevant une médaille d'or. Chez TANGAR, c'est une équipe qui montait sur le podium. Cette divergence dans le mode de reconnaissance lui plaisait.

Durant la première semaine, Anne n'eut connaissance d'aucune jalousie, aucune «bitcherie», aucune rivalité entre les équipes ni sur le plan personnel. «Suis-je sous l'effet de la nouveauté ou dans la phase lune de miel?» Autre élément de surprise et sujet de préoccupation: l'habillement. Habituée aux tailleurs et aux robes de couturiers, elle avait évolué dans un milieu où, même dans les modestes fonctions de commis, de réceptionniste ou de secrétaire, la concurrence vestimentaire régnait, particulièrement chez la gent féminine. Cela entraînait un climat de snobisme malsain. Une partie de ses vêtements dormait toujours à l'entrepôt près de Montréal. Acheter des tenues plus sobres était devenu une nécessité. Au fond, Anne s'en réjouissait, cette vision s'accordant davantage avec ses nouvelles valeurs et son budget actuel. Le salaire qu'on lui attribuerait s'avérait plus élevé que ses attentes, mais elle était loin, très loin du train de vie de son époque avec David.

Sa vie prenait une cadence normale, rythmée par l'horaire de travail. Enfin, presque, parce que la maison en chantier ne serait pas indéfiniment son lot quotidien. Du moins, c'était à espérer. La reconstruction de la toiture était en cours. Une berçante, un tabouret sous le comptoir à lunch, les électroménagers et le lit restaient les seuls meubles au premier. La véranda était prête à être aménagée. Les fenêtres du chalet donnant sur le fleuve étaient remplacées et dans le même style que celles de cette annexe. Anne devait retoucher la peinture de la grande pièce avant de réinstaller le mobilier pour libérer le deuxième. L'amoureux de Sylvie, aidé d'Alain, devait replacer le rez-de-chaussée au cours d'un prochain week-end.

Les fins de journée, après avoir revêtu un jeans et un t-shirt marbré de couleurs, elle sortait les pinceaux et s'activait durant deux à trois heures, puis prenait une douche avant d'aller souper au restaurant d'à côté. Parce que c'était plus rapide et qu'elle n'avait pas à attendre qu'une table se libère dans la salle à manger, elle s'assoyait au bar, même si cet emplacement lui déplaisait. Au retour, elle lisait un peu dans son lit, puis sombrait dans le sommeil.

* * *

Florence invita Anne à souper à la maison pour célébrer son nouveau travail. Ayant terminé la peinture la veille, la jeune femme était épuisée, mais néanmoins ravie des résultats. En arrivant chez ses amis, elle flaira la bonne odeur qui emplissait la maison. Alain avait cuisiné des confitures ainsi qu'une tarte au fromage et framboises. Il embrochait des cubes de bœuf quand son amie vint le saluer.

—Je te sers un verre de vin pendant que je finis, dit-il, lui faisant signe de prendre place. Florence s'est attardée dans son atelier, elle passe tout juste sous la douche. Dis donc, je trouve que ta demeure commence à avoir pas mal de punch. Je pense que tu vas être très bien dans cette maison. Des idées sont en train de germer pour Florence et moi. Sais-tu que je me suis mis à gribouiller des dessins pour transformer un peu les lieux? Mais je suis loin d'avoir ton talent et il est possible que je sollicite un peu ton aide… mais pas dans l'immédiat. Je vais te laisser finir tes propres travaux et souffler un peu avant.

Florence passa la tête dans la porte, le corps enveloppé dans un drap de bain.

— Bonjour Anne, lança-t-elle. Attendez-moi avant de raconter comment s'est déroulée ton entrée chez TANGAR. J'ai besoin de cinq ou six minutes.

Anne lui sourit. Le vin était frais et la détendit. Une musique de Tim Weather jouait en sourdine. Anne observait Alain qui se trempait les doigts dans la marinade, saisissant les cubes de viande pour les enfiler en alternance avec des morceaux de poivron et d'oignon. Il portait son tablier où on lisait « Cuisiner, c'est... créer ». À l'extérieur, la table était dressée, un cabaret contenant sauce et condiments attendait sur une desserte près de la porte.

* * *

Le repas s'achevait. Les yeux brillants, Anne avait raconté ses débuts chez TANGAR avec enthousiasme. Sans trop se rappeler ce qui avait introduit le sujet, elle relata sa conversation récente avec Jean-Guy.

— Comment va-t-il ? s'informa Alain.

— Je l'ignore et je préfère ne pas le savoir, répondit Anne, plus sèchement qu'elle ne l'aurait souhaité. Je ne veux plus de contact avec la famille Lampron.

Avec ses nouveaux amis, elle n'avait jamais parlé des vraies circonstances qui l'avaient amenée au village. Alain savait que son compagnon d'enfance restait toujours propriétaire du chalet et croyait qu'il l'avait légué à Anne parce qu'il n'y venait plus. Alors Anne raconta son histoire, s'attardant surtout sur la tension qui avait brouillé sa relation avec Ruth. La honte la submergeait quand elle songeait que ses amis pouvaient découvrir la femme pleine de cupidité arrivée dans la région le printemps précédent.

— Je ne suis pas surpris du tout de ce que tu racontes, dit Alain quand le silence retomba. J'ai su qu'il avait séjourné une seule fois au chalet après son mariage ; j'étais en Europe à ce moment. J'ai rencontré Ruth au cours d'une soirée dansante qui clôturait une amicale, quinze ans après la fin de notre cours classique. Jean-Guy venait de prendre la relève de son père dans l'entreprise. C'était une femme magnifique, très belle et élégante. Mais je l'ai détestée instantanément. Elle lui coupait la parole, cherchait à se faire valoir et parlait avec un ton terriblement hautain et prétentieux. Je me sentais scruté et je me rappelle m'être demandé si je passerais le test pour entrer dans son monde de snobs. Jean-Guy a été happé par un ancien collègue et je suis resté un moment seul avec elle. Je lui ai servi un discours où j'ai fait étalage d'une parcelle de ma culture en histoire, assaisonnant le tout d'un peu de jargon, sachant très bien qu'elle n'y connaissait rien. Je lui ai posé quelques questions comme pour alimenter la discussion : son inculture sur le sujet a été mise en évidence. C'était volontaire de ma part, je pense qu'elle s'en est rendu compte, j'ai senti un courant d'antipathie passer entre nous. Elle a trouvé un prétexte pour s'éclipser. Jean-Guy était un bon ami, j'aurais aimé qu'on continue de se fréquenter, surtout avec la proximité de nos chalets. Avec une telle chipie dans les parages disons que ça coupe l'élan amical.

— C'est vrai que Jean-Guy est quelqu'un de bien et je me suis souvent demandé ce qui les avait attirés. David ressemblait davantage à son père, physiquement et de tempérament. Il était aussi l'enfant chéri de sa mère et je pense qu'il ne voyait pas son côté malsain. Ingrid a hérité de la beauté de sa mère, de son allure racée, de sa volonté à finir par arriver à ses fins. Mais elle est équitable et sait reconnaître la valeur des gens, peu importe leur origine. On avait une agréable complicité, mais elle espaçait de plus en plus ses visites. L'attitude de Ruth l'horripilait. Alain, j'aimerais que tu me racontes les vacances au chalet quand toi et Jean-Guy étiez de jeunes garçons. Comment c'était la vie ici à cette époque ?

— Je veux bien te raconter, répondit Alain. Le coucher de soleil s'annonce magnifique. Qu'est-ce que tu dirais si on allait préparer un feu sur ta grève ? On ramasse tout avant ! Je pourrais apporter un digestif, qu'en pensez-vous mesdames ?

— Oh oui, d'accord ! s'enthousiasma Anne.

— On pourrait même dormir à la belle étoile, proposa Florence, la nuit promet d'être douce.

— Je suis partant, répondit Alain avec une grande tendresse. En souvenir du bon vieux temps. Si Anne accepte de nous louer sa plage. Maintenant que le chalet est habité, on ne peut plus s'y rendre en catimini.

— Quoi ! s'exclama Anne toute surprise. Vous alliez dormir sur la plage ?

— De temps en temps, confirma Florence. Mais la dernière fois, ça remonte bien à trois ans. Ce n'est pas nécessairement le grand confort, mais c'est si agréable de se laisser bercer par le bruit des vagues en regardant les étoiles. Tu pourrais te joindre à nous...

— Attends qu'on ait la permission, la coupa Alain un sourire en coin.

— Bien sûr que vous l'avez. Mais je crois que je vais vous abandonner en tête à tête pour cette fois, répondit malicieusement Anne.

Tout fut rangé rapidement et les trois amis traversèrent la rue en direction de la plage. Alain prépara un feu avec du bois de grève pendant que les deux femmes tiraient un gros billot pour l'installer parallèlement à un autre. Florence déroula les sacs de couchage entre les deux pièces de bois, y déposa des petits oreillers de camping et un sac à dos. Les montagnes se teintaient de violet, le fleuve était d'un grand calme. Anne surprit Alain tenant tendrement la main de Florence et lui déposant un baiser dans le cou. Connaîtrait-elle à nouveau les émois de l'amour ? La tendresse d'un homme lui manquait, c'était si bon !

Le ciel prit maintes teintes de pastels chauds et le soleil descendit doucement laissant la place aux étoiles qui s'allumaient l'une après l'autre. Quand l'astre eut tout à fait disparu, Alain craqua une allumette et la jeta dans l'amas de bois : les flammes jaillirent aussitôt et se mirent à danser sur leurs visages. Florence emplit trois verres de cognac. Anne sentait une douce chaleur la gagner. Celle de la liqueur qui coulait dans sa gorge, celle du feu qui crépitait et celle de l'amitié qui la rendait heureuse.

— Il était une fois…

Alain retournait dans les jeunes années de son enfance.

* * *

Les souvenirs d'Alain remontaient à la fin des années cinquante et soixante. La plupart des estivants arrivaient alors au village sitôt l'école terminée. On espérait au moins deux journées de beau temps afin de préparer le chalet pour l'été. D'abord aérer en ouvrant toutes les fenêtres, nettoyer à grand renfort de vinaigre, de citron, de bicarbonate de soude et d'eau de Javel. Les housses étaient enlevées, le balai passé dans tous les recoins. Pendant que les mères s'activaient à l'intérieur, les pères amenaient les enfants pêcher sur le quai ou jouer sur la plage. Ceux dont le chalet bordait le fleuve commençaient un nettoyage de la grève. Au milieu de la journée, on sortait le panier à pique-nique préparé avant le départ et on s'assoyait quelque part à l'ombre pour le premier vrai repas de l'été. Ce rituel du ménage accompli, les hommes entraient les provisions et les valises. On déballait, on s'installait, on reprenait possession des lieux.

Le père d'Alain passait son mois de vacances avec sa famille. Le reste de l'été, on le voyait les fins de semaine. Alain se souvenait qu'à partir de ses huit ans, ils allaient trois ou quatre jours à la pêche dans l'arrière-pays. Cinq fistons et leurs trois paternels fuyant la civilisation. Jean-Guy et son père étaient toujours du groupe. Les garçons adoraient cette vie « de gars ». Dès leur arrivée, ils installaient leur campement. Ils dormaient sous une vieille tente de scouts dont le sol était jonché de branches de sapinage que les jeunes étalaient. Le moelleux de leur couche dépendait de leur application à cette tâche. Les grosses branches accéléraient la corvée, mais nuisaient au confort. Pendant ce temps, un peu à l'écart, un homme creusait un trou au-dessus duquel il construisait un semblant de siège assemblé par brêlage. C'était la bécosse. Un autre dégageait l'espace près du lac pour l'emplacement du feu de camp. On se nourrissait de conserves : fèves au lard, sardines, ragoût de boulettes, de pain grillé sur la braise, d'œufs dans le vinaigre et de fricassée de pommes de terre aux oignons. Et surtout du poisson qu'on attrapait, la pêche étant l'occupation principale, même sous la pluie. Le reste du temps, les enfants ramassaient du bois mort pour le feu, barbotaient dans l'eau ou jouaient aux Indiens dans la forêt.

— C'était mon meilleur moment des vacances, souligna Alain. Je me souviens d'une année, nos expéditions avaient incité d'autres familles à se joindre à nous. Pendant trois années, on y était en plus grand nombre. Mon père avait déniché une deuxième tente, c'était presque un camp scout. Puis, des chalets se sont construits autour du lac qu'on fréquentait. On a continué d'aller à la pêche, trois ou quatre fois durant la saison, partant à l'aurore pour revenir à la nuit tombée. Les étés se déroulaient, remplis de baignades, de plongeons au bout du quai, de jeux et de pique-niques sur la plage. Les jours de pluie, on se retrouvait dans le grenier de Jean-Guy ou dans celui d'un garçon de la bande. Il n'était pas question d'intégrer les filles à nos jeux, l'alternance des greniers était la seule solution. On faisait du camping sur la grève, des excursions dans les érablières de l'autre côté de la route, on s'initiait au ski nautique autour du quai. Adolescents, nous sommes même allés cueillir des fraises pour gagner des sous. C'était une saison de liberté, les parents savaient qu'on demeurait dans les parages et nous laissaient courir à l'aventure des jours entiers, sauf les week-ends, consacrés à la famille. Comme les adultes se voisinaient, les garçons se retrouvaient sur la plage à construire des châteaux de sable et… en Espagne.

— Et que faisaient vos parents ? demanda Anne.

— À l'époque, une fois leurs semaines de vacances terminées, les pères retournaient en ville et revenaient les week-ends. La plupart des femmes demeuraient à la maison et leur vie durant l'été devait ressembler à celle du reste de l'année, mais en plus décontractée, je dirais. Chez nous, ma mère nous mettait à contribution pour certaines tâches, elle voulait avoir elle aussi sa part de congé. Après le dîner, elle s'installait sur la plage et lisait jusqu'au moment de préparer le souper. C'était sa récompense après un avant-midi à faire la lessive dans une machine à tordeur, à cuisiner, à nettoyer le chalet ou à faire avancer un tricot. Une fois par semaine, quelques-unes se réunissaient en fin d'après-midi pour prendre un thé à l'anglaise. Ce soir-là, on mangeait un bol de céréales et des rôties. J'adorais ça parce que pour dessert on avait droit à une énorme barre de chocolat. C'était là une grosse dérogation à la cuisine habituelle de ma mère.

— Quelles tâches vous confiait-elle ? s'informa Anne.

— Je m'occupais des commissions puisque j'avais un vélo. Aller au village chercher du pain, du lait, passer à la boucherie. Ma sœur devait étendre le linge les jours de lessive. On lavait la vaisselle du souper. Mais c'était défendu d'en parler, j'étais le seul de ma *gang* à faire un travail de fille. À moins que mes amis aient fait comme moi et… maintenu le sceau du silence.

— Jean-Guy et toi, vous étiez souvent ensemble ? questionna Anne.

— Toujours ! Au fil des années, la composition de notre bande se modifiait. Disons que des clans se formaient parmi les enfants de vacanciers. Il y avait des leaders et des « suiveux », des complicités, mais aussi des chicanes entraînant un certain va-et-vient d'un groupe à l'autre. Mais Jean-Guy et moi, on est toujours restés soudés.

— Et la noyade de sa petite sœur ? Que s'est-il passé ? demanda Anne.

— Cet été-là, les rires d'enfants ont résonné moins souvent. Les Lampron avaient de la visite. Tout le monde était descendu sur la plage. La petite a dit qu'elle allait chercher sa poupée. Elle est remontée seule au chalet. Personne ne sait pourquoi, au retour, elle s'est dirigée vers la rivière plutôt que de retrouver le groupe. Certains ont pensé qu'elle avait peut-être suivi un chat ou une marmotte près du cours d'eau. D'autres ont supposé qu'elle voulait montrer à sa poupée cette grosse roche qui ressemblait à un oiseau en vol. Peu importe, elle a dû tomber et se frapper la tête. Les gens sur la grève ont aperçu le jouet qui flottait avant de voir le corps de la fillette. Elle avait quatre ans et demi. Ce fut une bien triste période.

— La maisonnette, c'était à elle ? s'informa Anne.

— Oui, elle y passait des heures sous la surveillance de sa mère qui s'installait près du muret, un tricot ou un ouvrage de broderie à la main. C'est l'automne suivant qu'elle planta tous ces bulbes de jonquilles, et qu'il y eut du jaune sur le chalet et la maisonnette, la couleur préférée de la petite. J'ai entendu ma mère raconter que c'était comme un monument en son souvenir.

— Et Jean-Guy, comment a-t-il réagi à ça? voulut savoir Anne.

— Il a toujours été un peu renfermé sur ses sentiments. C'était l'époque aussi, les gars devaient se montrer forts, braves, courageux. C'était différent chez nous, mais chez Jean-Guy, c'était ainsi. Il n'en parlait pas. Son père a vidé la maisonnette et brûlé le contenu, une petite table, une berceuse, un lit de poupée. Et la porte a été cadenassée. Puis, la vie a continué.

— Tu crois que c'est pour cette raison que Jean-Guy et Ruth ne venaient pas à leur chalet ?

— Oh non ! Les parents de Jean-Guy l'ont fréquenté jusqu'à leur décès, à six mois d'intervalle. Monsieur

Lampron avait quatre-vingt-cinq ans. Je pense plutôt que cette habitation n'était pas à la hauteur des attentes de Ruth.

La remarque fit sourire Anne, mais cette histoire l'attristait. Elle s'imaginait que le fantôme de la fillette avait pris soin des fleurs et veillé sur le chalet abandonné. Le lieu n'était pas tout à fait oublié puisqu'un esprit le protégeait. Cette idée la réconfortait. Et peut-être que l'âme de ce fantôme l'avait aidée à aimer l'endroit, avait guidé la main des ouvriers pour que tout se déroule sans encombre et introduit un filtre dans ses veines et son cœur pour la rendre meilleure.

Anne remercia Alain pour l'histoire et le laissa avec Florence pour leur nuit sous les étoiles. Avant de rentrer, elle passa près de la maisonnette et murmura : « Merci de veiller, petit fantôme. » Elle sentait la présence d'un ange qui la suivit jusque dans son sommeil.

Chapitre 18

L'été filait doucement. Anne nageait avec enthousiasme dans cet emploi qui l'enchantait. Elle fit graduellement connaissance avec tous les employés des bureaux et quelques-uns de l'usine. Elle apprenait à se familiariser avec tous les produits de l'entreprise. Ses contacts avec les vendeurs, les distributeurs et les clients se déroulaient de façon similaire à son emploi précédent. La pause du midi était l'occasion de rencontrer les gens dans un autre contexte. Cadres, manœuvres et personnel de bureau se retrouvaient souvent autour d'une même table.

Anne découvrit l'entraide qu'on retrouve souvent dans un village. Elle soupçonnait que la possibilité de pouvoir compter sur quelqu'un – comme la voisine qui dépanne quand un enfant est trop grippé pour se rendre à l'école – était à même de contribuer à réduire le niveau de stress lié au rôle parental. Aussi s'engagea-t-elle à fond dans le dossier de la mise en place du service de garde.

Elle tissait des liens de saine camaraderie avec des collègues. Elle fut conviée à un *shower* de bébé et à un rassemblement de filles pour souligner le mariage prochain de la réceptionniste. Ces rencontres avaient lieu chez la fêtée, et toutes les invitées faisaient leur part pour garnir la table. Un tirage au sort décidait de celles qui s'acquitteraient du ménage après la fête. Habituée aux sorties mondaines, souvent bien arrosées, Anne était enchantée de ces réunions plus amicales. Elle apprécia particulièrement sa soirée pour la fiancée du jour. L'événement se déroulait dans la grange des parents de la jeune fille. Elle s'y était rendue à contrecœur: l'endroit lui paraissait si insolite. Les fermes représentaient un souvenir des affreuses vacances de son enfance. Cependant, rien ne ressemblait à ses réminiscences. Elle vit d'abord l'abondance de lampes chinoises suspendues entre les poutres: plus d'une centaine oscillaient doucement, répandant un éclairage feutré. Des tables de pique-nique transportées à l'intérieur étaient couvertes de nappes blanches. D'énormes bouquets disposés un peu partout conféraient une grande élégance à l'endroit. La mère de la future mariée n'avait pas lésiné sur les fleurs, cueillies dans les immenses plates-bandes de la ferme. La musique était diffusée par une chaîne stéréo installée pour la soirée. Un réfrigérateur de bar se trouvait à côté d'une charrette à foin sur laquelle des cuves en acier galvanisé étaient remplies de bouteilles enfouies dans la glace. « Quelle ambiance ! » s'était écriée Anne en entrant dans cette salle improvisée. Près de la table principale se dressait un vieux mannequin de magasin. Il était vêtu de l'habit de noce de l'arrière-grand-père. Au-dessus de sa tête, comme dans une bande dessinée, deux bulles étaient suspendues par des fils accrochés aux immenses poutres. On pouvait lire: «Je veille sur toi» et «Amuse-toi bien».

Elle avait assisté à la fête pour faire bonne figure, mais finalement, elle s'était follement amusée. Il y eut des histoires, des jeux d'initiation à se tordre de rire. Une saynète mettait en scène une cérémonie religieuse où le curé confondait les formules des différents sacrements. Peu après dix heures, un groupe de trois musiciens vinrent ajouter de l'ambiance. Anne reconnut Jasmin qui accordait sa guitare. Un joueur de violon et un accordéoniste l'accompagnaient. Avec un tel rythme, impossible de rester immobile sur une chaise. Ils partirent une heure plus tard, laissant les filles entre elles. Le reste de la soirée se déroula en douceur, en rires et jasette.

Cette fête se voulait le passage vers une autre vie, celle qui est partagée dans la complicité, la tendresse et l'amour. Malgré les fous rires fréquents, Anne eut quelques moments de nostalgie. La vie à deux lui manquait. Mettre en commun une anecdote ou une découverte, raconter une grande joie ou une déception, appuyer la tête sur une épaule ou être serrée dans des bras: elle avait encore de la place dans son cœur pour tout cela.

* * *

Le chantier achevait. La cuisine était à nouveau fonctionnelle. Durant la démolition de l'ancien toit, l'accès au deuxième était fermé par une épaisse bâche. Une fois tous les débris jetés dans le conteneur, Anne était montée par l'échelle extérieure comme les ouvriers pour pénétrer par la fenêtre du pignon et découvrir la nouvelle pièce. Avec les combles plus élevés qu'à l'origine, sa chambre à coucher serait spacieuse. Avec du ruban-cache, elle traça au sol les contours de la salle d'eau et des armoires qui s'ajouteraient. L'endroit pourrait être peint sous peu, marquant la fin des travaux à l'intérieur. Un peu plus des trois quarts de la somme versée par les Lampron furent utilisés. Avec son revenu régulier, Anne n'eut aucune difficulté à obtenir un prêt hypothécaire pour restaurer l'extérieur. Un déclin de bois bleu nuit offrirait un joli contraste avec le toit de tôle couleur vert-de-gris. La porte et les volets seraient jaune tournesol. Ces trois teintes combinées convenaient à merveille pour une habitation située dans la « capitale de la voile ». La maison ferait une belle tache colorée dans la blancheur de l'hiver.

Le week-end qui suivit, Anne fit une excursion avec Sylvie au marché aux puces d'un village voisin. Elle n'avait encore jamais couru ces endroits débordant de vieilleries, les choses du passé n'exerçant aucun attrait sur elle. Ce marché aux puces ne ressemblait en rien aux boutiques d'antiquité prestigieuses qu'elle connaissait pour les avoir fréquentées avec Ingrid. Anne suivait son amie d'un marchand à l'autre. Un étalage rempli de pièces de tissage avait attiré son attention ; elle avait acheté des linges à vaisselle de très grande dimension, couleur de lin naturel et garnis de rayures rouges et bleues. Malgré cette acquisition, cette exposition d'accessoires disparates l'intéressait peu, jusqu'à ce qu'une silhouette attire son regard. L'homme manipulait une grosse boîte à lunch des années cinquante. Se sentant observé, il s'adressa à Anne :

— Vous croyez que ça pourrait devenir un contenant à fleurs « punché » pour des géraniums ?

— Euh !... j'imagine.

— Je la prends, fit l'homme en interpellant la vieille dame derrière l'étalage.

Après avoir payé, il se tourna vers Anne avec un radieux sourire en disant :

— Bonne chasse aux vieilleries et bonne fin de journée !

Sylvie démontrait une grande habileté à transformer ses trouvailles. Elle adorait fouiner dans cet endroit, à la recherche d'un « trésor » pour lui redonner une seconde vie. « Ça insuffle une âme aux lieux », disait-elle. Mais qu'un homme comme lui s'intéresse à « ces vieilleries » comme il avait dit, la surprenait. C'est comme si elle était tombée sur James Bond dans une salle de bingo. En retournant vers le stationnement, elle le croisa à nouveau, sa voiture étant garée tout près de celle de Sylvie. Le coffre de son auto était ouvert, il y avait déposé son acquisition. Anne aperçut aussi un carton rempli de petits pots de géraniums. Ils étaient du même rouge que les carreaux rouges et jaunes de la vieille boîte à lunch. Il adressa un sourire à Anne avant de refermer le coffre.

— Vous avez l'œil, dit Anne. Maintenant je suis certaine que ça donnera quelque chose de « punché ».

En mettant le moteur en marche, Sylvie observait Anne qui suivait du regard la voiture de l'homme qui s'éloignait. Son amie semblait hypnotisée.

* * *

Un jour, revenant d'une balade à bicyclette, Anne faillit tomber de surprise en apercevant une voiture garée près du conteneur dans son entrée, une Matrix immatriculée en Ontario. Elle ne vit personne, jusqu'à ce que Marthe Simoneau se pointe de l'autre côté de la haie.

— Y a quelqu'un pour vous, commença-t-elle. J'ai dit que vous étiez partie en bicycle. Elle est descendue sur la plage.

Anne remercia sa voisine, appuya son vélo à un arbre et entra dans la maison pour déposer ses achats. Elle s'approcha de la fenêtre pour tenter d'apercevoir quelqu'un. Elle ne connaissait personne qui habitait en Ontario, à l'exception de… Marthe Simoneau avait dit « elle », donc c'était une femme. À moins qu'« elle » ne désigne une personne. Empruntant la porte de la cuisine, elle s'engagea dans l'étroit escalier qui menait à la plage. Elle resta sur la dernière marche, observant la silhouette figée dans la contemplation de l'horizon.

Malgré l'estime qu'elle lui portait, Anne n'avait pas envie de la voir. Le rappel d'un passé qu'elle s'efforçait d'oublier. Sentant sans doute un regard lui transpercer le dos, la femme se retourna.

— Bonjour Anne, dit-elle en s'avançant. J'espère que tu ne m'en veux pas d'être ici, je suis contente de te voir.

— C'est ton père qui t'envoie pour vérifier comment je vais? demanda Anne avec froideur.

— Je pensais que tu me connaissais mieux que ça. Je n'ai pas l'habitude d'obéir au doigt et à l'œil, surtout si ça vient de ma famille. C'est juste que… le chalet se trouve sur mon chemin, je me rends en Nouvelle-Écosse. Et puis, j'avais envie de te voir, de passer un moment avec toi. Je t'ai toujours aimée, Anne.

— Moi aussi, admit Anne. Excuse le ton, c'est l'effet de surprise. Ingrid, étais-tu déjà venue ici?

— Jamais. Petite, je l'ai souhaité après avoir regardé des photos. J'étais charmée par la maisonnette et je voulais y jouer avec mes poupées. Ma mère avait rétorqué sans réplique qu'il n'était pas question qu'elle passe des vacances dans cette cabane. Papa avait proposé d'y séjourner un week-end avec David et moi. Elle avait piqué une telle crise de bouderie que mon père avait renoncé.

— Donc, pour Ruth ce chalet n'était rien de plus qu'une cahute. C'est ce que je pensais, mais j'en ai maintenant la confirmation. Quelle générosité de me l'avoir laissé ! Excuse-moi Ingrid, mais d'évoquer ta mère me rend cynique. Viens, je t'invite à luncher.

— T'es pas obligée, répondit Ingrid.

— Si je te l'offre, c'est que j'en ai envie. J'avoue que de te revoir remue de très mauvais souvenirs, mais je peux en faire abstraction. Allez, on monte et je te fais visiter ma cabane.

Anne prépara un léger repas tout en poursuivant la conversation avec Ingrid.

— Qu'est-ce qui t'amène dans le coin ? demanda Anne

— Je suis en route pour la Nouvelle-Écosse.

— En vacances ? Toute seule ?

— En réalité, je vais rejoindre un collègue de travail, devenu très important à mon cœur. Il vient de cet endroit et passe ses vacances dans la ferme de ses parents. C'est la première fois que je vais les rencontrer.

En entendant le mot « ferme », Anne avait failli se couper en tranchant les concombres.

— C'est sérieux ? demanda Anne.

— Oh ! oui, on a parlé mariage. Anne, pour la première fois, je suis vraiment amoureuse.

— Et que dit Ruth ?

— Elle ne le sait pas et je n'ai pas l'intention de l'informer, répondit Ingrid. Anne, ça faisait presque deux mois que tu étais partie quand j'ai appris la vraie raison de ton départ. Mon père avait expliqué que tu avais abdiqué de ton propre chef. Je trouvais ça plausible étant donné que tu travaillais avec David, et logique que tu veuilles te rapprocher de ta mère. C'est ma mère qui a craché le morceau durant un séjour à la maison de campagne en mai. Je lui ai lancé à quel point je la méprisais, qu'elle n'était qu'une sotte prétentieuse et superficielle. J'ai dit à mon père qu'il n'était guère mieux de s'être laissé manipuler et qu'il perdait par le fait même, l'admiration et l'estime que j'avais pour lui. Puis, j'ai rajouté que j'appréciais la personne que tu étais pour ton intelligence, ton implication et ton professionnalisme dans l'entreprise, et pour avoir rendu mon frère heureux. J'ai terminé en braillant, puis je suis allée préparer mes bagages et je suis repartie aussitôt. Je me suis juré que jamais mes parents ne me feraient vivre la même chose qu'à toi.

Ingrid se tut, un accent de rage teintait ses derniers mots. Anne était sidérée, les propos de sa visiteuse réveillaient une impression de déjà vécu.

— Et aujourd'hui, reprit Anne avec douceur, comment ça se passe avec tes parents ?

— Je ne les ai pas revus et je ne leur ai pas parlé, ça fait maintenant trois mois. Mon père a tenté de me contacter. Je ne réponds pas quand je reconnais son numéro, je *flushe* ses courriels sans donner suite et j'ai retourné au destinataire les lettres qui venaient de lui. J'ai tout raconté à Andrew, mon amoureux. Je te jure que sa famille n'a pas l'air de ressembler à la mienne. Je les aime sans les avoir rencontrés tellement leur fils en parle avec respect et admiration, c'est comme eux que je veux vivre avec mes enfants.

— Décidément ! s'exclama Anne, tu n'es pas la Ingrid que j'ai connue. La femme de carrière refusant de se mettre la corde au cou, de s'engager, qui n'avait jamais parlé de fonder une famille.

— Andrew et moi avons fait connaissance il y a un peu plus d'un an. Devant ses valeurs plutôt traditionnelles, je me fermais à ce qu'il me proposait. Quand j'ai appris pour toi, ça a fait basculer quelque chose en moi, comme si un barrage de résistance cédait tout à coup. C'est à ce moment qu'Andrew m'a vraiment conquise. Pour être franche, Anne, si je me suis arrêtée ici, c'est que je voulais te voir en espérant très fort que tu t'en sortais bien. Tu ne méritais pas la façon dont on t'a traitée.

Anne était touchée par les propos de sa belle-sœur. Les confidences d'Ingrid avaient fait jaillir ses larmes et ravivaient la douleur causée par les manœuvres de Ruth. Par contre, revoir sa belle-sœur la réjouissait.

Elle termina la préparation d'une salade et dressa les couverts. Pendant le repas, Anne raconta son arrivée à Berthier-sur-Mer, les nouvelles connaissances, la métamorphose du chalet en même temps que celle de sa vie, son nouveau travail. Elle mentionna son appel à Jean-Guy et sa volonté de ne rien lui dévoiler de son existence actuelle. Ingrid était éblouie par l'endroit.

— Ça ne correspond en rien aux photos que j'avais vues, dit Ingrid. Tu ressembles à une fée qui a transformé la citrouille en carrosse. As-tu des projets pour la maisonnette ?

— Oui, mais ce n'est pas encore assez précis pour en parler. Tu reviendras, Ingrid ?

— Je n'osais le demander, mais j'aimerais beaucoup. Anne, je souhaiterais qu'on garde contact, tu restes ma seule famille. Je sais que David doit te manquer, mais il me manque à moi aussi, mon frère.

Pour toute réponse, Anne enserra Ingrid dans un de ces câlins chaleureux et sincères découverts depuis qu'elle apprenait à s'abandonner. Ingrid reprit la route en même temps qu'une fine pluie. Le dîner de confidences s'étant prolongé, l'après-midi était trop avancé pour sortir les pinceaux et terminer la dernière couche de peinture au deuxième. La rencontre avec Ingrid avait laissé Anne dans un état second. Elle s'installa à son nouvel ordinateur avec son appareil photo pour y transférer les clichés pris depuis son arrivée. Elle construirait un album : avant, pendant et maintenant. Elle comptait le parcourir avec Ingrid à sa prochaine visite. Elles s'étaient promis de s'écrire et de se revoir. Anne éprouva un moment de pitié pour Jean-Guy Lampron qui devait se sentir bien seul.

* * *

Quelques jours plus tard, à son retour du boulot, Anne ramassait des débris et les lançait dans un conteneur. Ce mastodonte partirait dans une semaine. La façade et le côté ouest du chalet étaient recouverts de leur nouvelle parure. Alain traversait la rue tenant un géranium dans chaque main.

— Voilà pour agrémenter ta demeure, dit son voisin tout souriant en déposant les pots de grès à chaque coin de la galerie. J'ai planté ces boutures peu après avoir fait ta connaissance. J'hésitais sur le choix de la teinte. Les rouges sont magnifiques et je ne me prive pas d'en éparpiller dans mon jardin, mais de là à te les offrir... Je trouvais que ça ne te ressemblait pas. Par contre, je pourrais en donner à Marthe.

— Pourquoi ? questionna Anne pour qui le discours de son voisin demeurait abstrait.

— À cause du sens de la couleur de cette fleur. « Vous êtes bête ! » Voilà le message du géranium rouge. Mais si tu en veux l'année prochaine, tu pourras venir t'en chercher, ce sera un don, pas un cadeau.

— Et quel est le sens du géranium rose tendre ? s'informa Anne. Ça fera un joli contraste sur la nouvelle couleur de la maison, tu ne trouves pas ?

— J'avais aussi du blanc, mais les boutures s'étiolaient et je ne voulais pas t'offrir une plante à l'allure moche, expliqua Alain.

— Mais quel est son sens ? insista Anne.

— D'après mon encyclopédie « Florence », le géranium rose et le blanc signifient la même chose : « Vous êtes candide » ; je trouvais que la candeur t'allait mieux.

Anne éclata de rire et l'embrassa sur les joues. Cette attention la touchait, Alain et Florence étaient vraiment plus que des voisins. Ils discutèrent fleurs, division, plantation, taille d'arbustes, compostage. Alain proposait conseils, échange de végétaux et son aide pour l'étape d'aménagement du terrain. Il remarqua une voiture qui ralentissait à la hauteur de la maison, et qui bifurqua pour prendre l'allée. Anne se retourna en entendant le crissement de pneus sur le gravier.

— Je te laisse, dit Alain, je crois que tu as de la visite. On va en escapade à Kamouraska demain, mais on t'attend pour souper dimanche. Bon week-end.

En voyant le conducteur de la voiture, Anne aurait souhaité qu'Alain s'attarde. Elle avait tenté de reporter ce face-à-face appréhendé. Cela rendait la démarche encore plus pénible. L'homme descendit de l'auto et marcha vers elle.

— Salut, Anne, c'est ici que t'habites maintenant ? Tu t'habitues à plus petit ?

Et vlan ! Ça commençait bien. Elle voulait éviter le « picossage » et les « obstinages » enfantins. Au cours des derniers mois, elle avait appris à devenir un peu plus adulte et plus sereine. Cette rencontre serait un bon test pour le vérifier. Prenant une profonde respiration, elle s'avança.

— Bonjour, Félix, je ne t'attendais pas.

— Je l'ai décidé à la dernière minute. Je reviens de Rivière-du-Loup, une formation à l'hôpital. Alors je me suis dit qu'il était temps de casser la glace.

— Tu as raison, il est temps qu'on brise la glace. Viens, entre.

Anne lui offrit une bière et se versa un verre de sangria. Elle aurait aimé descendre sur la plage, mais les échafaudages obstruaient le passage. Rester à l'intérieur la dérangeait, c'était son intimité, son cocon, la grève aurait été un endroit plus neutre. Félix observait les lieux. Il s'immobilisa un moment près de la fenêtre, le regard perdu dans le fleuve et prit place à la table. Anne rompit ce lourd silence.

— Rivière-du-Loup, c'étaient des cours de quoi ? demanda-t-elle avec le plus de gentillesse possible dans sa voix.

— Ça t'intéresse vraiment, ce que je fais ? riposta Félix.

— Oui, répondit Anne, avec un effort pour garder son calme, maintenant oui.

— L'enfant prodigue revient après avoir été déchu. Elle doit te manquer, ta belle vie ?

Anne sentit ses yeux s'embuer. Elle fourragea dans les armoires puis dans le réfrigérateur et prépara quelques bouchées. Elle avait besoin de s'occuper pour dissiper son trouble. Félix avait raison, mais elle refusait de répliquer à ses moqueries, ça lui aurait procuré trop d'emprise, donné trop de satisfaction. Déposant une assiette de noix et de fruits secs sur la table et incapable de s'asseoir près de lui, elle prit place sur l'un des tabourets. Ainsi en hauteur, elle se sentait plus forte, cette distance physique la protégeait du fiel que son frère semblait vouloir déverser.

— Ma vie actuelle me plaît, finit-elle par dire. Le calme que j'y trouve m'aide à faire le deuil de David. Félix, tu pensais à quoi en t'arrêtant ici ?

— C'est surtout la curiosité qui m'a amené, répondit-il d'un ton apathique. Et puis, je trouve que maman a changé depuis que vous vous parlez plus souvent.

Voilà, le chat sortait du sac. Félix était toujours resté près de Mireille, surprotecteur même. Il était l'homme dans la vie de leur mère, il apportait de l'aide pour de gros travaux et donnait des conseils de plomberie ou de mécanique. Cependant, Anne découvrait en Mireille une femme forte, déterminée, indépendante et très débrouillarde ; quelqu'un d'admirable. Elle était convaincue que l'absence de Félix n'aurait rien changé. Il se donnait de l'importance en se rendant indispensable. Son frère était un vieux garçon accroché à sa mère. Anne se demandait lequel des deux avait besoin de l'autre. La pitié qu'elle éprouvait pour lui l'aidait à rester calme. Elle prit place à la table en le regardant droit dans les yeux et dit :

— Je ne sais pas si maman a changé, je n'étais pas là. Et crois-moi, je le regrette parce que j'apprends à connaître un peu tard cette femme remarquable. Sans dire un seul mot, elle me donne de grandes leçons, juste en étant qui elle est. Et surtout, sans juger. Je peux bien t'avouer qu'à une certaine époque je trouvais qu'elle avait une « p'tite vie ». Je me trompais. Elle a su diriger sa barque, faire ses propres choix. Avec courage et... modestie. Aujourd'hui, elle mène une vie qui lui plaît. À sa façon, c'est une grande dame.

— Oh ! le beau discours, ça paraît que t'as fréquenté le grand monde qui excelle dans l'art de la persuasion pour mieux manipuler les petits.

Anne se leva calmement, prit l'assiette dans laquelle Félix avait pigé quelques bouchées et la déposa à côté de l'évier. Se postant près de l'escalier, elle fit face à son frère.

— J'ai des torts, j'en conviens, de très gros torts même. Mais ce n'est pas une raison pour me laisser rabaisser et insulter dans ma maison. Sincèrement, je regrette la tournure de cette rencontre, mais tant que tu auras cette attitude, Félix, tu n'es pas le bienvenu ici et je te prie de partir tout de suite. Tu peux revenir tant que tu voudras dès que tu seras mieux disposé.

— Si c'est comme ça, tu n'es pas près de me revoir, cria-t-il en se levant avec rage. Maman disait que t'avais changé, mais t'es encore rien qu'une maudite snob.

— Laisse maman en dehors de ça, répliqua Anne, flegmatique.

Même si son cœur battait à tout rompre, même si elle avait envie de pleurer, elle resta stoïque quand il passa en coup de vent près d'elle. La porte claqua et il accrocha un pot de géraniums en descendant de la galerie. Anne se trouvait sur le seuil au moment où il démarra, avec tellement de rage qu'il creusa des sillons dans l'allée. Avait-il seulement pris le temps de vérifier si la voie était libre ?

Arrosant ses jardinières, Florence avait observé le départ précipité du visiteur et traversa la rue. Anne ramassait le pot de fleurs et, sentant une présence, elle se releva. Voyant Florence, elle éclata en sanglots en se jetant dans ses bras. Dans son brouillard de larmes, elle aperçut Marthe Simoneau de l'autre côté de la haie.

* * *

Le lendemain, il était à peine huit heures quand, lovée dans sa berceuse, une tasse de café à la main, le regard perdu dans la brume qui flottait sur le fleuve, Anne entendit frapper à la porte. C'était peut-être Alain ou Florence qui venait prendre le pouls de son état avant de partir pour Kamouraska. Le sommeil l'avait fuie, la tristesse l'accablait. Les choses s'étaient déroulées si simplement avec Mireille. Une mère reste toujours une mère pour ses enfants. Est-ce que ça pourrait s'arranger avec son frère ? Il faudrait de la patience. Toutefois, elle était fière de son attitude. Quand elle ouvrit, Mireille se trouvait là et affichait un regard soucieux. Elle avait eu vent de la venue de Félix ; il n'avait rien raconté de son passage, mais s'était empressé de dire que « sa foutue sœur l'avait jeté à la porte ». Les propos à son endroit étaient méprisants. Demeurée neutre, Mireille avait simplement exprimé sa désolation. Elle connaissait l'animosité entre ses enfants.

— Écoute maman, je sais que j'ai mes torts. J'ai frappé un mur et je suis en train de prendre un virage. Mais depuis vingt ans, Félix n'a pas bougé d'un iota face aux divergences entre nous. Il est resté accroché à l'adolescence.

— Tu as raison, Anne, et j'avoue que parfois je me retiens d'exprimer trop de joie quand je reviens de mes visites ici. Félix est mon fils, mais aussi mon voisin et je veux éviter de mettre de l'huile sur le feu.

— Ça, ça m'attriste maman, fit Anne la prenant dans ses bras.

— Anne, je crois que tu as bien agi avec ton frère. Félix reste prisonnier des émotions qui le rongent, ça embrouille sa vision et son interprétation des faits.

— Oh ! maman, j'aimerais tant que ça se passe mieux avec lui. J'essaie de mettre de l'eau dans mon vin, mais je ne suis pas prête à ramper devant lui.

Mère et fille avaient déjeuné ensemble. Calmement, avec une pointe de regret dans la voix, Anne raconta sa version des événements, elle aurait tant espéré que tout se déroule autrement.

Mireille refusait de jouer le rôle d'arbitre, luttant pour éviter l'inconfort de se retrouver coincée entre l'arbre et l'écorce avec ses deux enfants. Elle les aimait tous les deux, tels qu'ils étaient, et savait qu'on ne peut forcer les sentiments d'autrui. Malgré tout, elle espérait… un miracle. Mireille maintiendrait ses rencontres avec Anne, une habitude établie depuis ce pique-nique au parc des Chutes. En tant que voisins, elle maintiendrait des contacts fréquents avec Félix, mais désormais, elle refuserait toute discussion contenant des propos désobligeants à l'endroit d'Anne. Deux heures plus tard, Mireille repartait, rassurée. De retour à Lévis, elle prit son service au restaurant.

Après le départ de Mireille, la sonnerie de la porte retentit à nouveau. « Oh ! c'est vrai, j'avais complètement oublié la livraison du mobilier ! » Des livreurs déchargeaient les derniers meubles. La maison était prête, l'avenir s'annonçait serein, de nouveaux défis se profilaient dans son milieu de travail. Cependant, Anne souhaitait sincèrement rétablir les liens avec son frère, pour sa mère. Peu importe ce qu'il adviendrait, elle décida que sa relation avec Félix ne serait pas une entrave à son bonheur. Le chalet et ce qu'il avait représenté au départ étaient maintenant relégués aux souvenirs.

Chapitre 19

Anne avait revu Ingrid à son retour de Nouvelle-Écosse. Elle avait fait la connaissance d'Andrew et promit au couple d'assister à leur mariage au début de l'été suivant. Ruth et Jean-Guy ne seraient pas invités. Ingrid maintenait ses distances et refusait de leur présenter son amoureux. Ruth ne s'immiscerait pas dans sa vie comme dans celle de David. Quant à son père, elle aurait souhaité revenir à de meilleurs sentiments, mais elle considérait son attitude comme un rejet.

Le week-end de la fête du Travail, Anne s'était rendue en Estrie avec sa mère. Elles avaient visité des vignobles, roulé à bicyclette un après-midi, étiré un long moment près de la piscine de l'auberge à lire et à flâner en bavardant. Au retour, elles avaient effectué un crochet sur la rive sud de Montréal pour vider l'entrepôt loué par Anne. Dans les cartons remplis de vêtements, de chaussures et de babioles design, peu d'articles convenaient à la maison de Berthier, il y avait trop d'écart entre l'ancien et le nouveau monde d'Anne.

Les boîtes furent rangées dans le sous-sol de Mireille en attendant qu'Anne y fasse un tri. À leur arrivée, Félix tondait le gazon, il ne se manifesta pas pour aider les deux femmes à décharger la voiture.

* * *

La fin de semaine suivante, Anne se montrait impatiente de vivre ce week-end axé sur les arts dont elle avait entendu parler. Elle déambulait à travers la foule du village dans la rue fermée aux automobiles. Le parc des armoiries grouillait d'animation. Des tout-petits attendaient leur tour pour produire une œuvre qui serait affichée sur un immense panneau. Une maquilleuse dessinait un papillon, une fleur ou le logo d'une équipe de hockey sur les visages. Anne aperçut Marthe Simoneau à la cantine ambulante près de laquelle une grosse marmite remplie d'épis de blé d'Inde dégageait un nuage de vapeur. Installé sur un podium, Jasmin chantait, accompagné de sa guitare. Elle croisa son regard, il lui adressa un clin d'œil. Au bout du parc, un immense chapiteau regroupait plusieurs artistes. Anne examinait des bijoux, du tissage, admirait des toiles, de la poterie, du vitrail, caressait au passage des chandails tricotés à la main, des sacs de cuir et s'attarda devant un assortiment de pièces de bois peintes de jolis dessins. À l'extérieur du grand chapiteau, la curiosité des gens provoquait un attroupement. Elle y aperçut Sylvie qui maniait le feu et le fer, attachant des morceaux de métal à la manière d'une couturière assemblant des bouts de tissu. La chaleur rosissait ses joues et des gouttes de sueur perlaient sur son front. Son immense tablier ignifuge la protégeait. Anne lui lança un sourire. Une dizaine de chapiteaux individuels étaient alignés près du presbytère. Elle se dirigea vers celui où Lucie Hudon emballait un tableau. Une toile en cours reposait sur son chevalet. Sur la table traînaient des petits tas de couleurs sur une palette, une vieille tasse remplie de pinceaux et un gobelet d'eau. Comme l'artiste discutait avec un couple, Anne la salua d'un hochement de tête au passage. Deux chapiteaux plus loin, Florence l'accueillit chaleureusement. Elle étrennait son abri personnel commandé chez TANGAR. Son nom d'artiste apparaissait sur la devanture : *FloSimard*, avec la même calligraphie que celle apposée sur ses tableaux.

— Bonjour Anne, dit Florence pleine d'enthousiasme. Le beau temps amène les touristes et les amateurs d'art. Je crois que je n'ai jamais vu une foule aussi dense depuis que je fréquente cette fête. Tu es seule ?

— Pour un premier tour, oui. Je rejoins ma mère à la boulangerie puis on se promènera ensemble sur le site. C'est vrai que c'est animé, je ne m'attendais pas à autant de monde. Tu as tout ce qu'il te faut ?

— Oui, merci, des bénévoles circulent et distribuent de l'eau. Tout à l'heure, on devrait nous apporter un lunch. C'est bien organisé. Tu as vu Sylvie ? Son travail émerveille vraiment les gens. Tantôt, j'observais deux petits bonshommes qui la regardaient les yeux grands comme des trente sous. Je pense que le fait qu'elle soit une femme les impressionne encore plus que si un homme faisait la même chose.

— Tu as vendu des toiles, remarqua Anne en apercevant un collant vert sur deux des tableaux de son amie.

— Plus que ça, tourne-toi, fit-elle en désignant une série d'aquarelles derrière sa visiteuse.

Des gens s'agglutinaient sous l'auvent de la peintre; Anne poursuivit sa tournée non sans promettre de repasser plus tard. Dans la rue, d'autres tables accueillaient des artistes: décoration de Noël, pantoufles de tricot, vaisselle peinte. Un étal attira son attention. Deux jeunes filles d'une douzaine d'années répondaient aux questions des curieux. La moitié de la table regroupait des bijoux fabriqués de morceaux de verre trouvés sur la plage. Un minois aux yeux verts et rieurs expliquait sa cueillette des « trésors de la mer », nom de son entreprise. Sa grande sœur, étudiante aux beaux-arts, l'aidait à les transformer en bijoux. Anne essaya quelques bagues et en choisit une. L'autre extrémité de la table était garnie de galets peints. La jeune artiste démontrait habilement l'utilité de certaines de ses œuvres: presse-papier, support à couteaux, appuie-livres ou simple objet décoratif. Anne trouvait le travail ravissant.

— Tu habites le coin? demanda-t-elle à l'adolescente, plus timide que sa compagne.

— Oui, et avec l'aide de mon père, je prévois de peindre des porte-chandelles et des poignées un peu comme ça, fit-elle en montrant un galet naturel monté sur une vis.

Anne examinait la pièce avec intérêt. Une idée germait dans sa tête.

— Tu prends des commandes spéciales? s'informa-t-elle.

— Euh! Ce n'est pas encore arrivé, répondit l'adolescente en rougissant et visiblement intimidée.

— Possèdes-tu des roches plus grosses? poursuivit Anne.

— Quelques-unes, mais elles ne sont pas décorées. Et je dirais plutôt qu'elles sont de taille moyenne. Je les ramène d'une plage pas loin de chez ma grand-mère, en Gaspésie, quand on lui rend visite.

— Vous pensez à quoi au juste ? questionna un homme assis à une table voisine.

Il s'était approché au début de la conversation.

— Cette jeune artiste est ma fille.

Prenant soin de s'adresser autant à l'adolescente qu'à son père, Anne expliqua à quoi elle songeait. Les yeux de la demoiselle brillaient de fierté. Elle inscrivit ses coordonnées sur un bout de papier qu'elle remit à Anne.

Sirotant une limonade, Mireille attendait Anne, assise à la terrasse de la boulangerie. Elles prirent une bouchée avant de refaire le tour de la Foire ensemble. Elles commencèrent par la bibliothèque située dans l'école. Agathe les accueillit avec sa bonne humeur contagieuse. Elle s'occupait de la vente de livres usagés. Mireille explorait en écoutant Anne bavarder avec son amie. Cette femme avait une voix angélique et une joie de vivre qui transpirait, enveloppante de confiance et de bien-être. Que sa fille la fréquente, c'était un bienfait des dieux. Mireille acheta quelques bouquins, se mêlant à la discussion. En louvoyant à travers les gens, Agathe les entraîna dans la pièce du fond, salle d'exposition où se tenait la rétrospective de l'œuvre d'une peintre professionnelle résidente du village durant l'été. Anne ne cessait de s'émerveiller devant la richesse de la vie artistique de la municipalité. Dans son esprit, les artistes étaient des citadins. Les grandes villes abritaient les galeries et les écoles d'art ; la vraie vie d'artiste, les expositions, les vernissages et les mondanités s'y déroulaient. Quelques-uns séjournaient dans des lieux enchanteurs ou y possédaient une maison, comme dans Charlevoix, en

Gaspésie, en Estrie ou dans les Laurentides, une manière de nourrir leur imaginaire. Mais la création réelle, croyait Anne, s'épanouissait là où l'activité bouillonnait.

Deux auteures dédicaçaient leur nouvelle parution, un ouvrage de poésie et un récit romancé. Mireille s'attarda à lire quelques lignes et acheta le recueil. Anne se procura le roman. Elle désirait encourager les créateurs de la région, connus ou pas. La vente des livres accaparait Agathe, Mireille l'observait pendant que la poète composait un haïku en guise de signature. Souriante, aimable, elle semblait connaître tout le monde. La bibliothèque ressemblait à une ruche bourdonnante. En quittant l'endroit, Anne salua quelques visages familiers et entraîna sa mère vers le centre du village. Des enfants se trémoussaient sur les airs de rock qui sortaient des instruments de quatre jeunes musiciens.

— Originale, cette corde à linge, fit Mireille, en approchant du site principal.

Mireille commença à lire les textes sur les feuillets accrochés sur la ficelle tendue entre deux érables géants. Courts récits, anecdotes, poèmes racontant la vie du village. Humour, ton de confidence, jeux de rimes. Elle en relut un à deux reprises, si émouvant qu'il nouait la gorge: il décrivait le feu qui avait détruit tous les souvenirs d'une famille.

Leur tour complété, les deux femmes inscrivirent sur un bout de papier le nom de leur artiste «coup de cœur». Anne tricha et remplit deux coupons. Elle accorda un vote à chacune des deux adolescentes, celle à qui elle avait acheté une bague et l'autre qu'elle envisageait de revoir sous peu. Le choix de Mireille se porta sur Sylvie Hudon. Ce qu'elle créait avec le métal se démarquait vraiment.

— J'ai envie d'un épi de maïs, dit Mireille. Tu en veux un ?

En cherchant une place parmi les tables entourant la cantine, Anne reconnut Esther qui mordait à belles dents dans les grains jaunes.

— Bonjour vous deux, dit-elle, une fois sa bouchée avalée. Il est cueilli de ce matin et très savoureux. Je pense que je vais m'en chercher un autre.

— Je te l'apporte, fit Anne en s'éloignant pendant que sa mère s'assoyait.

— Je n'en reviens pas de voir toute cette effervescence, commenta Mireille.

— Je suis agréablement surprise moi aussi, poursuivit Esther. Sylvie parlait de cette foire avec beaucoup d'enthousiasme – c'est notre fin de semaine annuelle –, mais je me rends compte qu'avec l'implication de Lucie et Sylvie, on passera peu de temps ensemble. C'est étonnant, continua-t-elle, ça fait quelques années qu'on se connaît et c'est la première fois que je les vois plongées ainsi dans leur travail. Je les envie de nourrir une passion.

Mireille laissa planer un moment de silence avant de poursuivre.

— Ta retraite, tu y avais réfléchi ? demanda-t-elle.

— En partie, rajouta Esther. C'était clair qu'on souhaitait retourner dans Charlevoix. Et mon mari voulait développer l'ébénisterie. Lui, il a trouvé son créneau.

— Et toi ?

— C'est là mon erreur, répondit Esther d'une voix teintée de déception. J'ai passé une grande partie de ma vie seule à cause du travail de mon homme et j'ai misé beaucoup sur le « nous » au moment de sa retraite. Trop, j'ai oublié de réfléchir au côté personnel de cette étape. Pendant qu'il est dans son univers, dans son atelier, moi je tourne en rond avec l'impression de passer à côté de quelque chose.

— Il est encore temps de rajuster le tir, non ? dit Mireille.

— J'y pense, mais je ne sais pas trop par où commencer. Toi, tu es toujours sur le marché du travail, je crois ?

— Oui, j'en ai encore pour deux ou trois ans. J'aime mon travail, le contact avec le public. Il y a des jours où j'ai toujours l'enthousiasme de mes vingt ans, mais mon corps lui, me rappelle qu'il a trois fois ces vingt ans. Physiquement, la restauration, c'est exigeant.

— À quoi penses-tu pour ta retraite ?

— Pour le moment, c'est encore imprécis. Chose certaine, j'ai besoin d'un plan. Je ne vois pas ça comme de perpétuelles vacances, uniquement un temps de loisirs. Je veux prendre un rythme, me sentir utile, accomplir quelque chose qui me passionne. Dans mon milieu, une ancienne collègue calculait les jours depuis plus d'un an, et même les heures durant son dernier mois, c'était assommant. Certaines filles vivaient le travail comme une forme d'esclavage et avaient plusieurs années devant elles avant d'en être libérées. Elles percevaient son attitude comme une provocation. Eh bien, sais-tu comment cette femme utilise sa retraite ?

Sans attendre la réponse, Mireille continua.

— Elle écoute à peu près quarante heures de télé par semaine, j'exagère à peine. Elle marche de temps en temps si elle a quelqu'un pour l'accompagner, elle passe régulièrement une journée complète dans un centre commercial, elle est au courant de tous les potins des vedettes… Elle vit seule, ses enfants demeurent en région ; s'ils lui rendent visite, elle se plaint du trouble que ça occasionne : les repas, le lavage, le bruit et le désordre dans la maison avec les petits-enfants. Elle s'est fabriqué un cocon tissé de routines et toute dérogation la dérange. Je veux tellement ne pas devenir comme ça. Les employés retraités sont invités au party de Noël, à la fête familiale de l'été et quand on souligne un événement spécial. Elle s'y rend. Cette collègue que je trouvais drôle et farfelue, qui savait donner le conseil juste, est devenue d'un ennui mortel, égocentrique, coupée du quotidien des autres. Je déteste qu'on parle des retraités qui sont devenus inutiles. Il y en a, comme cette femme, mais ce n'est pas tout le monde qui vit ainsi la retraite.

Esther écoutait, songeuse. La vente de sa librairie laissait un vide qu'elle n'arrivait pas à combler. Les propos de Mireille la remuaient. Anne s'en venait avec les blés d'Inde fumants.

— Ils ne fournissent pas, des jeunes épluchent les épis et j'ai dû attendre qu'ils soient cuits. Attention, c'est chaud, ils sortent tout juste de la marmite, dit Anne, déposant l'assiette de carton sur la table. J'espère que vous n'étiez pas trop impatientes.

— Pas du tout, répondit Esther, discuter avec ta mère est une source d'inspiration dans ma réflexion et j'aimerais bien avoir d'autres occasions de le faire à nouveau.

— Pourquoi pas ? proposa Mireille en roulant son épi dans le beurre avant de le saupoudrer de sel.

Les jeunes rockers terminaient leur pause et reprenaient la musique. La discussion devint alors quasi impossible à cause du bruit. Esther devait retrouver ses amies directement chez Sylvie à la fin de l'exposition. Elle proposa à ses compagnes de s'y rendre pour le reste de l'après-midi. Ce serait plus calme, et l'occasion d'une escale. Elles étaient venues à pied, le sac de Mireille pesait lourd avec les livres. Elles marchèrent en tenant à deux la besace par les ganses. Près du fleuve, la foule était aussi dense que celle du village. « Quelle magnifique journée d'été, probablement l'une des dernières, l'automne arrivera bien vite », songeait Anne.

— Installons nos chaises à l'ombre de l'érable, suggéra Esther.

— Ça me fait une drôle d'impression d'être ici alors que Sylvie est au village, commenta Anne.

— C'est comme ça entre nous trois, chez l'une ou chez l'autre, on se sent aussi à l'aise que si on était chez soi.

— C'est la même chose avec mes sœurs, ajouta Mireille. Pas à cause de notre lien familial. Mais parce qu'on sait que notre territoire sera respecté.

— Là, tu mets le doigt sur quelque chose d'important, poursuivit Esther, la confiance. Pour ma part, c'est la base de toute vraie amitié. Confiance et respect.

Anne écoutait les sages paroles de ses compagnes tout en observant la circulation chez les voisins : plusieurs recevaient des visiteurs pour la fin de semaine, sans doute la plus animée avec la Foire. Bientôt, les résidences d'été retourneraient en état d'hibernation et cette rue deviendrait déserte et silencieuse. La jeune femme appréhendait ce moment. Alain et Florence repartiraient à Longueuil, Sylvie à Québec. Marthe Simoneau également, même si elle ne lui manquerait pas. Mais il y avait Agathe qui habitait à l'autre bout de la municipalité, Josée et Sébastien qui seraient plus libres en dehors de la saison touristique. Et puis Anne commençait à développer des liens avec quelques collègues de chez TANGAR, plus que de simples relations de travail. Quelques activités se dessinaient pour occuper ses temps libres: sorties de marche en montagne durant l'automne, en raquettes ou ski de randonnée quand la neige serait venue. Josée formait un groupe pour un dîner dans la cabane du boisé de l'écurie où il fallait se rendre en carriole. Agathe avait parlé de la Bougeotte, une bande qui s'amusait en faisant de l'exercice. Une belle occasion de connaître des gens, avait précisé son amie. Pour l'instant, Anne souhaitait goûter pleinement ce week-end, et le premier séjour de sa mère dans sa maison.

* * *

La minuscule pièce transformée en boudoir recevait sa première invitée pour la nuit. La petite maison d'Anne ressemblait à un cocon de bien-être, chaleureuse, conviviale, au goût sobre, en accord avec la nature et le virage obligé de sa fille. Ensemble, elles avaient préparé le souper en riant, puis mangé en se livrant leurs pensées comme des adolescentes.

— Tu sais ce qui me tenterait? dit Mireille.

— Non, mais je sens que je vais l'apprendre.

— À la Société d'horticulture, j'ai appris que l'ITA de Saint-Hyacinthe offre une brève formation horticole aux retraités, ce qui donne la possibilité d'un emploi saisonnier dans les jardineries.

— Travailler à la retraite? fit Anne surprise.

— Pourquoi pas? J'y vois l'occasion d'accorder plus de place à ce qui est un loisir. Et puis, cette passion m'a permis de faire des voyages et de rencontrer des gens intéressants. J'aimerais que ça se poursuive. On ne sait jamais?

— Qu'est-ce que tu veux dire? dit Anne d'un air taquin.

— Tu sais, la solitude ne m'a jamais pesé, mais à la retraite, j'ai peur de m'encroûter dans les habitudes. Je vois cette période comme un virage. Je me demande si j'ai envie de continuer à vivre à Lévis, j'aimerais mieux un milieu plus petit. Et puis, parfois je me surprends à rêver que je rencontre un compagnon pour partager des moments de complicité ou certaines activités, mais pas le quotidien.

Anne déposa ses ustensiles. Les confidences de sa mère l'émouvaient. Elle mit sa main sur le bras de Mireille avant de poursuivre:

— Tu sais maman, je ne cesse de découvrir des facettes de toi. Même au seuil de la soixantaine, tu nourris des rêves.

Un moment de silence s'écoula, Anne entendait le son des vagues qui parvenait de la fenêtre ouverte. Elle poursuivit:

— Tu sais, moi aussi j'ai rêvé, mais depuis ce rêve de jeunesse réalisé, je n'en ai pas nourri d'autres. J'étais centrée sur la réussite, étourdie par ma vie exaltante. Maintenant, je ne suis pas certaine de vouloir rêver à nouveau. Un cul-de-sac, voilà où ont abouti mes rêveries d'adolescente.

— Il y a une nuance, Anne, dit Mireille. Il est bon de s'évader parfois dans les rêveries, ça nous permet de voyager dans l'imaginaire, de nous éloigner temporairement des moments difficiles du quotidien. La rêverie est illusoire, c'est un peu comme une chimère.

On ne bâtit pas sa vie uniquement de rêveries. Mais un rêve, c'est un but, né du désir de quelque chose. La rêverie, ça demeure abstrait. Le rêve, si on en prend soin régulièrement par des actions concrètes, il finit par se matérialiser.

— Où as-tu pêché toutes ces réflexions ?

— J'ai peut-être juste un secondaire comme scolarité, répondit Mireille, mais j'ai toujours lu, et pas seulement des romans. J'aime apprendre. J'ai assisté à quelques conférences grand public de l'Université Laval, il y en a quelques-unes auxquelles j'aurais souhaité participer, mais avec mon horaire de soir… Je compte bien me reprendre.

— J'admire la personne que tu es, maman, dit Anne avec émotion.

— Tu sais ma chouette, je te regarde aller depuis quelques semaines et je me vois beaucoup en toi. Tu rebondis, un peu comme j'ai dû le faire après la mort de ton père. Tu as rebâti ton monde à partir des moyens dont tu disposais, de tes ressources personnelles comme ta débrouillardise, ta volonté, ton sens pratique et… tes nouvelles ressources financières.

Anne savait que sa mère avait raison, Mireille avait toujours eu raison parce que c'était une femme sage, respectueuse, qui choisissait le bon moment pour exprimer le fond de sa pensée. Après le repas, elles allèrent se promener sur la plage presque désertée. Le soleil déclinait derrière les montagnes, un peu plus tôt chaque jour, l'automne prendrait bien vite la place de l'été.

Le lendemain, au grand ravissement de sa mère, Anne s'était procuré des billets pour l'excursion à la Grosse Île. Même le trajet en bateau devint une vraie page d'histoire. Le capitaine fit le récit de la vocation de quelques-unes des îles de l'archipel, laissant les passagers découvrir Grosse Île durant leur visite guidée. Au retour, le fils raconta l'histoire d'amour de ses grands-parents, qui habitaient sur une des îles de l'archipel. De vrais conteurs, ce père et son fils.

Du fleuve, Anne apercevait le secteur est du village. Elle discernait de minuscules têtes d'épingle qui bougeaient sur la plage, elle distinguait les chalets de la rue de l'Anse, la belle tache jaune du restaurant, ombragé par les grands frênes. Bercée par le roulis de l'embarcation, elle contemplait en silence. Comme elle était privilégiée !

Heureusement qu'elles avaient réservé au restaurant de La Grève. La journée radieuse et la Foire des Arts avaient attiré les citadins. Attablées près d'une fenêtre, Anne respirait de sérénité et de joie à écouter sa mère s'enthousiasmer sur toutes les découvertes et les agréables moments de la fin de semaine.

Chapitre 20

Un soir de la fin septembre, Anne leva la tête de son magazine : ce qu'elle apercevait la laissa stupéfaite. Un lustre géant glissait sur le fleuve. Un immense bateau de croisière se dirigeait doucement vers l'est, blanc sur un bleu profond, toutes fenêtres éclairées dans le crépuscule naissant. Magnifique spectacle ! Deux jours plus tard, un autre géant filait vers le large. Au bureau, Thérèse lui avait remis l'horaire des arrivées et des départs de ces majestueux paquebots du port de Québec. Un matin, elle s'était levée à l'aube pour observer le passage du plus gigantesque d'entre eux. Un moment magique ! À cinq heures trente, elle l'aperçut dépassant la Pointe Verte. Juste au-dessus du navire, suspendue comme une ampoule, une immense lune brillante et ronde descendait doucement derrière les montagnes en virant graduellement à l'orangé. Anne souhaita qu'il y ait des passagers à bord, installés sur les ponts pour contempler, tout comme elle, cette rencontre de deux majestés : le grand navire au nom royal et ce coucher de lune miroitant.

* * *

Un samedi d'octobre, Anne préparait une paella pour un souper entre filles avec Jacinthe Labrie et deux collègues de chez TANGAR. Elle décortiquait les crevettes quand le téléphone sonna. Elle souhaitait que personne ne se désiste. C'était Ingrid.

— Oh ! Ingrid, contente de ton appel. Serais-tu dans le coin ?

— Non ! Écoute, le frère de mon père m'a téléphoné. Il y a une messe pour souligner l'anniversaire du décès de David. Avec une réception après. Quelqu'un t'a informée ?

— Penses-tu ? Ingrid, je ne veux pas de contact avec tes parents.

Ses yeux s'embuèrent, une grande tristesse la submergea. Elle savait que cette date fatidique approchait tout en se sentant dépossédée des rituels qui aident à panser les plaies et à tourner la page. Ces derniers jours, elle se demandait comment s'inventer un cérémonial. L'appel d'Ingrid réveillait une mélancolie redoutée.

— Anne, si on y allait ensemble ? Comme toi, je n'ai pas envie de faire face à mes parents. David t'adorait, tu as vraiment compté pour lui. Je pense que ton absence pourrait contribuer à effacer complètement cela... aux yeux de ma mère. Ne lui donne pas cette victoire. Voici ce que je propose.

Anne écouta attentivement et acquiesça à la requête d'Ingrid. Sans le savoir, cette dernière lui offrait une réponse aux questions qui la tourmentaient.

Et si sa vengeance, c'était autre chose que de vouloir du mal, gratuitement, par pure méchanceté ? Mais plutôt démontrer que Ruth n'avait pas réussi à l'anéantir ?

Trois semaines plus tard, Anne rejoignait sa belle-sœur dans une auberge au cœur de la nature des Basses-Laurentides. Elles passèrent le week-end dans le calme. Le samedi après-midi, elles se rendirent à l'église de Morin-Heights, prenant discrètement place dans l'allée de droite. Anne revit le visage froid de Ruth, celui impassible de Jean-Guy. Dans l'assemblée, elle reconnut plusieurs employés de Lampron, des voisins, des relations d'affaires, des gens du village. Les deux jeunes femmes, à la tenue très sobre, passèrent presque inaperçues aux yeux de ceux qu'elles avaient fréquentés. Le frère de Jean-Guy qui avait contacté Ingrid les salua d'un hochement de tête.

Au moment de la communion, elles avancèrent vers le luminaire à lampions. Lentement, Anne en alluma trois, symbolisant l'esprit, l'âme et les souvenirs, ce qui vivait toujours de David. Puis, Ingrid répéta les mêmes gestes. Elles se signèrent et faisant face à la foule en se tenant par le bras, elles tournèrent le regard vers les parents de celui dont on honorait la mémoire, puis elles marchèrent vers la sortie. Après un arrêt au cimetière, elles retournèrent à l'auberge.

De la dizaine de personnes qui avaient fait escale sur la stèle de David avant de se rendre à la réception, tous avaient pu lire les messages sur les deux gerbes déposées.

Mon amour, je t'ai tellement aimé. Anne. Le carton reposait entre les tiges de l'immense masse de roses couleur crème.

Sur un magnifique bouquet de fleurs automnales, une affichette tenait sur la feuille d'une quenouille et disait : *Mon frère adoré, tu me manques tant ! Ta petite sœur.*

Ruth Lampron aurait voulu piétiner les roses. L'orgueil blessé, le cœur en furie, elle avait échoué à maintenir cette Anne à l'écart. Non seulement elle avait envoûté son fils, elle avait aussi pris possession de sa fille.

À ses côtés, Jean-Guy se réjouissait intérieurement de la présence d'Anne et de sa fille. Il aurait seulement aimé pouvoir leur parler un peu pour qu'elles sentent qu'elles comptaient encore pour lui.

Anne revint à Berthier avec le sentiment que l'esprit de David l'avait inondée d'un grand sentiment de paix.

* * *

Des volets recouvraient les fenêtres de la plupart des chalets. Les feuilles avaient pris leurs teintes de feu. Des voiliers parmi lesquels des bernaches du Canada et des oies des neiges traversaient à nouveau le ciel, brisant le silence de leurs caquètements. Ils volaient parfois si près du sol qu'Anne pouvait entendre le battement de leurs ailes. À d'autres moments, de grands amas blancs flottaient sur les berges, là où la marée descendante dégageait les herbes dont les volatiles se nourrissaient avant de poursuivre leur voyage. La jeune femme les observait inlassablement en évitant de penser à l'isolement de sa petite maison, en retrait du village. Comme ces oiseaux en mouvement, Sylvie, Florence, Alain et Marthe Simoneau migraient à la ville pour la saison froide.

La pleine lune d'octobre laissa un tout autre souvenir dans son cœur. Anne avait entendu parler de grandes marées d'automne, mais jamais elle n'aurait cru voir un tel spectacle. Un jour, le fleuve avait recouvert en entier la grande plage. À certains endroits, les vagues passaient par-dessus les murets qui bordaient les chalets, parsemant les terrains de débris. Elle connut des nuits d'insomnie, le vent soufflait tellement fort qu'elle craignait que le toit s'envole. Revenant du travail une fin d'après-midi, elle fut horrifiée d'apercevoir les lames lécher les grandes fenêtres. Le bruit assourdissant lui rappelait son arrivée le printemps dernier, alors que la nature était tout aussi déchaînée. Figée par ce spectacle, elle resta pétrifiée dans la berceuse, longtemps après que la noirceur fut tombée. Peu à peu, son inquiétude s'estompa. Les fenêtres résistaient à l'assaut des vagues, le toit tenait le coup sous l'emprise du vent. Sa maison était robuste, à l'instar de sa nouvelle propriétaire. Anne avait réussi à traverser la tempête déferlante qui s'était abattue dans sa vie l'année précédente. Maintenant, elle se trouvait solide et à l'abri. Graduellement, le calme la submergea.

Le jour suivant, un mot de Sylvie l'attendait sur sa messagerie vocale au retour du travail. «Je pourrais te procurer du bois pour ton foyer, fais-moi signe.» Intriguée, Anne l'appela aussitôt et apprit que l'un des gros érables près du chalet était tombé, déraciné. Quelqu'un de la municipalité avait téléphoné à la dame propriétaire, et celle-ci avait sollicité Sylvie pour qu'elle constate les dégâts et dispose du bois à sa guise. Son amie précisait qu'elle viendrait à Berthier pour le week-end, elle avait contacté un voisin qui débiterait l'arbre.

— Il doit y avoir un ange qui veille sur ce chalet, fit Sylvie. Quelques bouts de branches seraient appuyés dans les fenêtres, mais rien ne serait brisé, d'après ce qu'on m'a dit. Imagine si l'arbre était tombé sur le bâtiment, il serait foutu.

— Viens t'installer ici, proposa Anne.

— Merci de me l'offrir. J'arriverai vendredi en soirée pour profiter de la journée complète de samedi, on annonce de la flotte dimanche.

— Je t'attendrai pour souper, on ira chercher une pizza à côté quand tu arriveras.

Dès qu'elle raccrocha, elle fila au chalet de Sylvie. Vraiment, il s'en était fallu de peu. La chute du géant avait épargné l'habitation, mais la table à pique-nique recouverte d'une bâche pour l'hiver n'avait pas supporté le poids. Pourtant, l'arbre ne montrait aucun signe de vulnérabilité. Seulement, il n'était pas le seul fauché par le vent. Au bout de la rue, un tronc obstruait la voie et des employés municipaux s'affairaient à dégager le passage avec une scie mécanique. Le toit d'une remise était en piteux état et une clôture de perche était brisée ; par contre, tous les chalets semblaient intacts. Des marcheurs se désolaient des dégâts. Un vieil homme raconta que la pluie abondante des derniers jours avait sans doute imbibé le sol, de sorte que les racines n'avaient plus l'emprise suffisante pour s'agripper dans la terre. Aucun arbre n'était cassé, ils étaient tous déracinés. Anne observait le géant au tronc droit. En partant, elle prit la direction de l'atelier de Thomas Lavoie pour lui exposer son idée. Oui, il pourrait transformer ce tronc et ne soufflerait mot de son projet à Sylvie.

Tôt le samedi, huit arbres furent débités ; le bruit des scies mécaniques envahit la rue de l'Anse. Les propriétaires des chalets avaient loué une déchiqueteuse pour les petites branches. Les débris empilés dans le parc voisin serviraient de paillis le printemps suivant. Peu avant midi, Anne et Sylvie laissèrent Thomas Lavoie et son aide poursuivre leur tâche. Sitôt qu'elles furent éloignées, les deux hommes embarquèrent la plus belle partie du tronc dans la remorque pour la transporter dans une scierie de Saint-François. Les travailleurs avalèrent leurs sandwiches durant le trajet. À leur retour,

Anne et Sylvie servirent des biscuits moelleux tout juste sortis du four, pour accompagner le thermos de thé. Thomas Lavoie échangea un clin d'œil avec Anne, Sylvie ne vit rien.

Chez Anne, le terrain était nivelé et l'aire de stationnement refaite avec un accès plus facile à la rue. Elle était enchantée du résultat. La pelouse était réparée et une largeur de terre bordant la maison serait transformée en plate-bande au printemps suivant. Entre cet espace et le muret, elle trouva l'emplacement idéal pour corder le bois. Elle n'aurait qu'à déneiger les deux marches qui s'ouvraient dans le mur de pierres pour saisir les bûches. Sylvie ne remarqua nullement que son arbre aurait dû fournir davantage de bois.

* * *

La première bordée de la saison couvrit le sol au début de décembre. Ce dimanche-là, Anne avait l'intention de lire toute la journée. Mais les gros flocons qui tombaient étaient si invitants qu'elle partit vers le village en passant par le bord du fleuve. Les conifères étaient lourds de neige d'une blancheur immaculée et scintillante, le ciel s'habillait d'un bleu pervenche. Elle aimait particulièrement cette impression d'immensité. Du bout du quai, en regardant à l'ouest, elle devinait la pointe de l'Île d'Orléans. Sans bouger, juste en tournant la tête dans la direction opposée, elle voyait à peine l'archipel des îles de Montmagny perdues dans le fleuve. À travers les arbres dénudés, elle distinguait l'arrière des chalets de la rue des Peupliers. Un voile blanc cachait les montagnes de l'autre côté de la rive. Elle se rendit à l'épicerie en longeant l'église, d'où elle entendit des voix et elle entra. Du jubé, la chorale entonnait des cantiques de

Noël. Elle s'installa sur le dernier banc, à l'abri des regards. En écoutant ces chants, elle pensa à la messe de minuit. « Quels sont les projets de maman pour Noël ? »

Anne avait ensuite marché pendant plus de deux heures. Rentrée chez elle, en tenue de détente, elle s'installa dans la véranda avec un livre et un chocolat chaud. À tout instant, elle levait les yeux, fixant cette ouate qui tombait toujours doucement. Elle n'arrivait pas à se concentrer sur la lecture de son roman policier. Comme si la fébrilité engendrée par l'histoire s'opposait à la quiétude de la valse des flocons et à la pureté du paysage. Elle déposa son polar et gravit l'escalier pour aller chercher le petit bouquin qu'elle conservait en permanence dans le tiroir de sa table de chevet. Elle revint se caler dans le fauteuil et ouvrit une page au hasard. Elle avait lu et relu cet ouvrage. Plusieurs passages étaient surlignés.

« *Car la beauté ne s'épanouit que si elle est entourée d'espace.* »

Voilà ce qu'elle avait éprouvé tout à l'heure près du quai en regardant l'immensité. Comme les mots de ce livre arrivaient à dire exactement ce qu'elle ressentait ! Jamais une lecture n'avait traduit si justement des moments de son existence. Cet ouvrage qui l'accompagnait depuis qu'elle l'avait trouvé mettait littéralement en mots ses impressions et ses visions d'avenir ; un peu comme son nouveau mode de vie.

« *Une vie simple, pour garder conscience de sa vie. Un équilibre entre la vie physique, la vie intellectuelle et la vie spirituelle.* »

C'était son souhait maintenant, une existence simple, sans artifice. Un samedi, en visite chez sa mère, elle fut surprise de constater à quel point elle s'était facilement débarrassée de la plupart de ses vêtements ramenés de l'entrepôt.

Finalement, elle était plus à l'aise dans ses nouvelles tenues. Les quelques vêtements conservés étaient classiques et pratiques. Le confort prévalait sur la « griffe ». La sonnerie du téléphone mit fin à ses pensées.

— Anne, c'est Félix. J'suis à Montmagny. Je peux arrêter te voir en passant ?

Anne le trouvait calme, presque chaleureux. Elle ne l'avait pas revu depuis son arrêt au retour de Rivière-du-Loup.

— Je t'ai dit que tu pouvais venir quand tu veux si…

— Je sais, coupa-t-il, j'aimerais te parler de quelque chose avant d'en parler à maman.

— Je t'attends et... je peux te garder à souper ?

— D'accord, merci.

L'appel de son frère l'intriguait. Elle sortit une lasagne du congélateur et prépara une salade. Pour terminer, elle servirait de la confiture de vieux garçon, un présent d'Agathe. Ce dessert convenait tout à fait à Félix. Au moment où elle accrochait son tablier, on frappa à la porte.

Félix faisait figure de livreur avec un emballage papier dans les mains.

— Voilà pour toi, dit-il. Avec toute la lumière qu'il y a ici, cette plante devrait être heureuse.

— Merci, répondit Anne. Allez, entre, j'aime la neige, mais pas à l'intérieur.

Quand il eut suspendu son manteau et enlevé ses bottes, Félix promena son regard autour de lui pendant qu'Anne retirait l'emballage. Elle procédait doucement de peur d'abîmer le feuillage.

— C'est magnifique, Félix, s'exclama Anne en déposant le cyclamen sur le dessus de la bibliothèque aménagée sous les fenêtres de la salle à manger.

Une profusion de bourgeons s'élançaient du centre de la plante, Anne pouvait voir que les fleurs seraient rouge framboise et sans doute écloses pour la période des Fêtes.

— Le premier élément d'un décor de Noël. Ça me touche beaucoup, dit Anne en plongeant les yeux dans ceux de son frère. Au fait, qu'est-ce que tu fais d'habitude durant ce temps de l'année ?

— Je dois travailler une des deux fêtes. J'amène maman à la messe de minuit. Elle y tient. Puis on fait un petit réveillon et on échange un cadeau.

— Elle ne va pas chez ses sœurs ?

— Au fil des années, les traditions ont changé un peu. On y va le 31 décembre pour le souper de la Saint-Sylvestre, avec une veillée de jeux et de danse en attendant de sauter la nouvelle année. Tous les cousins sont là avec leurs familles. On est plus d'une soixantaine de personnes et ça se passe dans la salle communautaire du village. Chacun contribue au repas. Le soir du jour de l'An, j'emmène maman au restaurant. Ça fait plusieurs années qu'on fait comme ça.

En écoutant son frère, Anne réalisait qu'elle connaissait peu les habitudes et les traditions de sa famille tant elle s'était distanciée d'eux. Elle s'interrogeait sur les raisons qui rendaient Félix si collé à sa mère. C'était pourtant un homme attrayant, quoique personnellement, elle l'aurait trouvé ennuyeux. « Avait-il déjà eu une femme dans sa vie ? se questionna-t-elle. À moins que… » Comme elle connaissait peu ce frère ! Un état de tension avait toujours existé entre eux, et inconsciemment, elle avait préféré ignorer ses projets, ses rêves ou ses loisirs. En avait-il seulement ?

— Mais cette année, reprit Félix quelque peu hésitant, les habitudes risquent de changer.

— Parce que je suis revenue dans le décor ? questionna Anne, un peu sur le qui-vive.

— C'est sûr, tu es là maintenant, poursuivit Félix, mais il y a autre chose et c'est de cela que je voulais te parler.

— Oh ! dit Anne. Si c'est un sujet délicat, on mange et on en discute après, sinon, on peut passer à table.

— En réalité, c'est une bonne nouvelle. Ce qui est délicat, c'est que je ne sais pas trop comment présenter la chose à maman.

— Est-ce que ça me concerne ? demanda Anne.

— Pas du tout, c'est... qu'il y a du nouveau dans ma vie.

— Une bonne nouvelle... dans ta vie..., répétait Anne d'un ton rieur.

Une voix réjouie sans trace de moquerie ; son frère le sentit. Anne lui donna les napperons et sortit les couverts.

— Allez, dit-elle, on passe à table et... tu te mets à table.

Félix s'esclaffa, laissant échapper une partie de la tension qui le tenaillait. La jeune femme ne gardait aucun souvenir de rires complices avec son frère, et elle en ressentit une immense joie.

Le vent commençait à souffler, Anne introduisit un disque dans le lecteur pour que la musique enveloppe leur conversation.

— Quand je suis allé en formation à Rivière-du-Loup, j'ai rencontré une infirmière. Elle rend souvent visite à sa sœur jumelle qui habite Québec. Je l'ai revue trois fois. On s'envoie des courriels tous les jours.

— Alors, c'est sérieux ? avança Anne.

— Oh ! oui, elle travaille à l'hôpital de Maria, en Gaspésie. Elle m'a fait savoir qu'on recrutait du personnel pour leur laboratoire. J'ai posté mon curriculum vitæ et je reviens d'une entrevue. J'espère bien être embauché.

— De plus en plus sérieux ! fit Anne. Je peux savoir son nom ?

— Sabrina, dit Félix, de la tendresse dans la voix. J'ai rencontré ses parents, ses deux frères et sa jeune sœur trisomique qui vivent tous à Maria. Sa jumelle est mariée à un professeur de l'Université Laval. Elle est aussi infirmière. En ce moment, elle est en congé de maternité.

— Je suis heureuse pour toi Félix, sincèrement, très heureuse !

— Anne, j'ai eu des blondes, mais jamais je n'ai eu envie de faire vie commune et encore moins de m'engager. Jamais je n'ai pensé que je partirais de Lévis et là, je souhaite très fort aller travailler dans cet hôpital. Et... et je n'aurais jamais imaginé que je parlerais de mon dilemme avec toi.

— Mais quel dilemme ? s'exclama Anne. Ce que tu me racontes est une merveilleuse nouvelle. Tu n'as pas vu les éclairs qui scintillent dans tes yeux. Tu es amoureux, mon frère, goûte ça sans t'inquiéter. C'est le changement de milieu de travail qui te turlupine ?

— Non, c'est la réaction de maman.

Anne demeura bouche bée. Félix se tourmentait pour la réaction de Mireille. Vraiment, il la sous-évaluait. Il la percevait comme un être fragile et se donnait pour mission de rester près d'elle afin de l'aider et de la protéger.

— Et comment tu crois qu'elle réagira? demanda Anne tout en douceur.

— Je ne sais pas trop. Je pense qu'elle va être démunie et se sentir abandonnée. J'ai peur de la décevoir.

— Félix, est-ce que je peux me permettre de te dire que tu connais peu maman, du moins son côté émotif? Depuis que je suis revenue, je ne cesse de la découvrir. C'est une femme forte, elle sait ce qu'elle veut et possède un solide réseau d'amies, elle nourrit des rêves. Je la trouve admirable. Malgré mon attitude ignoble des dernières années, je n'ai jamais senti de jugement de sa part. Je lui ai causé de la peine et tu ne peux pas t'imaginer à quel point je m'en veux d'avoir été si superficielle. Cependant, une chose ne fait aucun doute pour moi : maman nous aime et souhaite notre bonheur. Elle ne pourra que se réjouir de ce qui t'arrive. Ça, j'en suis certaine.

— Mais si je pars, je vendrai mon jumelé ; qui s'occupera de son déneigement et de son gazon… ?

— Arrête, Félix, maman est une grande fille, sa capacité à trouver des solutions et à s'organiser ne m'inquiète pas.

— Je sais, tu es là maintenant, mais s'il te prenait l'envie de repartir dans ton monde de grandeur ?

Anne éleva la main, lui signifiant de ne pas entrer dans cette zone de discussion. Elle se leva en rapportant les assiettes vides sur le comptoir de la cuisine.

— Thé ou café ? demanda-t-elle.

— Excuse-moi Anne, je… je ne voulais pas te blesser. Je pense que tu as eu ta leçon.

— Oh ! Oui. Mais moi je pense que tu t'inquiètes beaucoup pour maman. Annonce-lui ta nouvelle et je suis certaine qu'elle sera enchantée. Après on verra, on s'ajustera. On est ses enfants, mais des adultes, non ? On est ensemble maintenant. Tu peux lui parler en tête à tête ou on peut prévoir un souper en famille si tu souhaites ma présence. Mais peu importe, ne tarde pas trop parce que ta crainte de sa réaction te tracasse et risque de faire ombrage à ton bonheur.

— Et... peu importe ce qui arrive pour mon travail, cette année je pensais me rendre à Maria pour Noël.

— Vas-y, dit Anne tendrement en lui touchant le bras. Vas-y et profite de ton séjour. Moi, je passerai Noël avec maman, je peux même assister à la messe de minuit.

Anne servit les fruits dans l'alcool avec des sablés. Elle était heureuse de ce moment avec son frère et lui en fit part. Leur famille devenait solidaire, elle savait que ce serait le plus beau des cadeaux à offrir à Mireille.

Le lendemain, Félix se pointa chez Mireille vers onze heures. Il affirma d'un ton assuré qu'il la kidnappait pour le lunch. D'un air enjoué, il avait ajouté vouloir lui apprendre une grande nouvelle. La veille, Anne avait précisé que les bonnes nouvelles s'annoncent avec enthousiasme. Elle avait raison, Mireille avait serré son fils dans ses bras, lui souhaitant beaucoup de bonheur tout en exprimant sa hâte de connaître Sabrina.

Mireille ne dit pas à Félix que cette nouvelle l'aiderait à préciser ses projets de retraite. L'année qui se terminait avait réuni sa famille et l'avenir offrait plus d'espoir qu'elle en rêvait. Certes, il y aurait la distance géographique, mais quand les gens comptent vraiment, les distances n'ont pas d'importance.

Félix obtint le poste à l'hôpital de Maria. Il profita du congé de Noël pour louer une maison avec option d'achat.

* * *

Pour Noël, Anne proposa à Mireille un séjour dans Charlevoix. Cette suggestion la combla. « À condition qu'on aille à la messe de minuit et que notre séjour soit dans un endroit chaleureux et champêtre plutôt que clinquant », avait-elle répondu.

— T'inquiète pas, l'avait rassurée Anne. La sœur d'une collègue de travail gère une petite auberge à Saint-Irénée, un endroit paisible et sans prétention.

Le temps des Fêtes arriva rapidement. Anne et sa mère se retrouvèrent dans un village enneigé. Habituée à servir des clients, Mireille savourait toujours avec une grande joie de se trouver de l'autre côté de la clôture. L'auberge était vieillotte et charmante. Le couvert de neige leur avait permis d'agréables randonnées en raquettes au cœur d'une forêt majestueuse habitée de conifères parés de brillance. Une fin d'après-midi, Esther les avait rejointes au Manoir Richelieu. Depuis l'été, Mireille échangeait des courriels avec cette dernière. Elles avaient patiné sous les réverbères au son des airs de Strauss. Mireille avait suggéré une visite au casino avant de repartir. « Pas pour jouer, juste pour voir », avait-elle précisé. Sa requête avait surpris Anne. Prétextant une fatigue soudaine, elle avait préféré les attendre dans le hall. Cet endroit lui rappelait toute l'avidité et la superficialité de sa vie précédente. Esther habitait Charlevoix depuis un peu plus de deux ans, c'était sa première incursion dans ces salles bondées et cacophoniques. Les deux femmes avaient contourné des tables de jeu avec l'impression d'atterrir dans un film. L'endroit était feutré et dégageait un grand sérieux. Cependant, les tenues étaient beaucoup moins élégantes que ce à quoi elles s'attentaient. Elles descendirent dans l'espace réservé aux machines à sous. Cette fois, le bruit devenait assourdissant.

— Tu veux essayer ? avait presque hurlé Esther.

— Je préfère une partie de Scrabble à ça, mais on pourrait juste jouer les vingt-cinq sous qu'on a sur nous.

Leur monnaie dans les poches, elles circulaient dans les allées, cherchant une machine libre. Mireille s'installa et glissa, sans succès, les cinq pièces sorties de sa réserve. Esther prit place et inséra à son tour sa monnaie dans les mêmes fentes. Le cinquième et dernier vingt-cinq sous fit résonner l'appareil qui régurgita un lot de pièces dont elles remplirent leurs sacs à main avant de quitter les lieux.

— Ouf ! s'exclama Esther, je ne passerais pas des heures dans ce tintamarre, même si j'ai eu de la chance.

— La chance du débutant, dit Mireille. Moi non plus, ce genre d'endroit m'attire peu. Tu as vu ces gens rivés à leur machine. Plus rien n'existe autour d'eux, ils sont dans une bulle, hypnotisés, les mâchoires serrées et les yeux accrochés aux dessins qui défilent. Je trouve ça pathétique.

— Je n'en reviens pas du nombre de gens âgés, reprit Esther. Au fond, je préfère pouvoir m'offrir des petites gâteries plutôt que de me retrouver avec une somme fabuleuse qui bouleverserait ma vie.

— C'est vrai, si on possède assez d'argent pour ne pas se soucier des fins de mois et qu'on peut gâter ses proches, c'est suffisant, ajouta Mireille. Je ne crois pas que l'opulence apporte plus de bonheur.

Elles avaient rejoint Anne qui examinait des prospectus touristiques.

— Quoi ! dit-elle surprise. Tu as gagné et tu n'as même pas compté le montant.

— Et où j'aurais pu le faire ? répondit Esther en riant. En déplaçant les gens assis à une table de poker ? Venez, on va manger et je serai plus à l'aise pour calculer le nombre de pièces qui alourdissent ma bourse et sûrement celle de Mireille.

Esther les avait invitées chez elle pour leur dernier souper dans la région. Son mari avait préparé de la raclette, dressé les couverts et sorti une sélection de musique pour la soirée. En prenant un verre de vin chaud, elles comptèrent l'argent. Il y en avait pour cinquante-trois dollars.

— Pas mal pour un investissement de 1,25 $, dit Esther. Mais je n'ai pas davantage le goût de fréquenter le casino.

L'homme de la maison avait reconduit Anne et Mireille au Manoir pour qu'elles récupèrent leur voiture. Mireille était littéralement tombée amoureuse de la région. L'immensité et la beauté des paysages, le calme et la quiétude de l'auberge, la convivialité, tout cela l'avait charmée. Et, à sa grande surprise, la chorale entendue à la messe de minuit avait émerveillé Anne. « Quelle soirée mémorable ! » s'était-elle dit.

* * *

L'hiver filait dans une blancheur immaculée, ponctué par quelques tempêtes. Anne se calfeutrait dans sa maison. Elle conservait des provisions au congélateur et une réserve de livres sur une étagère. À trois reprises, l'autoroute avait dû fermer entre Lévis et Montmagny. L'absence de visibilité et la force des rafales rendaient dangereuse toute circulation. Ces périodes d'isolement ne l'inquiétaient pas. À la première tempête, elle avait bravé les éléments pour aller au travail, après tout

Saint-François était tout près. Juste après le viaduc enjambant la 20, les champs cédaient la place au vent qui prenait son élan et brouillait complètement la vue. L'auto d'Anne avait dévié du chemin, s'enlisant dans un fossé. Emprisonnée dans l'habitacle, elle avait téléphoné au bureau pour prévenir de son retard. Un collègue du village s'était rendu à sa voiture en motoneige et l'avait conduite au siège social. Elle arriva transie de froid. Thérèse lui avait préparé un chocolat chaud et prêté des pantoufles de mouton, plus efficaces que des escarpins pour réchauffer des pieds gelés. Guillaume Tanguay avait fait un crochet à son bureau.

— De nos jours, avec les systèmes de radars, on le sait qu'une tempête s'amène. Vaut mieux des absences que des vies en danger. Aujourd'hui, ce n'est pas beau, mais il ne fait pas trop froid. Imagine s'il avait fait moins vingt, et avec le vent, c'est encore pire. Ou bien si tu avais oublié ton téléphone. Tu pourrais avancer certains dossiers de chez toi si tu veux. Prévois ça pour la prochaine tempête.

La neige s'accumulait et le vent avait hurlé jusqu'au milieu de la nuit. Ce soir-là, Anne avait dormi chez Thérèse qui habitait à trois maisons du bureau. Cette femme possédait certainement un équipement de survie pour toutes les occasions. Elle lui avait prêté un pyjama de flanelle et remis une brosse à dents.

— Dis donc, tu les achètes à la douzaine? avait demandé Anne en apercevant la boîte de réserve.

— Oui, avait répondu Thérèse en riant. Tu n'es pas la première que je dépanne dans une tempête. Et j'ai ce qu'il faut si t'as tes règles, ou si t'as mal à la tête, ou si tu veux te faire un shampoing.

— T'es vraiment spéciale, fit Anne abasourdie par la prévoyance de cette femme.

— Oh ! Tu sais, j'aime ça sortir de ma routine de temps en temps. Prends un bain ou une douche, ça va te réchauffer, parce qu'on peut pas dire que t'étais habillée pour les circonstances. Je prépare le souper, mais je t'avertis, c'est ma soirée de téléromans. Si ça te tente pas, j'ai des livres, des revues, un jeu de cartes si la patience t'intéresse, des cahiers de mots croisés et de sudoku.

— Merci pour tout, répondit Anne émue par toutes ces propositions.

Le lendemain, sa voiture avait été remorquée jusque chez elle. À partir de ce jour-là, Anne prit l'habitude de suivre les conditions météo de plus près.

Chapitre 21

Un vendredi de janvier, elle avait accompagné Jacinthe Labrie au bureau du médecin pour les premiers soins. Malencontreusement, Jacinthe avait renversé de l'eau bouillante sur sa main en préparant son thé habituel. Anne bavardait avec elle dans la cuisinette bistrot et eut le réflexe d'envelopper la brûlure dans un linge à vaisselle imbibé d'eau froide. Guillaume Tanguay lui avait demandé d'escorter Jacinthe chez le docteur pendant qu'il le prévenait de leur arrivée. La blessure était sérieuse. Quand elles entrèrent dans la salle d'attente du médecin, Anne fut saisie par ce qu'elle aperçut. Une table console près de la fenêtre attira son regard. À côté des habituels magazines, une profusion de géraniums fleurissait dans une vieille boîte à lunch. Quand la porte du cabinet s'ouvrit, elle croisa le regard du médecin qui offrait un lumineux sourire.

— Votre salle d'attente est très accueillante et... vraiment punchée, dit-elle.

— Merci, dit-il simplement.

Puis il désigna son bureau, les invitant à entrer et son attention se porta aussitôt sur la main de Jacinthe. Anne avait observé comment le médecin expliquait les précautions à prendre tout en enduisant les cloques d'une pommade antibiotique avant de la recouvrir d'un pansement. Il travaillait en douceur et avec méthode. Elle le trouvait d'une grande amabilité et d'une simplicité désarmante pour quelqu'un de sa profession. Certains médecins qu'elle connaissait étaient conscients que leur science dans le domaine de la santé leur octroyait une aura de divinité sur la vie des gens – l'autorité du savoir. Simon Laprise ne semblait pas de cette trempe. C'était un homme qui demeurait au niveau de l'autre, utilisant ses compétences non pour dominer, mais pour soulager et guérir avec humanité. Si Anne respectait la profession médicale, celui qui soignait Jacinthe avec bienveillance et gentillesse gagna son admiration indéfectible. Elle avait osé explorer son bureau à la recherche d'un quelconque objet personnel ou de photos, comme si elle cherchait des indices sur sa vie privée.

La semaine suivante, Anne se trouvait dans le bureau de sa collègue à discuter d'un dossier quand Jacinthe reçut un coup de fil du médecin : il s'enquérait de la condition de sa main. L'appel ne provenait pas d'une infirmière, ni d'une secrétaire, mais du Dr Simon Laprise lui-même. L'estime qu'Anne lui avait accordée s'enrichit de quelques étoiles.

La main de Jacinthe guérissait lentement, mais, comme elle était incapable de tenir ses bâtons de ski, sa blessure l'avait obligée à ranger ses skis pour un moment. Anne, de son côté, avait apprivoisé ce sport avec plaisir, grâce à sa collègue. Elle devenait une adepte fervente de ski de fond et se rendait seule sur les pistes. Elle aimait arpenter les sentiers d'un boisé non loin de sa maison, un terrain privé, entretenu par un bénévole où serpentaient des pistes de raquette et de ski de randonnée. C'était un endroit parsemé de gros conifères qui traversaient une érablière avec ses cabanes et quelques chalets, avec ses ponts rudimentaires qui franchissaient un ruisseau, sans oublier ce grand champ encerclé par la forêt et qu'elle longeait sur le chemin du retour. Les gens de la région et le « bouche à oreille » formaient le noyau qui fréquentait ce coin de paradis. La première fois qu'elle y croisa Simon Laprise, elle était étendue de tout son long après avoir perdu l'équilibre en dévalant la côte en courbe. Il l'avait aidée à se relever en s'assurant qu'elle n'avait rien de brisé tout en balayant la neige sur ses épaules. Sa maladresse la gênait, elle aurait plutôt aimé le rencontrer à nouveau dans des circonstances moins humiliantes. Ce tronçon des sentiers étant à sens unique, Simon l'avait suivie sur la piste. Elle avait eu de la difficulté à trouver un rythme régulier. Elle aurait préféré qu'il accepte sa proposition de prendre les devants pour adopter sa propre cadence. Au croisement des chemins, ils s'étaient arrêtés un moment.

— J'espère que je ne vous ai pas ralenti, dit Anne.

— Pas nécessaire de toujours aller à fond de train. En présence de quelqu'un, je préfère m'ajuster à son pas.

— Vous venez souvent ici ?

— Chaque fois que mon horaire et la météo le permettent. C'est ma première saison, je suis arrivé dans le coin l'été dernier. Au fait, je sais que vous travaillez chez TANGAR, mais j'ignore votre nom.

— Anne Savoie, répondit-elle en riant.

— Alors, au plaisir de vous croiser à nouveau, Anne Savoie. Ne restez pas trop longtemps immobile, vous allez devenir toute transie. Bonne fin de randonnée.

Anne avait observé Simon Laprise se remettre en mouvement dans les pistes, avec ses pas allongés, rapides et réguliers. Elle le suivit du regard jusqu'à ce qu'une courbe l'efface de son champ de vision. Puis, elle avait pris la direction opposée pour terminer les deux kilomètres restants.

« Quel homme charmant, autant en privé qu'au bureau ! Nouvellement arrivé lui aussi. D'où venait-il ? Était-il seul ? Avait-il choisi d'habiter cette région ? » Anne sprinta durant les derniers cinq cents mètres pour tenter de mettre fin à tous ces points d'interrogation.

Le week-end suivant, elle le rencontra à nouveau dans les sentiers. Elle rêvassait près du petit pont en terminant sa balade. Les branches qui surplombaient le ruisseau étaient lourdes de neige scintillante, elle entendait un bruit de cascade sous la glace et des oiseaux piaillaient. L'air vif et froid, l'effort de la randonnée et aussi le plaisir de cette magnifique journée lui rosissaient les joues. Alors qu'elle était perdue dans sa contemplation, des pas qui glissaient dans le sentier l'avaient ramenée dans la réalité. Il était apparu souriant, un nuage de vapeur s'échappant de ses lèvres.

— Vous commencez ou vous terminez ? avait-il demandé.

— J'ai fini le grand tour, c'est si beau ici, vous ne trouvez pas ?

— Oui, tout est si beau, avait-il répondu en soutenant son regard. La descente s'est bien passée ?

Anne ne décela aucune moquerie dans la question, seulement de l'intérêt. Elle fit simplement un signe de la tête.

— Ça vous dirait un chocolat chaud au restaurant? avait-il proposé.

Elle avait accepté. Après avoir installé les deux paires de skis sur le toit de sa voiture, Anne avait pris place sur le siège passager, et ils avaient parcouru le court trajet jusqu'au restaurant. Il savait où se trouvait sa petite maison et en avait déduit qu'elle se rendait à pied dans les sentiers. « Dans un village, il n'y a qu'à demander et on reçoit réponse à ses questions », avait-il candidement répondu à son air interrogateur.

— En réalité, dit Simon, c'est vous qui me l'avez indiqué.

— Ah ! Oui ? fit Anne surprise.

— Un jour, vous m'avez coupé la route en sortant du stationnement de chez TANGAR. Je me rendais à l'hôpital. Je n'ai eu qu'à vous suivre.

— Vous m'avez suivie ? ajouta Anne avec une pointe d'incrédulité.

— Pas vraiment, dit Simon en riant de sa réaction. C'est juste que votre maison se trouve sur la route que j'ai l'habitude de prendre pour me rendre à l'hôpital.

— Ah ! Bon ! Merci pour le chocolat chaud.

— Merci pour la compagnie, avait-il ajouté. Ça serait bien si on pouvait répéter ça de temps en temps.

Anne avait fixé son regard dans le sien et laissé planer quelques secondes avant de répondre.

— Oui, ça serait vraiment bien, j'en serais ravie.

Par la suite, ils avaient sillonné les pistes ensemble plusieurs fois. Un dimanche de février, la température était si parfaite qu'ils avaient complété le grand tour deux fois, un parcours de vingt kilomètres. Anne savourait avec plaisir ces rencontres avec Simon. Un agréable camarade, rempli d'attentions et de gentillesse.

Les questions s'étaient taries parce qu'il y répondait en toute simplicité.

Anne connaissait l'intérêt de Simon pour les chanteurs « à texte » québécois. Voulant lui faire une surprise, elle avait acheté une paire de billets pour le spectacle de Michel Rivard à Montmagny. Simon étant lié à des horaires semés d'imprévus et de contretemps, à trois jours d'avis, il n'avait pu se libérer.

—J'espère que tu ne crois pas que je te tourne le dos, avait-il dit. Les moments passés avec toi apportent un équilibre qui manquait à ma vie. Je connais mon horaire deux ou trois semaines à l'avance. Avec un peu de temps, je peux parfois m'entendre avec un autre médecin pour me libérer. C'est une contrainte, mais c'est la vie que j'ai choisie, Anne.

La déception avait fait escale dans son cœur. « Si je suis déçue, c'est qu'il commence à compter pour moi. Vaut mieux que j'apprenne à jongler avec ses horaires. Et puis, sa façon de dire mon prénom me bouleverse, on dirait qu'il y met une dose de tendresse. »

Toute en retenue, la belle camaraderie s'était lentement transformée en amitié. Avec un camarade, on partage une activité. Avec un ami, on livre un peu de soi.

Anne s'ouvrait à sa mère sur sentiments mitigés parce qu'elle pensait encore à David. Elle aurait souhaité un conseil, mais ce n'était pas dans la nature de Mireille de dire aux autres ce qui était le mieux. Sa mère lui avait simplement répondu :

— Qu'est-ce qui se passerait si tu soulevais un peu le pied de la pédale à frein des sentiments ?

Après cette discussion, Anne avait commencé à téléphoner à Simon. Un « bonjour », lui souhaitant un agréable week-end malgré les heures de travail, le titre d'un livre « coup de cœur » qu'elle pourrait lui prêter. Appels toujours brefs et concis, elle refusait de l'assommer de messages ou d'appels interminables. Elle espérait juste lui faire comprendre qu'il occupait parfois ses pensées. Le « parfois » devint « souvent ».

Cinéphile, Simon l'emmenait voir des films à Lévis. Un vendredi qu'il terminait ses visites à l'hôpital, Anne l'avait rejoint à Montmagny, ils avaient mangé au Manoir des Érables. Cet endroit l'intimidait. « C'est un lieu idéal pour un tête-à-tête, très feutré et intimiste. Quelle idée trotte dans l'esprit de Simon pour l'avoir choisi ? Ou plutôt, quel sentiment l'anime ? » se demandait-elle. Elle tentait de percer le fond de son cœur. En sa présence, elle était en confiance, cependant, elle n'arrivait pas à chasser une crainte qui se pointait : comment était sa famille ? Un voile de tristesse passa dans les yeux de Simon quand il relata le décès de ses parents survenu cinq ans plus tôt. Fauchés tous les deux dans une collision frontale avec un poids lourd. Son sourire réapparut lorsqu'il parla affectueusement de ses deux sœurs et de ses quatre neveux.

— Mes sœurs ont su reproduire le modèle d'harmonie familiale où nous avons grandi. On est une famille unie et complice. On prend toujours plaisir à se revoir.

À la fin de ce repas, elle avait proposé un souper chez elle pour le samedi suivant. Il avait accepté si cela pouvait se décaler d'une semaine, une garde à l'urgence. Anne avait décidé que seuls les gens chers à son cœur franchiraient le seuil de sa porte. Cet homme en faisait partie.

C'est ainsi qu'un samedi de mars, elle pétrissait du pain en vue de cette soirée. Agathe lui avait appris comment le confectionner. Elle adorait l'odeur de levain qui embaumait la maison, la senteur de la miche qui sortait du four et le beurre fondant qui coulait dans la mie d'une tranche encore tiède. Anne boulangeait les jours de tempête et quand elle recevait des visiteurs.

Elle avait déposé la boule de pâte dans un grand bol qu'elle recouvrit d'un linge humide quand la sonnerie de la porte résonna. « Sans doute Agathe qui vient me saluer en revenant de ses courses. » Elle s'essuya rapidement les mains avant d'ouvrir. Elle se figea devant l'apparition.

— Tu vas prendre froid, dit l'homme. Je peux entrer ou tu me mets à la porte ?

Devant le silence et l'immobilité de la jeune femme, il ajouta :

— Anne, ça va ?

— Oui, entrez, c'est l'effet de surprise. Si je m'attendais ! Que me vaut cette visite ?

— Tu peux m'accorder un peu de ton temps ?

— Pas trop, j'attends quelqu'un pour souper et j'ai à faire.

Elle prit son manteau et le laissa tomber sur la chaise près de la porte, signifiant ainsi que la rencontre devrait être brève. Elle fit passer Jean-Guy Lampron dans le salon. Il était venu à Québec pour affaires. C'est alors qu'il avait eu l'idée de se rendre à Berthier, car il avait besoin de vérifier si Anne reviendrait chez Lampron dans le cas où la situation familiale changerait.

Il s'arrêta un moment pour regarder le panorama par la fenêtre et examiner les lieux avant de prendre place dans le fauteuil de rotin que lui désignait Anne, un joli meuble, mais peu confortable.

— Tu vas bien ? demanda-t-il.

— Ça va.

— Tu as fait un petit bijou de ce chalet.

Tout comme au moment de son appel pour les références, Anne préférait ne donner aucune précision de sa situation, ne rien laisser transpirer de ses sentiments, de ses impressions ou de son mode de vie. Elle répondit simplement :

— Hum, hum…

Le silence s'installait, lourd de malaise, et elle n'avait pas l'intention de lui faciliter les choses. Elle ignorait l'objet de sa visite, mais il y avait sûrement une raison. C'était à lui de lui en faire part.

— J'imagine que tu as eu l'occasion de connaître un peu tes voisins.

— Hum, hum…

« S'il veut des nouvelles d'Alain et Florence, il n'a qu'à entrer en contact avec eux », pensait Anne.

— Ruth est malade.

— Vous m'en voyez désolée.

— Anne, on se tutoyait avant.

— Avant, oui. On n'est plus « avant » comme vous dites.

— Ruth est malade, on ne peut la guérir. Un cancer des ovaires.

« Pourquoi vient-il m'annoncer cela ? Je ne fais plus partie de leur monde et le sort de Ruth m'importe peu… », songea-t-elle. Il devait savoir que Ruth avait constamment cherché à l'écarter. Anne la rendait en partie responsable de la période si difficile traversée après le décès de David. La plus difficile de sa vie. Elle s'était battue pour éviter de sombrer dans un trou noir. Et toute seule, elle avait tenté de reconstruire son existence. Elle finit par dire :

— Sans doute que je prendrais cette nouvelle avec plus d'empathie si David vivait toujours, mais ce n'est pas le cas. Avec sa mort, je suis sortie de la vie des Lampron, bien malgré moi, et je ne veux plus y retourner.

Elle se leva, jetant un coup d'œil à sa montre. Jean-Guy Lampron comprit et en fit autant. Anne le trouvait vieilli, sa démarche traduisait un grand accablement, elle en eut pitié. Il n'avait plus de fils, sa fille le tenait à distance, sa sœur habitait dans l'Ouest canadien et son frère demeurait courtois pour faciliter le travail, mais l'attitude de Ruth avait fini par éteindre la chaleur des rapports familiaux. Anne réalisait que l'argent n'achetait pas l'amitié sincère, ni les liens de famille chaleureux et spontanés. Il aurait eu besoin qu'elle lui tende la main, c'était peut-être pour cette raison qu'il était venu. Mais elle refusait de franchir la barrière de l'intimité avec son ex-beau-père, c'était une question de fierté et d'autoprotection. Elle lui remit son manteau, lui souhaitant simplement « Bonne chance » en posant la main sur la poignée de porte. Il se tourna doucement vers elle.

— Tu reviendrais travailler chez Lampron ?

— Non merci, Lampron c'était avant. Je le répète, avant, c'est terminé pour moi.

Sitôt qu'il sortit sur la galerie, elle referma la porte. Discrètement, elle se glissa à la fenêtre pour le suivre du regard jusqu'à ce que l'Audi soit hors de vue. Cette visite l'avait abattue. Elle se sentait comme une jeune fille qui a répandu une grosse tache de ketchup sur sa robe de bal au moment où le garçon qui la fait rêver l'invite à danser. Elle en voulait à cet homme d'avoir fait intrusion dans sa vie, particulièrement durant cette journée. Prenait-il cette permission parce que cet endroit lui appartenait avant qu'il le lui ait légué? Non, c'était Ruth qui le lui avait donné et, Anne en était certaine, elle devait être ravie de pouvoir se débarrasser de cette bâtisse. Mais Jean-Guy Lampron avait abandonné tous ses souvenirs d'enfance dans ce lieu. Il s'était laissé déposséder comme un lapin à qui l'on enlève la peau aussi facilement qu'un vêtement. Pourtant les vêtements servent à protéger.

Jean-Guy Lampron n'avait pas obtenu la réponse qu'il souhaitait. Au fond, la réaction d'Anne ne le surprenait pas, il constatait simplement que la détermination de la jeune femme s'était transposée dans sa vie privée.

L'odeur du pain qui levait ramena Anne à ses préoccupations du moment: Simon arriverait dans peu de temps et cette visite la comblait de bonheur. Elle glissa un CD de Charlebois dans le lecteur, et instantanément sa bonne humeur revint. Vérifiant sa liste de choses à compléter, elle biffa quelques items et sortit les ingrédients pour préparer un veau marengo qui mijoterait doucement pendant qu'elle façonnerait la pâte en torsade avant de la cuire. La salade était prête, il suffirait d'ajouter la vinaigrette et de mélanger au moment de passer à table. Une mousse au chocolat noir et framboises de la pâtisserie de Saint-Vallier servie en dessert lui permettait de se consacrer aux autres aspects du repas et… de diminuer son état de fébrilité.

Charlebois se tut, le ragoût mijotait et le pain gonflait à nouveau. Elle prit le temps de se faire belle avant de procéder à la dernière étape de boulangerie. La table était dressée, des bougies allumées étaient disposées un peu partout et Diana Krall chantait quand la sonnette retentit. Anne ouvrit, le cœur palpitant. Une douce neige tombait et des flocons étoilés parsemaient les cheveux bruns aux tempes grisonnantes de Simon. Son sourire franc et chaleureux illuminait ses yeux noisette. Un gros emballage de papier cachait une partie de son visage. Anne restait là à le contempler, immobile et sans voix.

— Tu as changé d'idée ou je peux entrer ? demanda-t-il devant son silence. À moins que je ne sois pas la personne attendue.

— Oh ! Excuse-moi, entre et… bienvenue dans mon humble chaumière.

— Voilà pour la princesse du logis, dit-il en lui tendant le bouquet.

Elle déposa la gerbe sur la console pendant qu'il retirait son manteau. Sa tenue était à la fois décontractée et recherchée, jeans, col roulé de cachemire caramel et veston de velours noir. Il accepta un verre de bière pendant qu'elle disposait le bouquet dans un vase. Quel message lui livraient ces fleurs ? Elle questionnerait Florence. Son amie avançait que, malgré l'ignorance du symbole relié à une fleur, à moins que la sélection chez le fleuriste soit très limitée, l'inconscient guide les choix qui s'accordent au cœur. Cet assortiment était loin de ces arrangements déjà assemblés qu'il suffisait de prendre dans un étalage. Tout en nuances de jaune et d'orangé, parsemé de blanc et entouré de verdure, le bouquet dégageait une joie ensoleillée. Un amas de tulipes aux différentes nuances de jaune tenait compagnie à une seule et immense rose orangée. Elle trouvait insolite cette teinte pour une rose, mais elle s'harmonisait si parfaitement à l'ensemble. Des tiges d'eucalyptus exhalaient une odeur agréable. Le nom des autres fleurs lui était inconnu, elle prendrait une photo pour les identifier avec l'aide de Florence. Jamais on ne lui avait offert un si bel arrangement. Pendant ses années avec David, une énorme gerbe de roses rouges arrivait par livreur le jour de la Saint-Valentin. Recevoir un bouquet des mains du destinataire évoquait un hommage.

Anne n'avait pas souvenir d'une soirée aussi exquise. La fébrilité du début de la journée s'était estompée. La lueur des bougies réparties dans la pièce, la musique jazzée et le crépitement des bûches dans le foyer dégageaient sûrement des ions positifs autour d'eux. Ils avaient à se connaître… dans le présent. Anne découvrit davantage les qualités de cœur de cet homme. Elle savait qu'il était arrivé à Saint-François peu après elle à Berthier-sur-Mer.

— C'était voulu de changer de lieu de travail comme tu l'as fait? s'informa-t-elle.

— Oui, je terminais un contrat de quatre ans dans le Grand Nord auprès des communautés autochtones. Une vie parfois difficile avec le froid intense et l'isolement, mais c'est le modèle de pratique qui m'allume, un genre de médecine sociale.

— Ça me paraît un milieu pas facile, c'est tellement différent d'ici!

— Je trouve important de soigner l'humain, pas seulement le malaise physique pour lequel on me consulte. J'adhère à cette philosophie qui avance que les problèmes de santé sont étroitement liés au style de vie, à l'environnement, aux réactions émotives et même au mode de pensée.

— Et qu'est-ce qui t'a fait revenir en « pays civilisé » ?

— J'avais besoin de soigner mon âme. Je me sentais si impuissant devant l'ampleur des difficultés qui sapaient toute mon énergie. Au point que j'ai craint de déraper dans l'abîme de la dépression malgré l'aide d'une collègue et amie psychologue avec qui je travaillais.

Anne était surprise par cette réponse, et aussi très émue. Cet homme d'une grande sensibilité écoutait son cœur et prenait le pouls de son âme. Le crépitement du feu dans la cheminée habitait le silence. Simon poursuivit.

— Je peux recoudre une plaie causée par la hache d'un homme qui fendait son bois, alors que son taux d'alcool dans le sang est à la limite de ce que l'organisme peut supporter. Je sais soigner les engelures des adolescents qui se sont endormis derrière un bâtiment après leurs quelques secondes d'extase dans des vapeurs de colle. J'essaie d'user de toute la douceur dont je suis capable, malgré une rage intérieure, pour réparer les fractures ou soulager les ecchymoses sur le corps des femmes, des prépubères comme des grands-mères, parce que la violence est souvent le seul langage de certains hommes. J'ai dû faire face à des suicides ratés qui laissent des séquelles physiques. Je n'oublierai jamais ce visage d'une adolescente de seize ans qui n'avait plus rien d'humain. Ni toutes ces femmes que je tentais de sauver après un avortement manqué…

La voix de Simon s'étrangla. Anne ne savait quoi dire, elle ne put que prendre sa main dans la sienne pour essayer de lui transmettre toute la compassion dont elle était capable. Il poursuivit.

— Tu sais, toute cette misère, celle de la détresse, du désespoir et de l'impuissance que je n'arrivais pas à soigner pèse lourd sur mes épaules. Mais il y a eu certains moments exaltants. Heureusement, ça fait un peu pencher la balance de l'autre côté.

— J'ai de la difficulté à m'imaginer la vie là-bas. Tout ce que je connais de ce coin de pays, c'est quand il y a des reportages à la télé.

— Et je crois bien que ce ne sont pas les actes de bravoure des autochtones qui font la manchette. Mais il y en a. Un jour, on est venu me chercher pour participer au sauvetage d'un groupe de chasseurs. L'un d'eux avait reçu un coup de patte d'un ours polaire. Il n'a pas bronché tout le temps que j'ai effectué les trente-cinq points de suture sans anesthésie pendant que deux hommes tenaient une bâche de fortune pour nous protéger du vent. Il avait démontré un grand courage.

Simon faisait figure de héros aux yeux d'Anne quand il raconta cette histoire. Son regard allumé d'étoiles traduisait toute la fierté et l'admiration qu'elle ressentait pour cet homme. Pour Simon, ce n'était pas lui le héros.

— L'Inuit n'a pas voulu de la magnifique peau de l'animal qui lui revenait, enchaîna Simon. Il me l'a remise en signe de reconnaissance ; refuser ce présent aurait été un affront. Il a conservé la tête empaillée en guise de trophée et il a fabriqué un bijou pour sa jeune épouse avec les molaires de la bête.

— Ce que tu racontes, fit Anne, ressemble à ce que doivent vivre les médecins d'ici qui vont dans les pays en voie de développement. Pourtant, on est au Canada !

— Eh oui, c'est un pays dans le pays. D'une grande pauvreté et aussi d'une immense beauté. L'espace infini des paysages fait prendre conscience de la petitesse de l'homme. La nature est sauvage, souvent cruelle mais cela entraîne parfois de beaux gestes d'entraide. Malheureusement, partout où il passe, l'homme blanc applique ses lois pour civiliser les autochtones au détriment de leur culture. Personnellement, je pense que tout le monde est perdant dans cette histoire.

— Je crois que je ne verrai plus les autochtones de la même façon. C'est une belle leçon d'humanité pour moi. Merci Simon de m'avoir raconté tout ça. Et le travail par ici, il te convient mieux ?

— Je ne suis pas fait pour vivre et travailler dans les grands centres où on soigne les gens « en pièces détachées ». Je connais des médecins qui font défiler les patients aux quinze minutes pour augmenter leur revenu. Ça me fait honte pour la profession. Pour le moment, Saint-François me convient. Maintenant, assez parlé de moi. Et toi, jeune femme, qu'est-ce qui t'a amenée dans le coin ?

— Laisse-moi préparer le café.

Pendant que le café infusait, Simon remit des bûches dans le foyer et aida Anne à apporter des tasses à la table. Après un long silence, la jeune femme n'arrivait plus à soutenir le regard de l'homme qui mangeait auprès d'elle.

— Je crains de te décevoir, finit-elle par dire, un soupçon de trouble dans la voix. Je suis très loin de la grandeur d'âme qui t'habite, de ta générosité et de la simplicité qui donnent cette noblesse que tu dégages.

— Je me fie souvent à ma première impression, ajouta-t-il. J'exclus le marché aux puces, où tu as été un joli papillon qui a traversé ma journée. Mais quand je t'ai vue à mon bureau, j'ai noté chez toi du calme devant une situation où plusieurs auraient paniqué, de la compassion et de la bienveillance dans les gestes avec cette compagne de travail. Puis, j'ai découvert une jeune femme qui aime l'activité en plein air et qui sait contempler les beautés de la nature.

Embrassant la pièce du regard, il ajouta :

— Tu m'as l'air d'une personne de bon goût et... tu es d'agréable compagnie. Jusqu'à présent, j'apprécie les parcelles que je connais de toi. Et puis, dis-toi que tout le monde a son côté sombre, quelque chose dont il est peu fier. Ce qui m'apparaît important, c'est d'arriver à avancer avec des buts, des projets ou des défis. C'est ce qui permet de se dépasser et de devenir une meilleure personne.

— Un côté sombre, toi? s'étonna Anne en se levant pour servir le café et le dessert.

— Il est derrière, mais il fait partie de qui je suis. Mais là, j'aimerais que tu me dises ce qui t'a fait choisir Berthier.

Anne reprit place à table après avoir déposé les assiettes. Elle admirait l'homme en face d'elle. Une parcelle de tendresse avait pris naissance dans son cœur et se transformait en un sentiment qu'elle n'osait nommer. Ce souper, elle l'avait anticipé dans la joie. La présence de Simon la remuait. Depuis le début de la soirée, David n'avait pas pénétré ses pensées. Ou si peu lorsqu'elle avait songé aux fleurs. David représentait le passé, l'ancienne Anne, les rêves puérils.

Anne voulait jouer franc-jeu, éviter de faire semblant et rester elle-même. En fin de compte, la franchise et l'honnêteté sont toujours gagnantes. Ses sentiments naissants pour Simon exigeaient de la loyauté. Son cœur battait si fort qu'elle l'entendait bourdonner dans ses oreilles. C'était un signe: elle souhaitait que cet homme fasse partie de sa vie. Elle prit une profonde inspiration. C'était un être sensible, courtois, parfois drôle, touchant et émouvant. Il était doté de générosité comme l'étaient toutes ses nouvelles relations. Leur amitié prenait une autre forme, elle espérait qu'ils parviendraient à ouvrir leur cœur. Elle parla de la fillette élevée à Saint-Romuald, de l'adolescente qui avait nourri des rêves de grandeur et l'avait transformée en femme insouciante. Puis la désillusion et son arrivée à Berthier-sur-Mer, à contrecœur, presque un an plus tôt. Elle avait parlé avec des hésitations, des tremblements dans la voix, le regard parfois fuyant. Puis elle avait raconté les travaux du chalet converti en maison, les nouveaux amis, son emploi chez TANGAR, le rapprochement avec sa mère, puis avec son frère. Elle s'exprimait maintenant avec enthousiasme en soutenant son regard. Simon avait écouté en silence, attentif à ses propos; il affichait un sourire admiratif.

— Sais-tu que je te trouve remarquable? dit-il quand elle se tut.

— Je ne vois pas en quoi!

Il lui prit la main et déposa un chevaleresque baisemain avant de rajouter:

— La vraie grandeur se trouve dans l'humilité et c'est ce que j'admire en ce moment, merci petit papillon. Je suis vraiment tombé juste en te surnommant ainsi. Un esprit a dû me le chuchoter.

— Pourquoi?

— Mais oui, tu sais, la vilaine chenille qui grignote les feuilles puis se métamorphose. C'est toi, un léger et joli papillon.

Émue, Anne restait muette. Ils se levèrent et débarrassèrent la table au rythme de la guitare d'Eric Clapton. Il était plus de minuit quand Simon endossa son manteau avant d'affronter le froid. Il prit doucement le visage d'Anne dans ses mains chaudes et déposa un tendre baiser sur son front, un autre sur le bout de son nez, puis sur chacune de ses joues et termina avec un nouveau baisemain. Il ouvrit la porte et dit simplement:

— Merci et bonne nuit, petit papillon.

Cette soirée de la fin mars marqua un grand pas dans l'existence d'Anne. Bien plus tard, elle apprit que pour la première fois, Simon décadenassait une porte dans son cœur, trop longtemps fermée à clé.

Chapitre 22

Anne avait longuement réfléchi et beaucoup hésité avant d'arrêter sa décision. Cette démarche lui permettrait de tourner définitivement la page du passé. Avec l'idée de compléter le trajet aller-retour dans la journée, elle avait quitté la maison très tôt, sans autre bagage que son sac à main. Elle avait fait halte chez la fleuriste de Saint-Michel avant de s'engager dans la bretelle de l'autoroute. La propriétaire, dont la boutique jouxtait la résidence privée, l'avait rassurée : oui, elle ferait exception et pourrait lui ouvrir sa porte entre six heures et six heures trente le matin. La semaine précédente, Anne avait composé le bouquet avec l'aide de Florence et de la fleuriste. Cette dernière avait confirmé la disponibilité des variétés souhaitées. L'emballage était soigné, les fleurs pourraient voyager sans difficulté. Anne les déposa au frais dans son coffre.

Si la pluie et le vent avaient dominé avril, le mois de mai débutait par de chaudes journées ensoleillées. Que de chemin parcouru depuis un an ! La nature reverdissait, son existence avait pris un nouvel envol. Alors qu'elle roulait sur l'autoroute, Anne remarqua des golfeurs sur le parcours de Lévis. Jamais elle n'avait réussi à prendre goût à ce sport, trop protocolaire, trop guindé, trop lent.

À la hauteur de Québec, l'heure de pointe la ralentit. La circulation devenait aussi impitoyable qu'à Montréal. Elle se trouvait privilégiée de travailler près de la maison, le nombre d'heures ainsi récupérées rendait la vie privée mieux remplie, plus équilibrée. La veille, elle avait parcouru à bicyclette le trajet jusqu'au bureau. Un pur plaisir qu'elle renouvellerait régulièrement.

Alors qu'elle franchissait le pont de la rivière Richelieu, la nervosité lui nouait l'estomac. Elle avait besoin de retrouver son calme avant de faire face à ce qui l'attendait. Elle emprunta la sortie qui filait vers le cœur de la ville. Elle dénicha un charmant café en bordure de la rivière. Attablée près d'une fenêtre, la vue sur l'autre rive l'apaisa. Images du passé qui traversaient les années avec élégance : une église ancestrale dominant le pied de la montagne, des maisons d'époque entretenues avec soin et des arbres centenaires qui avaient jeté leur ombre sur plusieurs générations. Un muffin encore chaud avalé avec une camomille la tranquillisa tout à fait. Elle étirait le temps, écoutant distraitement les chansonnettes françaises et les bruits de vaisselle en songeant à sa rencontre. Trouverait-elle le courage de dire jusqu'au bout ce qu'elle avait préparé ? « J'y arriverai si personne ne me coupe la parole », pensa-t-elle.

Elle continua sa route, passa sous le viaduc et emprunta la voie parallèle à l'autoroute. La voiture s'engagea ensuite dans une montée bordée d'érables. L'environnement était magnifique. Nichée au cœur d'une érablière, la maison était assez éloignée de la circulation pour que la tranquillité soit préservée. Une auto immatriculée en Ontario attira son attention.

En entrant dans le bâtiment, Anne se sentit davantage dans un gîte du passant que dans un hôpital. C'était sa première visite dans une maison de soins palliatifs et elle s'attendait à y retrouver au moins les apparences d'une clinique. Or, il n'en était rien. Le hall ressemblait à celui d'une auberge. Elle passa près d'un salon occupé par trois personnes. Un homme tenait la main d'une patiente en fauteuil roulant dont la tête était couverte d'un foulard très coloré. Installé à un piano, quelqu'un jouait *Frédéric* de Léveillée. Un parfum de lilas pénétrait par les fenêtres ouvertes et se mêlait à l'odeur d'une soupe qui mijotait. Une vieille dame toute souriante dirigea Anne vers la chambre de la malade. En longeant la cuisinette, elle aperçut Ingrid qui se servait une tasse de café. Elle remercia la dame et rejoignit sa belle-sœur.

— Oh Anne, quelle belle surprise ! s'exclama Ingrid en la serrant dans ses bras. Je ne pensais jamais te voir ici, mais j'en suis contente.

— Comment va-t-elle ?

— Elle est méconnaissable, physiquement. Elle refuse de faire face à sa maladie, elle est encore en révolte. Elle dit que c'est injuste, qu'elle ne mérite pas ça. Elle s'est montrée docile pour venir ici, car une des conditions d'admission est que les patients reconnaissent la gravité de leur état et soient conscients que ce séjour sera leur dernier sur terre. La première semaine a été difficile. Maintenant, elle est soumise et conciliante avec le personnel, agressive et remplie de reproches envers mon père, elle attire la pitié et endosse le rôle de victime avec les autres visiteurs. Le médecin qui s'occupe d'elle a fait son cours classique avec mon père, il a su saisir les facettes de ma mère. Il a insisté pour que papa voie la psychologue de la maison. À présent, ça fait douze jours qu'elle est ici. Les doses de médicaments ont été augmentées afin de soulager la douleur. Elle dort beaucoup, elle est consciente dans les périodes d'éveil, mais dans un état de léthargie et très ralentie. Elle a cessé de dire qu'elle voulait qu'on la guérisse. On ne parle plus de traitements, on ne peut plus rien, juste ce qu'ils appellent des soins de confort.

— Il y a quelqu'un avec elle ?

— Pas maintenant. J'assume les présences le matin jusqu'à deux heures. Je suis venue prendre un café pendant qu'une bénévole s'occupe de son hygiène, car ça, j'en suis incapable et on respecte les limites de la famille. Elle doit en avoir fini, j'étais sur le point de retourner à la chambre. Si ma mère le souhaite, je lui mets un peu de couleur sur le visage. Elle ne supporte plus les parfums.

— Et toi, comment vas-tu ? Et ton père ?

— Papa est dévasté, impuissant face à la situation, il ne peut pas l'aider et il endure sa mauvaise humeur. Il travaille une partie de la journée au bureau, il en a besoin. Mais il passe les veillées avec elle et la nuit il dort dans la chambre. Je reste des bouts de soirée, davantage pour lui. Les après-midi entre deux et six heures, des connaissances lui rendent visite. Moi, je m'évade. Je vais marcher dans la montagne et quand le temps est maussade, je m'installe en bas et je lis. J'ai honte de le dire, Anne, mais j'ai hâte que ça finisse. J'avais souhaité que la maladie l'adoucisse, qu'on puisse échanger, parler entre femmes, entre mère et fille, c'est ce qui m'a incitée à venir. Je n'ai jamais connu ce type de relation avec ma mère. Mais non, elle est restée elle-même :

contrôlante, au-dessus de tout et distante. Il y a un mois, quand je suis arrivée et que je me suis installée chez mes parents pour tenter un rapprochement à cause de sa fin de vie, je lui ai annoncé que je me mariais l'été prochain. Elle n'a rien dit. Aucune question sur notre rencontre, sur lui, sur la date et l'organisation du mariage. Rien! Je veux bien croire qu'elle est malade, mais quand même! Elle a juste demandé si on viendrait travailler chez Lampron. J'ai ravalé mes larmes. Le dernier jour avant qu'elle ne soit admise ici, je lui ai tout déballé. Que je n'avais pas eu l'intention de l'inviter à mes noces, ni de lui présenter l'homme de ma vie à cause de la manière dont elle t'avait traitée. Je lui ai dit que mes futurs beaux-parents étaient des personnes chaleureuses, généreuses, aimant la vie, des gens d'une très agréable compagnie et... qu'ils exploitaient une grosse ferme. J'ai lu un tel mépris dans ses yeux que j'ai eu pitié d'elle en pensant que c'était probablement la seule chose qui l'accompagnerait dans sa tombe. En plus, je n'ai aucun remords de lui avoir tout dit. Je n'ai pas envie de jouer à l'hypocrite.

— J'ai appris à raisonner ainsi, elle récolte ce qu'elle a semé. Ta mère est une personne difficile à aimer, Ingrid. Je souhaiterais qu'on mange ensemble si tu peux, une fois que j'aurai terminé ma visite. Je peux attendre que tu finisses ton quart de présence.

— Si je peux? C'est surtout que j'en ai envie. Et on partira à une heure.

Apercevant la dame qui avait terminé la toilette de Ruth, Ingrid fit signe à Anne qu'elle pouvait y aller et demanda:

— Tu veux que je t'accompagne?

— Non, je préfère être seule avec elle. J'espère que je vais arriver à lui dire ce que j'ai sur le cœur. Mais je n'ai plus envie de me venger comme quand je suis partie, juste lui dire ce qu'elle m'a fait vivre et… la remercier.

— La remercier ! lança Ingrid incrédule, après ce qu'elle t'a fait !

— Disons que… ce ne sont pas des remerciements conventionnels. Je t'en reparlerai.

— Elle parle très peu, elle n'a plus de force.

— C'est correct comme ça, j'ai donné plus que ma part de temps pour l'écouter, les rôles sont maintenant inversés. À tantôt.

— Viens me rejoindre en bas, il y a des pièces réservées aux familles, c'est là que je suis installée pour la durée de mon séjour.

Anne sentit un grand calme l'inonder en avançant dans le corridor. La porte était entrebâillée. Elle frappa doucement pour s'annoncer, puis entra en refermant derrière elle. Comme elle avait souhaité se faire aimer de cette femme ! Elle avait fini par la haïr. Elles se trouvaient maintenant face à face. Ruth, fragile dans la maladie, vulnérable et dépendante. Quelle humiliation ! Remplie d'assurance et d'une maturité qui la rendait plus forte, la jeune femme s'avança vers le lit.

Ruth Lampron avait toujours dominé Anne. Aujourd'hui, alors même qu'elle en avait la possibilité, la visiteuse ne profiterait pas de la situation : ce n'était pas dans ses plans. On ne gagne pas en fierté à remporter trop facilement une bataille. Elle aurait pu aisément l'écraser, elle l'aurait probablement fait un an plus tôt. Maintenant, sa visite avait un autre but. Ruth gisait dans son lit, le regard tourné vers la fenêtre en *bow-window*. Elle était minuscule et ressemblait à un oiseau blessé, perdue au milieu des draps. En entendant le bruit des pas, elle tourna la tête. Anne lut la surprise sur son visage.

— Bonjour Ruth, je voulais vous dire au revoir avant votre départ. Je suis sincèrement désolée que ça se termine de cette façon pour vous.

La malade ne la quittait pas des yeux, Anne n'arrivait pas à lire ce qu'ils exprimaient, probablement peu de choses à ce stade de sa vie.

« ... jour », entendit la visiteuse.

Ruth leva péniblement sa main libre, l'autre étant emprisonnée par un cathéter de perfusion. Tournant le regard dans la direction indiquée, Anne vit deux pots vides. Elle fit un signe de la tête en souriant et emplit l'un des vases, puis versa le contenu du sachet qui accompagnait le bouquet. Elle tira la table à roulettes et s'installa face au lit. Lentement, elle défit l'emballage, sortit un minuscule sécateur de son sac à main et avec minutie, elle coupa chaque tige en biseau.

— Vous savez Ruth, une de mes amies, oui, je me suis fait des amis, des vrais, commença-t-elle en fixant le regard de sa vis-à-vis. L'une d'elles connaît le langage des fleurs, elle affirme qu'il est souvent plus puissant et plus sincère que les paroles. Avec vous, je n'ai jamais senti d'écoute, je n'ai jamais réussi à vous exprimer le fond de ma pensée. Peut-être qu'avec ces fleurs j'y parviendrai..., peut-être. Peu importe, je souhaite qu'elles contribuent à égayer votre chambre.

Sa voix était calme, douce, un brin compatissante. Prenant la première tige, une grosse branche d'olivier au feuillage dense et bleuté, elle la déposa dans le récipient en parlant de paix. La paix intérieure qu'elle avait trouvée après le passage d'une tempête. La paix qui imprégnait son existence, tranquille, exempte de conflits, de jalousie, de rivalité. Une paix toute simple. Puis, l'hortensia prit place dans la composition. La fleuriste avait proposé deux teintes. Anne avait choisi un bleu sombre, une couleur froide, comme le symbole de cette fleur. Belle, imposante, au port altier, comme Ruth. De part et d'autre de l'immense inflorescence, elle glissa une tige de fougère. Le feuillage de la sincérité encerclait presque la fleur, comme pour l'isoler, ou plutôt pour protéger les autres de son pouvoir dominateur. Une magnifique branche de magnolia fut ajoutée et penchait légèrement, comme pour s'éloigner de la fleur centrale. D'un blanc nacré, la plante faisait bonne figure avec toute la dignité de son symbole. Du côté opposé, équilibrant les couleurs et les formes, une tige d'ibéris fut introduite, ronde, touffue et immaculée, expression de l'indifférence. À ce moment-là, Anne précisa que c'était là le sentiment face à sa vie antérieure : le renoncement et le détachement. Ensuite, quelques œillets marins garnirent la base du vase. Minuscules boutons violets fournis en pétales. Symbole de deuil pour la fleur de la sympathie. Elle termina en insérant deux longues hampes de cloches d'Irlande, un agglutinement de petites pustules en forme de clochettes d'un vert tendre. Deux tiges élancées qui s'éloignaient l'une de l'autre comme deux routes se séparant.

Anne s'approcha d'une large tablette et déposa le vase à l'une des extrémités. La surface était déjà garnie de deux bouquets dont l'un était passablement défraîchi, d'une pile de magazines, d'un emballage de crèmes parfumées sous un papier cellophane encore intact, d'un plateau de bonbons et d'une robe de nuit soigneusement pliée. Se tournant vers Ruth, elle dit :

— Ces fleurs signifient bonne chance.

Ces fleurs exprimaient tout le fond de sa pensée.

Un silence s'installa. Ruth tentait en vain de dire quelque chose. Son regard se posa sur un verre, Anne comprit. Elle la fit boire à l'aide d'une paille. L'exercice était laborieux, le gargouillis occasionné devait agacer au plus haut point une Ruth pour qui d'impeccables manières primaient en tout temps. Anne l'aida avec patience et douceur, soutenant les frêles épaules. Quand elle déposa sa tête sur l'oreiller, elle entendit un faible « merci ».

Ruth s'assoupit. Anne restait debout, regardant la vie à travers la fenêtre. Des oiseaux se nourrissaient aux mangeoires installées de telle façon qu'on pouvait les observer du lit, et deux écureuils couraient de branche en branche. Des photos de famille garnissaient le dessus d'une commode : Jean-Guy, sérieux et solennel, recevant son prix de la Chambre de commerce cinq ans plus tôt. Une image de David et Ingrid enfants, près d'un sapin décoré, voisinait un cadre double montrant de jeunes et fiers diplômés. Une autre photo de Ruth affichait le sourire digne d'une publicité de dentifrice, au début de la vingtaine et si belle. Le plus grand encadrement présentait un cliché du mariage de Ruth et Jean-Guy. Une dernière illustrait le bâtiment de l'entreprise Lampron. Aucune photo de la famille réunie. Aucune photo d'un moment de bonheur ou de complicité partagée. À l'exception de celle de Noël, toutes ces images semblaient figées, artificielles, parfaites sur le plan esthétique, mais absentes d'émotion. À l'image de la vie de Ruth Lampron.

Anne l'observait. Les yeux clos, la respiration difficile, les cheveux clairsemés aplatis par tout ce temps passé sur l'oreiller, le visage pâle, terne, cireux, sans maquillage. « Quel mauvais tour la vie joue à une femme si fière ! » Celle pour qui l'esthétique primait tant offrait en ce moment une triste image de la déchéance du corps, très amaigrie, les joues creuses, les yeux enfoncés, les clavicules décharnées. Ruth avait déjà franchi un pas vers l'état de cadavre, elle ne verrait pas le prochain été, ni le Nouvel An. Elle ne porterait plus de somptueuses robes, ne jouerait plus au golf, n'assisterait à aucune soirée mondaine. Elle ne connaîtrait pas la joie d'être grand-mère. « Aurait-ce été une joie pour cette femme ? Incroyable comme le rôle de grands-parents peut transformer les gens. » La malade eut un soubresaut et ouvrit les yeux.

— Anne, je...

— Vous voulez quelque chose ?

— N... voui, m... fils... n'aventure...

— Oui, David aimait les aventures, c'est d'ailleurs ce qui lui a été fatal, répondit Anne croyant que la malade souhaitait évoquer des souvenirs. Mais il est... mort en faisant quelque chose qui le passionnait et cette pensée m'a un peu consolée de sa perte.

— Non, pas ça, aventure... vec Joanie. A perdu, le bébé.

Quelque chose bascula à l'intérieur d'Anne. Cette fois, elle arrivait à interpréter le regard de cette femme : de la malveillance pure et simple. Depuis une heure, elle n'avait pas réussi à dire une phrase complète. Comme un légionnaire romain presque mort sur le champ de bataille et qui tente un dernier coup d'épée contre l'ennemi, elle avait dû fournir un effort surhumain pour trouver l'énergie nécessaire et lancer cette brutale allégation. D'abord, Anne douta, c'était impossible !

Puis une lumière éclaira son esprit, des détails défilèrent comme un bataillon qui sortait en coup de vent de son inconscient. David plus distant, Joanie et Yannick plus souvent à la maison de campagne, une complicité entre David et Joanie. Anne avait mis cela sur le compte des liens d'amitié qui s'étaient soudés, une simple affinité et des intérêts communs entre deux personnes. Quelle naïveté de sa part! Trop préoccupée à faire bonne figure, elle n'avait rien vu, enfermée dans une vie tourbillonnante, soucieuse de l'impression qu'elle reflétait.

Cela défilait à toute allure dans ses pensées. Elle devait fournir des efforts pour respirer calmement. Elle comprit que Ruth Lampron cherchait à la faire réagir, à la blesser pour essayer de la faire sortir de ses gonds. David n'était plus là et Joanie maintenant hors de son cercle, cette affirmation ne visait qu'une chose: lui faire mal. Alors que sa vie s'en allait, Ruth tentait encore de la dominer pour l'écraser. Anne serait la plus forte. Elle avança vers le lit, calme, la tête haute et sans quitter Ruth des yeux. Sa force, c'était de demeurer digne dans l'adversité.

— Je ne vous crois pas, Ruth! Je peux juste ajouter que je trouve ça pathétique de vous voir réagir de la sorte jusqu'à la fin. J'ai été aveugle et j'ai toujours bu vos paroles pensant, à tort, que je gagnerais ainsi votre estime. Je sais que vous ne cherchez qu'à me blesser et à ternir la mémoire de votre fils à mes yeux. C'est un manque total de noblesse et... pour assombrir ainsi David, vous ne deviez pas l'aimer beaucoup. De l'amour d'une mère je parle. Je vais partir, on ne se reverra plus jamais. Mais avant, je veux vous remercier. Car, malgré les apparences, ma vie actuelle est beaucoup, beaucoup plus gratifiante et bien remplie. Je vous l'ai déjà dit, j'ai maintenant de très bons amis, pas seulement des relations mondaines ou d'affaires. Je travaille dans un milieu où les gens comptent davantage que l'appât du gain. Je fais les choses par choix, parce que j'aime ça, et non parce que c'est ce qu'il faut faire pour bien paraître. Je me sens maître de mon sort. Ce chalet abandonné que vous m'avez si généreusement donné, je trouvais que c'était un cadeau empoisonné. C'est devenu un nid confortable et qui me ressemble. Et surtout, j'ai une famille aimante que, malheureusement, j'avais dénigrée en pensant que m'en éloigner m'aiderait à faire partie de votre monde. Je vous plains, Ruth, qu'est-ce que vous emporterez avec vous dans l'au-delà ? De quoi êtes-vous le plus fière ? Je vous dis merci parce que, ce que vous avez causé dans ma vie en m'évinçant de la vôtre, ç'a été très dur, mais cela m'a fait grandir, j'ai pris de la maturité. Je ne suis plus l'adolescente qui veut plaire à tout prix.

Ruth écoutait, d'abord immobile, la bouche pincée, puis elle se mit à s'agiter. Anne était demeurée calme, la voix douce ; elle vit que la malade cherchait à atteindre la sonnette d'appel. Elle ne fit rien pour l'aider et, prenant son sac, elle recula lentement vers la sortie sans la quitter des yeux.

— Adieu Ruth. Vous savez, j'ai eu envie de me venger. Ça aurait donné quoi ? Rien ! Aujourd'hui, je constate que cette maladie qui vous grignote est comme un retour d'ascenseur. J'espère que vous trouverez la paix de l'autre côté. Je suis triste pour vous, mais votre sort ne me rend pas triste. Je retourne à ma vie. Je vous envoie quelqu'un.

Anne referma la porte avec l'impression d'emmurer pour toujours un mauvais génie. Elle était soulagée et satisfaite de son attitude. Cependant, un voile de chagrin l'accompagnait, arriverait-elle à dissiper l'effet des paroles insidieuses de Ruth concernant David? Subsisterait-il un masque de mensonge et de tromperie, à l'image de son existence avec les Lampron?

Elle croisa Ingrid dans le corridor.

— Je fais un saut à la chambre, juste pour lui dire que je partirai plus tôt pour dîner avec toi. Comment ça s'est passé?

— Mieux que je l'aurais cru, mais peut-être pas pour ta mère.

Quand Ingrid pénétra dans la chambre, elle trouva Ruth en larmes. Elle n'avait aucun souvenir de l'avoir vue dans cet état, même à la mort de son frère, ni à l'annonce de son diagnostic fatal. Ruth sanglotait avec des soubresauts, comme un enfant qui a une grosse peine incontrôlable. Assise près du lit, la jeune femme lui tint maladroitement la main, Ruth ne l'avait pas habituée aux marques de tendresse. Quand les pleurs furent calmés, Ingrid prit la parole.

— Pleurer est humain, maman, je t'aurais aimée plus humaine.

Puis elle serra la main fragile et froide de sa mère dans la sienne. Celle-ci réussit à articuler:

— Anne... charitable, réussit-elle à murmurer.

Puis elle sombra dans le sommeil.

Ruth Lampron s'éteignit la nuit suivante. Son mari somnolait auprès d'elle et n'eut pas connaissance de son ultime souffle. Côte à côte sans vraiment être ensemble, à l'image de leur vie de couple.

* * *

Anne roulait dans un état second. Elle tentait d'oublier les dernières allusions de son ex-belle-mère au sujet de David. Elle avait réussi à démontrer assez de courage pour s'exprimer sans éclat devant Ruth. Tout s'était bien passé sauf ce petit coup meurtrier à la fin de la visite qui avait failli lui faire perdre ses moyens. Elle était restée forte. Dans quel état serait-elle sans la présence d'Ingrid ? Ou si elle n'avait pas surmonté son hésitation ? La volonté de blesser qu'elle avait ressentie l'avait plongée dans l'ambiguïté. Avant son départ, Anne était venue à bout de ses hésitations pour aborder ce secret dévoilé avec Ingrid. Le visage de sa belle-sœur était apparu incrédule, abasourdi de surprise.

— Impossible ! Ma mère est plus vipère que je le croyais pour t'avoir dit une telle chose.

— Comment tu peux en être certaine ?

— Joanie a bien fait une fausse couche. J'ai entendu sa mère en parler avec la mienne au souper de la Saint-Sylvestre. Elle a subi un curetage entre Noël et le jour de l'An. Elle en était à cinq ou six semaines de grossesse… plus d'un an après la mort de David ! Il t'aimait, Anne. Ne laisse pas ces paroles venimeuses ternir son image. Ma mère a voulu te faire mal. C'est n'importe quoi !

Anne avait vraiment pris la mesure des sentiments de Ruth à son endroit, une haine aveugle, destructrice. Comment avait-elle pu survivre à tout ce fiel ? À mesure de sa progression vers l'est, la température fraîchissait et elle dut augmenter le chauffage. Des traces de neige s'accrochaient au sommet du mont Sainte-Anne.

Se garant dans l'entrée, l'éclairage intérieur la surprit. « J'ai dû oublier d'éteindre ce matin », pensa-t-elle. La porte s'ouvrit avant qu'elle y insère sa clé.

— Simon, tu n'es pas à l'hôpital ? Il n'y a aucune voiture dans l'entrée !

— J'ai changé mon tour de garde. Je sais ce que représentait cette démarche pour toi. Je tenais à être là à ton retour. Tu comptes tellement pour moi, Anne. Mon auto est au restaurant. Tu ne m'en veux pas trop d'avoir utilisé la clé dont tu m'as fait cadeau ?

Anne éclata en sanglots. Il y avait trop de « trop » dans cette journée. Trop de route, trop d'émotions, trop d'écarts dans l'attitude de ceux qu'elle avait croisés. Simon la tira à l'intérieur, referma la porte, puis l'enveloppa dans ses bras chauds et forts. Elle entendait le crépitement du feu de foyer, une odeur de tomates et de basilic parfumait la maison. Sa tête sur la poitrine de Simon bougeait imperceptiblement au rythme de sa respiration. Elle percevait les battements de son cœur. Quand elle fut calmée, il essuya doucement son visage et le couvrit de tendres baisers. Après de longues secondes, à la rencontre de son regard, il s'informa.

— Comment s'est passée ta journée ?

— Bien, très bien même. Avec cette rencontre, j'ai plongé pour de bon dans le monde adulte. Je me sens fière et plus forte. Et extrêmement bien en ce moment.

— Et ce gros chagrin ?

— Oh ! une bulle de trop-plein qui a éclaté, je suppose. Tu as dû la crever avec ton aiguille de médecin. Simon, tu es si merveilleux ! Merci d'être entré dans ma vie. Ta sollicitude, ta tendresse..., c'est ça qui m'a fait éclater. En fait docteur, vous vous êtes trompé. Ce n'est pas le chagrin qui m'a assaillie, mais un très grand bonheur qui ne trouvait pas ses mots.

Simon répondit à son sourire. Ses bras, ses lèvres, son odeur, sa douceur, son amour..., il n'y avait que l'instant présent. Simon la prit dans ses bras et ferma l'interrupteur en passant pour se diriger vers le divan face au foyer. Alors qu'ils étaient lovés l'un contre l'autre, la lueur du feu dansait sur le visage d'Anne. Elle s'abandonna sous les mains chaudes et caressantes de Simon. Toute la journée, elle était demeurée vigilante et en contrôle, aussi les mains de cet homme parvenaient-elles à créer un état de détente incroyable. Par ses gestes, il enlevait lentement ce qui restait de stress, de tension et de chagrin sur les épaules de cette femme qu'il aimait réellement. Car, malgré ce qu'elle lui avait dit, il sentait un fond de tristesse dans son cœur. Anne s'abandonna à ces caresses si réconfortantes jusqu'à ce qu'une chaleur émerge en elle. « Simon, n'arrête surtout pas », chuchota-t-elle au creux de son oreille. Simon chercha son regard. Puis, le corps d'Anne s'anima, comme si toute cette tendresse l'avait nourri. Simon avait conquis son cœur, maintenant Anne était prête à marcher à nouveau vers l'amour.

Enveloppés tous les deux dans un jeté de polar, ils sentaient leur respiration s'apaiser. La tête d'Anne se soulevait au rythme de la poitrine de Simon jusqu'à ce qu'un gargouillement la fasse émerger de cette quiétude.

— Je crois qu'il serait temps que je fasse honneur à ce que tu as cuisiné. Tu as faim ?

— Un peu, dit Simon en se redressant. Donne-moi cinq minutes, je m'occupe du service.

Ils avaient mangé à la lueur des chandelles, Anne avait raconté son voyage.

— Tu es une femme remarquable. Je suis également choyé de faire partie de ta vie.

— Ça n'a pas toujours été ainsi. Simon, tu te souviens quand je t'ai raconté ce qui m'avait amenée ici ?

— Oui, je m'en souviens. Tu as été courageuse de te mettre ainsi à nu à ce moment-là.

— Tu m'avais dit que tout le monde avait un côté sombre, même toi. C'est difficile pour moi de le croire.

— Je crois toujours que tout le monde a un côté noir et que parfois, malheureusement, il y a des dérapages. Pour d'autres, en prendre conscience permet de négocier un virage. Cette lucidité sert alors de pont pour atteindre le côté lumineux, qui, lui aussi, est au cœur de chaque être humain. C'est ce qui t'est arrivé, joli papillon.

— Et toi ?

Simon resta silencieux, il se leva et servit deux verres de Grand Marnier. Puis il prit place près d'Anne. Après un long silence, il commença son histoire, celle de ce qu'il appelait son côté sombre.

— Enfant, je faisais partie du mouvement de Baden-Powell avec mon ami Gilbert: louveteaux, scouts, pionniers. On était toujours ensemble. On était amis à la vie à la mort. On avait la même vision de la vie, de l'avenir, des filles. Adolescents, sans le savoir, on a eu le béguin pour la même fille. Par loyauté, ni l'un ni l'autre n'a poussé plus loin ses sentiments. On jouait au tennis, à la balle molle, au hockey. Tous les deux, on voulait étudier en génie, moi en foresterie, Gilbert en mécanique. À notre seconde session de cégep, Gilbert a commencé à montrer des signes de fatigue. Sa mère l'a incité à diminuer les sports, à manger mieux et à dormir plus. Rien ne s'améliorait. Un matin, il s'est présenté chez nous pour déjeuner et m'annoncer qu'il avait la leucémie, qu'il avait une espérance de vie de dix-huit mois au plus. Il était calme, souriant, égal à lui-même. Sa vie a continué même si la fin se pointait. Il a cessé le sport, mais il a repris le cégep et les activités de scoutisme. J'étais certain qu'il guérirait.

Personne n'aurait pu dire qu'il était malade quand on le voyait. Au cours de l'hiver, il s'est affaibli davantage. Il s'absentait souvent des cours et tentait quand même d'avancer dans ses travaux. Je l'aidais, je voulais qu'il guérisse. En avril, il a été hospitalisé, les traitements à l'externe ne suffisaient plus. Il avait beaucoup maigri. Quand il est revenu à la maison, il a rangé ses livres. Je lui en ai voulu d'abandonner ainsi, c'était le premier désaccord dans notre amitié. Gilbert lisait beaucoup, il écrivait, il écoutait de la musique. Il refusait la tristesse autour de lui. Il a été hospitalisé à nouveau à la fin mai. Il n'est jamais revenu chez lui. C'est à ce moment-là que je l'ai abandonné ; j'étais incapable de regarder mon ami fauché en pleine jeunesse, je me sentais impuissant face à cette mort qui s'annonçait. Il avait dix-neuf ans.

— Tu ne l'as pas revu après sa dernière hospitalisation ? questionna Anne.

— Pas eu le courage ! Je garde un souvenir amer de mes derniers liens avec cet ami. Des coups de fil trop brefs, remplis de malaises et qui transpiraient de déception. Gilbert a rendu son dernier souffle entouré de sa famille. Le chef scout de la troupe se trouvait aussi à son chevet. Il n'a jamais sollicité ma présence, par pudeur ou par respect face à cette peur qui me rongeait. Il ne m'a jamais adressé de reproches. Je me rappelle la dernière fois qu'on s'est parlé au téléphone, sa voix était faible, mais je percevais encore des étincelles de joie. Il avait parlé du jamboree scout, son dernier camp. C'est plus tard que j'ai compris qu'il s'était appliqué à partir la tête pleine des meilleurs souvenirs de sa vie trop brève. Et moi, je l'avais abandonné. Si tu savais comme la honte de ma lâcheté m'a poursuivi.

Sa voix s'était brisée, ses yeux s'embuaient. Anne l'avait écouté, silencieuse. Au cours d'une même journée, elle avait rencontré quelqu'un qui fuyait la mort, aigrie et écouté le récit d'un autre qui semblait aller au devant dans la sérénité. Une mort dans la froide solitude, une autre dans un bain de tendresse.

Le silence et l'écoute affectueuse d'Anne apaisaient Simon.

— Ce n'est pas tout, poursuivit Simon. Ses funérailles, je n'ai jamais rien vu de tel ! Il avait tout préparé. L'église était bondée. Beaucoup d'étudiants du cégep, tous les membres du mouvement scout, filles et gars. On était là en uniforme, pas loin de trois cents en tout. Il avait composé un texte, un hommage à la vie et rempli de poésie, et ce texte a été lu lors de la célébration. La communion s'est déroulée pendant que Ferrat chantait *C'est beau la vie.* À la sortie, tous les jeunes du mouvement scout, on a fait une haie d'honneur. L'allée partait de la balustrade et se terminait au pied des marches à l'extérieur. Il est passé ainsi, sous cette voûte, dans un dernier salut, accompagné de l'air de *La marche de Sacco et Vanzetti*, de Moustaki. La foule chantait, les paroles avaient un peu été modifiées. Je me souviens de « *Tu t'en vas un peu avant nous, tu dors bien au fond de nos cœurs, tu t'en vas tout seul dans la mort, mais par elle tu vaincras* ». Je n'oublierai jamais l'écho de nos voix dans l'église. Il avait aussi écrit plusieurs lettres. C'est sa mère qui m'a donné celle qui m'était destinée. J'ai éclaté en sanglots dans ses bras quand elle me l'a remise.

Il ne restait que des braises dans le foyer. Anne caressait la chevelure de Simon. Les étoiles s'accrochaient dans le ciel.

— Gilbert était une belle jeunesse, un gars sain, plein d'avenir. Il était l'image de la force, de la générosité, du courage et de la joie de vivre contagieuse. Six mois après sa mort, je suis allé voir sa mère. Je lui ai dit mes regrets de ne pas avoir été là dans les derniers moments de son fils. Je lui ai aussi annoncé, avant même d'en informer mes parents, que la lettre de Gilbert représentait un héritage inestimable et que c'était ce qui m'avait décidé à ne pas étudier en génie, mais en médecine.

— La lettre a été en quelque sorte ton pont pour aller vers un autre destin.

— Je ne m'en étais jamais rendu compte, mais c'est vrai.

Simon poursuivit après un silence :

— Depuis la mort de Gilbert, j'ai appris à faire face à cette faucheuse. J'ai parfois l'impression que cet ami souffle à mes oreilles les mots à prononcer pour tenter d'amortir le choc. Tu sais, Anne… depuis cette amitié, la plus solide de ma vie, c'est la première fois avec toi que je réussis à ne mettre aucun frein à mes sentiments réels et à me laisser toucher.

— Je ne trouve pas les mots pour…

— Pas grave, tes yeux disent tout. Ça me comble. Je t'aime, mon petit papillon.

— Et toi, ma force tranquille, la bonne étoile de ma vie, je t'aime grand comme l'univers.

— J'aimerais m'endormir près de toi.

— Qui t'en empêche ?

— Personne, mais ma nuit se termine à trois heures trente, je prends la garde à quatre heures.

— Alors, viens…

Quinze minutes plus tard, leurs souffles réguliers les suivaient au pays des rêves, là où tout devient possible.

Chapitre 23

Les grandes marées du printemps semèrent d'énormes billots sur le rivage. Avec l'aide d'Alain et de Jasmin, Anne en avait disposé trois en forme de triangle, laissant au centre un emplacement pour des feux de grève. Plusieurs bouts de bois vinrent s'entasser dans un coin en prévision des flambées de l'été. Au marché aux puces, elle avait trouvé de vieilles boîtes en planches toutes grisonnées et encore très solides pour qui voulait les transformer en petites tables sur la plage.

Durant ce congé de la fête des Patriotes, Anne avait organisé un souper pique-nique sur son « bout de plage ». Sans le mentionner officiellement, elle soulignerait la pendaison de la crémaillère avec tous les gens chers à son cœur. Cet événement marquerait aussi un anniversaire, celui de son arrivée à Berthier-sur-Mer, voilà un peu plus d'un an. Quels changements ! La sérénité et le bonheur l'habitaient comme jamais.

La température risquait de leur jouer des tours et Anne avait opté pour une formule boîte à lunch pour le repas, plutôt qu'un buffet. Une idée empruntée à son milieu de travail lors de la journée annuelle des employés. Dès le départ, elle avait voulu tout préparer elle-même, c'était sa façon de remercier ses invités pour leur aide et d'exprimer sa gratitude pour leur amitié et leur soutien. La semaine précédente, elle avait cuisiné et congelé des desserts découpés en petites bouchées. Thérèse avait proposé d'écrire le nom des convives sur les jolies boîtes bleues décorées de nuages. Cette femme possédait des plumes de toutes les formes et s'exerçait régulièrement à la calligraphie; elle fut ravie de mettre son talent à contribution pour la fête de sa collègue, d'autant plus qu'elle serait au nombre des invités. Sébastien l'aida à choisir des minibouchées et des sandwiches à préparer la veille. Il lui offrit sa recette de vichyssoise.

Chez TANGAR, Anne avait sollicité ses collègues de travail pour accumuler des bouteilles de jus vides. Patiemment, elle les avait fait tremper pour en décoller l'étiquette. Avec l'aide de Sylvie, elles avaient peint une jonquille sur chaque contenant avec de la peinture à faux vitrail. Son amie l'artiste traçait les fleurs alors qu'elle-même ajoutait des tiges, des feuilles et quelques brins d'herbe. Le résultat l'enchantait. Anne excluait de confier tout à fait les bouteilles à Sylvie. Ce travail d'équipe offrait donc un bon compromis. Mais elle refusa catégoriquement de lui expliquer à quoi serviraient ces contenants.

— Je n'ai aucun talent en dessin, avait dit Anne.

— Tu sais, dans le dessin, il y a beaucoup de technique, avait rétorqué Sylvie, tu peux apprendre.

Après une longue réflexion, elle avait invité Marthe Simoneau.

— Écoutez, vous êtes ma voisine immédiate et ça risque moins de vous déranger si vous êtes des nôtres, plutôt que d'entendre le vacarme d'à côté. On sera une vingtaine, vous connaissez la plupart des gens. Et puis, avait continué Anne, cela pourrait être une façon de bien entamer votre saison estivale, contrairement à l'année passée. Fini les cochonneries sur le terrain, la vue du conteneur, le bruit des ouvriers avec leurs outils.

Marthe Simoneau avait été surprise et touchée par l'invitation d'Anne. Jamais on ne l'invitait. Son côté pragmatique vint à la rescousse pour lui permettre de ne pas afficher son malaise.

— Si la température se gâte et qu'on est obligés de rentrer, ça va vous prendre quelques chaises de plus d'après ce que vous dites. J'en ai quatre que je pourrais vous prêter.

— Oh, répondit Anne, j'avais oublié cet aspect. Vous avez raison, il en faudra davantage. J'accepte avec plaisir, je viendrai les chercher tôt le matin de la fête.

Jacinthe Labrie avait fait savoir à Anne qu'elle et son mari ne pourraient être présents. Ils se rendaient sur la Côte-Nord pour les funérailles de sa grand-mère. Elle lui avait apporté un magnifique freesia en jardinière suspendue. Plus tard, Anne apprit qu'elle avait consulté Florence avant d'arrêter son choix sur cette plante qui représentait l'amitié durable.

Mireille était arrivée la veille avec son amie Élizabeth. Anne leur avait proposé de louer une chambre au motel d'à côté pour plus d'intimité. Elles avaient refusé catégoriquement.

— Ce n'est pas la première fois qu'on partagera un lit pendant un voyage, avait dit Mireille.

— On se sent comme des adolescentes, ajouta Élizabeth. On passe un long moment à jaser et quand le sommeil nous gagne, on dort comme des loirs.

— Et tu nous laisses te donner un coup de main dimanche matin pour les préparatifs. On pourrait remplir tes boîtes à lunch, suggéra Mireille qui avait aidé sa fille à les rentrer dans la maison.

— Ça, pas question! avait répliqué Anne. Vous êtes mes invitées et je veux que vous ayez aussi la surprise du contenu au même titre que le reste des gens. Je vais compléter une liste des tâches de dernière minute et vous pourrez m'aider de cette façon.

Ainsi Mireille et Élizabeth s'étaient rendues au village pour l'approvisionnement en glace, et elles avaient fait un détour chez Sylvie puis chez Agathe pour rapporter des glacières et des chaises d'appoint. Alain et Simon arrivèrent au même moment qu'elles. Anne achevait d'aligner les boîtes dans le réfrigérateur. Les hommes descendirent le matériel sur la plage pendant que les trois femmes dégageaient la pièce principale et la véranda pour que tout le groupe puisse circuler aisément. Le ciel se montrait menaçant: il y avait de fortes probabilités que la pluie les oblige à se réfugier à l'intérieur en fin de journée. Quand les préparatifs furent terminés, Alain décréta:

— Bon maintenant, on traverse de l'autre côté de la rue, Florence a préparé une soupe-repas. Ça va t'inciter à prendre une pause, Anne, avant que tous les invités n'arrivent.

Il empoigna Mireille et Élizabeth sous le bras, Simon prit la main d'Anne et les quatre répondirent joyeusement à cette invitation.

Ce dimanche-là, Anne nageait en plein bonheur même si le ciel demeurait gris.

Jasmin avait apporté sa guitare. Installé sur un billot, il chantait des airs de Vigneault, de Félix Leclerc, de

Léveillée et de Beau Dommage ; les gens fredonnaient avec lui. On aurait dit un bivouac de scouts. Ou plutôt une chorale en spectacle. Sabrina avait une voix si belle, si juste. Agathe s'approcha d'elle, leurs voix à l'unisson ressortaient du groupe. Quand Jasmin entonna les premières notes de *L'hymne au printemps,* le reste des invités se turent, envoûtés par ce duo. Anne observait Félix qui regardait sa dulcinée avec admiration. Son frère avait fini par se caser et Anne se rendrait à Maria en juillet pour leur mariage. Ils avaient acheté une petite maison face à la mer, elle y séjournerait une semaine avec sa mère pendant le voyage de noces des tourtereaux. Quand Jasmin fit résonner la dernière note, Thérèse et Marthe Simoneau, assises côte à côte, lancèrent une main d'applaudissements fracassante qui devint contagieuse.

Josée et Sébastien étaient venus après l'affluence du brunch. Ils avaient aidé l'hôtesse à descendre et à ranger les boîtes repas dans les glacières disposées sur la plage.

— Dis donc, avait rétorqué Josée, tes boîtes à lunch sont parfaites, autant pour l'œil que pour le palais. Qu'est-ce que tu dirais qu'on s'associe pour un volet « traiteur » ?

— T'es sérieuse ? C'est vrai que je me suis amusée en les préparant, mais de là à entreprendre un déploiement de ce côté… ; je serais quand même curieuse de savoir ce que tu as derrière la tête. On en reparlera.

— J'aime beaucoup l'idée de la calligraphie, en plus elle est très soignée. Est-ce que la personne qui l'a tracée est ici ?

— Elle arrive justement, elle descend l'escalier, fit Anne. Viens que je te présente.

Sébastien continuait à ranger soigneusement les boîtes au froid, et il observait le groupe tout en écoutant la musique. Ce petit bout de femme qu'était sa voisine savait rallier les gens et possédait un vrai sens de l'accueil. Il avait dissimulé sa surprise de voir Marthe parmi les invités. L'été précédent, elle profitait de chacune de ses visites au restaurant pour exprimer ses doléances sur cette nouvelle venue qui dérangeait sa tranquillité avec tout son fracas. Maintenant, elle semblait s'entendre comme larron en foire avec cette collègue d'Anne, et elles partaient régulièrement d'un grand éclat de rire. Depuis qu'il la connaissait, jamais Sébastien n'avait vu Marthe Simoneau aussi joyeuse. Il s'interrogeait sur cette Thérèse qui possédait des pouvoirs mystérieux pour arriver à la dérider ainsi quand il aperçut Anne et Josée en train de se diriger vers les deux femmes. Il était impatient d'obtenir les impressions de Josée concernant Thérèse.

Simon Laprise circulait d'un invité à l'autre. La veille, Anne lui avait présenté Félix et sa fiancée. Sa conversation avec Félix lui confirmait que frère et sœur nageaient maintenant dans des eaux plus calmes. Les deux hommes étaient tous deux amateurs de pêche.

— Cette année, je me suis équipé pour la pêche au saumon, confia Félix. J'ai toujours rêvé d'aller pêcher dans les rivières à saumon de la Gaspésie. Maintenant que j'habite là, c'est beaucoup plus accessible.

— Tu te plais là-bas? s'informa Simon.

Félix y avait vu une simple marque d'intérêt venant du petit ami de sa sœur. En fait, Simon réfléchissait sérieusement. Il devait parler avec Anne, mais pas aujourd'hui. Il désirait que cette fête si minutieusement préparée demeure exempte de préoccupations.

Il l'observait, tout en discutant avec son frère. Elle circulait, rayonnante au milieu de ses amis. Cette jeune femme aimait les gens réunis autour d'elle. Même sa voisine revêche se montrait plus conciliante. Il la regardait et admirait sa sincérité, sa joie de vivre, sa capacité à aller de l'avant après la chute de son piédestal. Simon n'avait pas voulu tomber amoureux. L'amour emprisonne, rend esclave et oblige à blesser l'autre si le besoin de liberté devient un élément de survie. Anne lui avait fait confiance en déposant les armes devant son mur de protection, en dévoilant ses faiblesses et sa vulnérabilité. Sans le chercher, elle l'avait touché droit au cœur. Malgré lui, leur amitié s'était transformée en un sentiment plus profond. Quand leurs regards se croisèrent, son sourire irradiait, et elle fit voler un baiser avec une grâce et une tendresse qui le bouleversèrent. Il l'aimait, il ne voulait pas lui faire mal. Son attitude avait réussi à délier les entraves de son cœur pour qu'il s'abandonne à nouveau à l'amitié… et à l'amour. Comme il adorait cette femme !

— Tu es bien songeur, dit Sylvie qui s'était approchée de Simon, avec son amoureux.

— Tu trouves ? Je pensais à Anne, à cette journée qu'elle a mis tant de soin à préparer. Une réussite à ce que je vois, je me réjouis pour elle.

— Je vous ai entendus parler tous les deux, fit l'amoureux de Sylvie s'adressant à Simon et Félix, amateurs de poisson à ce que j'ai pu comprendre.

Les deux hommes poursuivirent leur conversation sur des histoires de pêche. Simon et Sylvie s'éloignèrent un peu. Simon regardait tour à tour le fleuve, la maison juchée quelques mètres plus haut, si chère au cœur d'Anne. Il plongea dans le regard bleu de Sylvie et lui fit part de son dilemme. Il la rencontrait seulement pour la troisième fois, cependant il savait qu'il pouvait lui confier ce qui le tourmentait.

Au moment où la distribution des boîtes repas commençait, Anne aperçut Ingrid et Andrew au haut de l'escalier. « Tout mon monde est maintenant présent », se réjouit Anne. Elle sauta au cou de sa belle-sœur, elles avaient convenu toutes les deux qu'elles resteraient à jamais des belles-sœurs. Ingrid le souhaitait, elle n'avait plus de famille et son estime pour Anne était indéfectible.

Chaque invité avait trouvé un message personnel dans sa boîte. Cela provoqua un moment de grande émotion que Jasmin souligna en reprenant sa guitare, juste pour mettre une touche de magie, comme un cadeau emballé qu'on embellit d'un joli ruban. En une phrase, Anne exprimait à chacun la raison pour laquelle il comptait dans sa vie. Pour signer, elle avait simplement écrit *Merci !* Comme une bouteille à la mer, le joli papier était glissé dans la fiole décorée de jonquilles peintes à la main.

Subitement, Anne réalisa que le feu de joie préparé la veille par Simon et Alain ne pourrait être allumé : une fine pluie commençait à tomber et des nuages noirs annonçaient un déluge imminent.

— Tout le monde à l'intérieur ! cria Anne.

La remontée s'organisa avec méthode. Les hommes empoignèrent les glacières et quelques chaises pliantes. Les femmes s'occupèrent des boîtes et des couvertures. Ils eurent juste le temps de se mettre à l'abri avant que n'éclate un violent orage.

Jasmin glissa un disque dans le lecteur, Simon et Alain installèrent les chaises dans le salon et la véranda. Chacun prit place pour terminer le repas.

Ingrid faisait face au foyer et admirait la toile accrochée au-dessus du manteau de cheminée. En voyant la signature, simplement Flo, elle sut que Florence en était l'artiste. Simon vint la rejoindre.

— Tu connais le langage des fleurs? questionna Simon.

— Seulement le sens de la rose rouge qui veut dire amour passionnel. Pourquoi me demandes-tu ça?

— Savais-tu qu'Anne avait cueilli le bouquet peint sur ce tableau le matin où elle préparait l'envoi de son CV? Florence avait insisté pour qu'elle s'évade dans le jardin afin de tenter de diminuer sa nervosité, un genre de diversion, quoi. Et ça a marché. Florence a dessiné un croquis de l'arrangement pour le peindre. Cette femme interprète le langage des fleurs et avance même qu'on choisit celles qui traduisent nos états d'âme, nos espoirs ou nos préoccupations du moment. Un poème accompagnait le tableau quand elle l'a offert à Anne, et il traduit bien le sens de cet agencement.

— Et… tu le connais? demanda Ingrid devant son silence.

Simon se pencha pour prendre un gros livre. Il souleva l'épaisse couverture et en tira une feuille qu'il remit à Ingrid.

— Tiens, tu peux lire, dit-il en lui tendant un joli papier. Anne veut l'encadrer. Quand on connaît tout le symbole de cette toile, ça lui donne une valeur inestimable. Du moins pour Anne.

Fière et belle,
Pleine de colère, une pivoine
Attire le regard.
Discrète et légère,
Vêtue de rose tendresse, un cosmos
Balance sa joie de vivre au vent.

Entrelacées dans le lilas,
Des roses miniatures murmurent :
« Je te suivrai partout ! »
Ainsi lovées dans la verdure où
La vigne respire l'abondance,
Le berbéris annonce le succès et
La spirée crie Victoire !
L'essence des fleurs
Teinte celle de l'âme
Rencontre leurs voix
Pour suivre ta route.

— Très révélateur et un brin prémonitoire, fit Ingrid après sa lecture.

Les invités circulaient librement, félicitant Anne d'avoir si bien réussi la métamorphose de cet endroit.

En sortant de la salle de bain, Sabrina intercepta Anne. Cette future belle-sœur gaspésienne était presque née dans l'océan. Elle avançait même que de l'eau salée coulait dans ses veines.

— Dis-moi donc, Anne, où t'es-tu procuré ce porte-serviette ? Si j'en déniche un, tu m'en voudras pas si je l'achète ?

— Cherche toujours, répondit Anne en riant. C'est une pièce unique. Une adolescente a peint les coquillages sur les gros galets et son père a fixé ce bois de mer que j'avais trouvé sur la grève pour le transformer en support.

— Tu es très inventive, j'adore cet objet.

— Disons que mon amie Sylvie a l'imagination débordante et qu'elle m'inspire.

La soirée se déroulait dans une ambiance chaleureuse. Florence s'amusait à dessiner quelques esquisses des invités. Un petit groupe agglutiné autour de Jasmin chantonnait au son de sa guitare. Aidée de Marthe, Mireille lavait les verres tandis qu'Alain et Félix jouaient au barman, offrant vin, bière, jus ou café. À tour de rôle, les invités parcouraient l'album photo laissé à la vue de tous: Anne y avait glissé des clichés de son chalet avant et après, de même que durant les étapes de transformations. Ceux qui ne l'avaient pas vu avant l'arrivée d'Anne réalisaient l'ampleur de ce que cette jeune femme avait entrepris et… toute seule.

Marthe Simoneau fut la première à quitter la fête, enchantée de sa soirée. Félix et Sabrina suivirent de peu pour retourner à Québec alors qu'Ingrid et Andrew partaient au même moment; ils avaient une réservation dans un hôtel de Saint-Nicolas.

— Tu es épatante, Anne, fit Ingrid. Je suis contente d'avoir connu tes amis. Je te souhaite beaucoup de bonheur avec Simon. On se revoit à mon mariage.

— Dis-moi donc, vous êtes-vous consultés, toi et Félix? En allant à son mariage une semaine avant le tien, j'aurai une grande partie du trajet de complétée pour me rendre au tien en Nouvelle-Écosse.

— Si je te disais qu'on s'était parlé?

— Tu es incroyable, je t'aime, belle-sœur.

Tous finirent par partir, les derniers étant Alain et Florence… et Simon qui devait regagner l'hôpital pour travailler. Mireille et Élizabeth aidèrent Anne à ranger et à laver la vaisselle. Une fois en tenue de nuit, les trois femmes s'installèrent en face du foyer où crépitait un feu; les meubles avaient retrouvé leur place. Anne versa un doigt de Grand Marnier dans trois verres.

— Merci à vous deux pour l'aide et votre présence.

— Merci à toi, dit Élizabeth, de m'avoir si gentiment invitée. Te voir ainsi me donne du courage et de l'espoir pour le futur. Je t'avoue que ça suscite chez moi l'envie d'une réflexion sur la direction à prendre dans ma vie pour l'avenir.

— Accorde-toi un peu de temps, dit Mireille, ça fait à peine trois mois que ton mari est décédé.

— Quand même, je réalise qu'il y a de mauvais plis que je tente d'éviter, qu'il y a comme une petite voix qui m'indique une nouvelle route.

Quelques minutes plus tard, Anne souffla les chandelles toujours allumées et elles se dirent bonne nuit. Elles s'endormirent rapidement.

* * *

Le lendemain, elles finissaient leur déjeuner quand on frappa à la porte.

— Allez, va, dit Mireille. Je m'occupe de ramasser et de laver la vaisselle avec Élizabeth.

C'était Josée. Anne l'entraîna dans la véranda.

— Merci Anne, fit Josée, pour le mot et pour l'amitié.

— Quand je suis arrivée à Berthier, répondit Anne, tu ne peux pas savoir à quel point ton sourire et tes attentions ont pu m'aider à traverser cette période sombre. Une générosité gratuite. Je n'y étais pas habituée. Ça vaut aussi pour Sébastien.

Anne hésita avant de poursuivre :

— Et j'aimerais te confier autre chose. Connaître un couple comme vous deux, c'est réconfortant. Quand je vous ai vus ensemble au restaurant, je me suis rendu compte qu'il y avait longtemps que je n'avais pas eu de modèle de couple sain sous les yeux. D'autres se sont ajoutés par la suite. De constater tout à coup cette concentration de personnes aux qualités humaines m'a aidée à remettre les vraies choses en perspective.

Le téléphone sonna et Josée partit après une grosse bise à Anne. Mireille avait répondu et lui tendit l'appareil dès que la porte fut refermée.

— Anne Savoie, dit Sylvie, tu es une sacrée cachottière ! Cette table est tout simplement magnifique. Ce n'était pas nécessaire !

— Peut-être, mais si tu savais quel plaisir j'ai pris à comploter pour te l'offrir. As-tu reconnu ton arbre tombé ?

Anne avait utilisé son réseau de « gosseux » pour transformer une section du tronc en belles planches épaisses de façon à fabriquer le dessus d'une table à pique-nique. Elle avait déniché des barreaux en fer forgé ouvragés parmi l'amas de vieilles rampes qui, autrefois, ornaient les grandes galeries des maisons ancestrales. La veille, pendant la fête, Thomas Lavoie avait livré la table au même endroit que celle qui avait été détruite par la tempête. Anne était fière de la surprise causée à Sylvie.

— Disons que… c'est mon bois de chauffage que j'ai troqué contre cette table. Ton côté artistique m'a inspirée pour donner une seconde vie à cet arbre magnifique.

— Mission accomplie, s'exclama Sylvie. Encore quelque chose dans mon chalet avec une belle histoire, ça lui donne d'autant plus de valeur. Mille fois merci.

Avec la visite de Josée et l'appel de Sylvie, Mireille constatait une fois de plus les transformations de sa fille, et cela gonflait sa fierté. Le cœur rempli de tendresse, elle partit peu après deux heures avec Élizabeth qui ne tarissait pas d'éloges. « Si ça continue, je vais me sentir si légère, portée par tant de bonheur que je vais m'envoler dans les airs », avait avancé Mireille en riant.

Anne occupa le reste de la journée à faire un léger ménage, à lire et à marcher jusqu'au bout de la plage. Longtemps, elle s'immobilisa sur le rocher, en contemplation devant le panorama, faisant défiler dans son esprit tout ce qui avait transformé sa vie. Particulièrement, la présence de Simon qui la rejoindrait pour souper. Il aimait l'ambiance de sa maison et souhaitait la retrouver en tête à tête. Il avait insisté pour qu'elle ne prépare rien, il verrait à tout.

Elle était à nouveau amoureuse. Un sentiment plus mature, plus spontané que celui de la jeune femme du passé. Sans être invité, l'amour avait frappé à sa porte, et elle lui avait permis d'entrer. Elle était désormais immunisée contre l'aveuglement, celui qui vous entraîne sur une route cahoteuse. L'amour véritable est un phare qui guide, éclaire et donne de l'assurance dans les moments d'incertitude. Dorénavant, c'est ainsi qu'elle voulait vivre.

Épilogue

Assise sur la plage, Anne regardait les milliers d'oies et de bernaches, inlassable devant le spectacle de ce trafic aérien. Les paroles de Simon lui revinrent en mémoire: «*Je me demande où nous serons quand elles reviendront à l'automne.*» Cinq mois s'étaient écoulés depuis cette phrase.

Malgré les kilomètres qui les séparaient, leur amour demeurait vivant. Elle avait découvert la petite ville de Maria en allant au mariage de Félix. Elle y avait rencontré l'ami médecin de Simon et son épouse. En écoutant les deux hommes discuter, elle eut la certitude que cet endroit correspondait au bonheur professionnel de Simon. Elle sut que sa décision de le laisser s'éloigner était la meilleure. D'ailleurs, ce départ n'avait pas sonné le glas de leur histoire d'amour, au contraire. Comme l'envol des oies, Anne et Simon s'envoleraient régulièrement l'un vers l'autre. Comme maintenant, alors que son amoureux sillonnait les airs, Anne irait dans l'heure l'accueillir à l'aéroport de Montmagny pour son premier séjour de congé. À d'autres moments, c'est lui qui viendrait la cueillir à Bonaventure. Environ deux heures de vol pour passer quelques jours ensemble. « Plus agréable que dans les bouchons et le trafic de la métropole », avait dit Anne en rencontrant le pilote du petit avion qui effectuait fréquemment le trajet. « J'imagine que tu feras parfois la route en voiture... avec une passagère », avait rétorqué Mireille quand sa fille lui avait annoncé leur décision.

Anne aimait son existence actuelle. Simon avait commencé le travail à Maria à la mi-septembre. Les tourments de la réflexion n'avaient pas manqué, les nuits d'insomnie non plus, sans oublier la distance qui les séparait et le sentiment de voir le bonheur repartir. Loin de laisser le hasard prendre les décisions à sa place, Simon affrontait les problèmes soulevés par Anne à la manière d'un défi. Progressivement, les balises d'une vie « à distance » s'étaient installées dans le paysage de leur amour. Une semaine à cogiter avant qu'Anne ne lance un « Pourquoi pas ! » Depuis que la décision était arrêtée, une paix intérieure l'habitait. Elle était à l'aise et sereine devant ce choix. Elle repensait à la visite de Simon au lendemain de la grande fête de la crémaillère.

Il était arrivé avec des fleurs et le repas, en partie cuisiné par lui et complété par un traiteur de Montmagny. Il lui avait adressé un regard complice en apercevant la table dressée, les bougies en place et le feu préparé dans l'âtre qui n'attendait qu'une allumette enflammée.

— Tu es en beauté, avait-il murmuré en l'embrassant. Tu reçois quelqu'un ?

— Oui, une personne très importante. Et toi, tu es sur ton trente et un, as-tu un rendez-vous galant ?

— Avec un joli papillon, avait-il dit en déposant son sac et le bouquet pour la saisir dans ses bras et l'enlacer un long moment.

Anne goûtait cette chaleur qui l'enveloppait, elle aimait cette fougue qui l'étreignait, elle humait son eau de toilette sur ses joues fraîchement rasées. Simon respirait l'odeur de ses cheveux remontés en chignon, il caressait son visage si doux, si beau, à peine maquillé, juste une luminosité qui donnait de l'éclat. Il adorait sentir dans ses bras cette femme à l'apparence fragile, mais forte. Ils restèrent soudés un long moment, dans l'affection grandissante qu'ils ressentaient l'un pour l'autre. Un passage d'outardes, une envolée de milliers de volatiles détourna leur regard et les entraîna au bord des fenêtres.

— J'aime tellement entendre ces oiseaux, avait murmuré Anne. Je me sens bercée par leurs cris. Peu après mon arrivée, je m'attardais à écouter cacarder toutes ces oies et ces bernaches à leur passage, et je suis tombée sous le charme. C'était comme si elles m'invitaient à construire mon nid ici. J'ai appris que leur voyage est très long, elles font escale dans le coin pour se nourrir, renouveler leurs forces avant de poursuivre leur route. Elles me rappellent que moi aussi, j'ai fait escale ici pour apprendre à me nourrir de ce qui est vrai. Leur passage évoquera toujours cette étape de ma vie.

— Ce sont sans doute les dernières de la saison à prendre la direction du nord, avait ajouté Simon. Je me demande où nous serons quand elles reviendront à l'automne.

Sa question avait fusé malgré lui, comme si son subconscient l'avait dicté. Anne s'était tournée pour lui faire face, une interrogation marquant son visage.

— Anne, avait-il commencé, la prenant par les épaules. Il y a quelque chose dont je voudrais te parler. J'y réfléchis depuis plus d'une semaine et je me sens devant un choix difficile.

— Ça me concerne ? avait-elle demandé en déglutissant.

— En quelque sorte, puisque je considère que tu fais maintenant partie de ma vie.

— Alors ? avait-elle questionné, fébrile et le cœur palpitant.

Simon l'avait entraînée vers la véranda, sa pièce préférée de la petite maison.

— Anne, tu sais comme je t'aime, mon petit papillon. Cet amour que je ressens pour toi occupe une grande place dans mes pensées. J'aimerais tant partager mes rêves avec toi. Je sais à quel point Berthier t'est cher, à cause des belles amitiés que tu as développées, de ton travail que tu adores…

— Simon, qu'est-ce qu'il y a ? Je sens que quelque chose te préoccupe, comme si…

— Anne, on m'a offert un poste en région. Ma vie professionnelle est devenue trop routinière, même si je travaille un peu plus souvent à l'urgence. Ce qu'on me propose correspond à mes aspirations, contrairement à la pratique dans les grands centres où l'exercice d'une médecine surspécialisée compartimente l'être humain. Je souhaiterais exercer une médecine familiale dans une vision globale du patient. Une approche humaniste qui combine médecine traditionnelle, homéopathie, psychologie. En région, on fait preuve de plus de souplesse pour ce type de travail sortant des sentiers battus. Tu sais, la plupart des médecins et des membres du personnel démontrent beaucoup de dévouement et de compassion envers les malades, mais ils sont souvent prisonniers des règles administratives et de la sacro-sainte performance qui les empêche d'accorder le temps d'écoute nécessaire aux patients. Je refuse de me trouver devant l'impératif de soigner un corps, point. Je ne veux pas me sentir coincé comme ça.

Simon avait laissé passer un silence avant de poursuivre.

— Si j'ai l'occasion de pratiquer une médecine qui s'approche de mes aspirations, je ne voudrais pas la manquer.

— Tu es quelqu'un de noble, Simon, avait fini par dire Anne qui avait écouté, silencieuse et en ayant l'impression qu'un trésor lui glissait des doigts.

— Tu es consciente de l'implication, et que ça pourrait changer la donne pour nous deux ?

— Oui, et je ne te cacherai pas que ça m'attriste. Tu as un rêve, ignorer le rêve de l'autre pour protéger un supposé sentiment que « l'amour est plus fort que tout », c'est se leurrer. À la longue, avec la routine et le quotidien, le regret et le ressentiment finissent par étouffer cet amour. Tu partirais pour le Grand Nord ?

— Non, je ne retournerai pas dans le Nord, ça me démolit trop, ce serait destructeur. Ce serait en Gaspésie, à l'hôpital de Maria.

— Quoi ! Le même hôpital que Félix ? fit Anne, remplie de surprise.

— Hum, hum, simple coïncidence. J'ai un ami médecin qui travaille là-bas.

— Alors, tu vas partir ?

— Je voulais t'en parler avant de prendre une décision.

— Pourquoi ?

— Anne, parce que tu comptes vraiment pour moi, parce que je t'aime.

Anne était heureuse de la place qu'elle occupait dans le cœur de Simon, et elle savait que sa réaction pouvait influencer sa décision. Mais la tristesse l'avait submergée, elle comprenait les valeurs qui dirigeaient la vie de cet homme, et c'était d'ailleurs l'une des raisons pour laquelle elle l'aimait.

— J'ai besoin de digérer un peu tout cela, avait répondu Anne après un long silence. Si on mangeait? Il me faut un peu de temps avant de me prononcer.

L'attitude d'Anne l'avait touché, surpris aussi. Elle ne l'obligeait pas à choisir, elle ne pleurait pas, elle ne le traitait pas d'égoïste ne pensant qu'à sa carrière. La réaction d'Anne contribuait à faire grandir son amour, rendant sa décision encore plus difficile.

La musique avait comblé les longs silences du repas. Anne était souriante, calme et parfois songeuse. Simon s'était occupé du service, se montrant attentionné, courtois et souvent affligé en regardant cette femme qui avait réussi à semer du bonheur dans son existence. Ils avaient pris le café dans la véranda, assis côte à côte et muets, admirant le soleil couchant, la tête d'Anne adossée à son épaule.

Simon n'était pas resté pour la nuit. Sur le pas de la porte, après un long baiser, Anne lui avait dit:

— Il y a une solution et on la trouvera. Ensemble. Je souhaite que tu sois bien dans tes choix, et je veux vivre en fonction de mes aspirations. J'espère qu'ensemble, on pourra s'épauler et atteindre le bien-être.

— Tu es le plus magnifique de tous les papillons, petite Anne. C'est ce que j'espère aussi. J'attends que tu me fasses signe quand ta réflexion sera terminée.

Dès qu'il fut au volant de sa voiture, les yeux de Simon s'étaient embués. La porte à peine refermée, Anne avait pris place devant le foyer en regardant les flammes à travers un voile de larmes. Le froid l'avait réveillée au milieu de la nuit, encore allongée sur le divan, empêtrée dans le jeté; dans l'âtre, les braises s'étaient éteintes.

Une fois dans son lit, elle fut incapable de retrouver le sommeil.

Le lendemain, elle était passée chez Sylvie avant de se rendre au bureau.

— Tu as l'air de quelqu'un qui a dormi sur la corde à linge… à moins d'une nuit mouvementée, commenta Sylvie avec un brin de malice en lui offrant un café.

— Non merci, j'aimerais que tu m'aides à réfléchir au sujet de quelque chose. J'aurais besoin de l'oreille d'une amie et… du point de vue d'une psychologue.

— Oh ! je vois, avait dit Sylvie. Le dilemme de Simon ?

— Quoi ! Tu es au courant ?

— Dimanche à la fête chez toi, il m'en a parlé. Il ne voulait pas assombrir ta journée, mais je l'ai senti soucieux devant une décision à prendre. Il avait besoin d'ouvrir un peu les vannes.

— On pourrait souper ensemble pour discuter ?

— Je pars pour Québec dans la minute, mais je reviendrai ce soir. Oui, on peut manger ensemble, si tu peux m'attendre, disons vers sept heures.

— Merci, avait répondu Anne. La pizza de Sébastien, ça te va ?

— Peu importe, un simple *grill cheese* ferait l'affaire. Allez, essaie de passer une bonne journée.

— Merci de tout cœur, Sylvie.

— T'aider à réfléchir et non te dire quelle décision prendre. OK?

— J'ai juste besoin de mettre de l'ordre dans mes idées.

Ce jour-là, Anne avait mesuré à quel point son travail comptait. Elle aimait les tâches et l'esprit d'équipe, l'enthousiasme de chacun à s'impliquer vers les mêmes objectifs. Non, elle n'était pas prête à quitter l'entreprise. Pas maintenant.

Et puis, sa vie ici lui apportait beaucoup. Elle avait besoin de se poser pour consolider tout ce qui avait fait renaître son assurance. Il lui fallait intégrer davantage les valeurs qu'elle avait maintenant adoptées. Sylvie, par sa vision des choses, avait permis à Anne d'entrevoir la vie à deux autrement que dans un fonctionnement traditionnel. Elle était en couple avec son amoureux depuis plus de vingt ans, ils partageaient leur quotidien depuis à peine sept ans. Et ils s'aimaient encore comme des tourtereaux.

Deux jours plus tard, en arrivant au bureau, Anne avait téléphoné à Simon en lui laissant un bref message :

— Le papillon est prêt, il t'attend pour souper si tu es disponible.

Retardé par une consultation en urgence, Simon s'était présenté plus tard que prévu. Anne avait préparé un plateau de sandwiches et des salades. Ils avaient longtemps parlé, jusque tard dans la soirée, à jauger les possibilités, à discuter des mesures qui conviennent à chacun, à considérer comment ils pourraient vivre au quotidien leur choix. Cette fois, Simon avait passé la nuit chez Anne. La décision arrêtée avait balayé toute la tension des derniers jours et leur étreinte s'était imprégnée d'un élan qui attisa en eux un feu sacré. Comme si chacun voulait garder au fond de lui des braises que même la distance ne pourrait éteindre.

— C'est parfois difficile de vivre loin de la personne aimée, avait dit Anne, mais probablement que nos moments seront plus intenses, plus goûteux, comme un concentré.

— Et si nos retrouvailles épisodiques sont aussi fougueuses que celles de la dernière heure, je pense que ça comblera la distance qui nous sépare, ajouta Simon.

— Fougueux ! reprit Anne en souriant. Tu crois que le quotidien y changerait quelque chose ?

— Sans doute, peu importe leur type, les relations sont un perpétuel mouvement. À nous de leur donner la direction souhaitée.

— J'aime ta vision, c'est vrai que rien n'est statique, ni permanent. J'ai besoin de rester une autre année chez TANGAR avant d'envisager un changement professionnel. Je souhaiterais bien boucler la boucle.

— C'est tout à ton honneur, avait répondu Simon en resserrant son étreinte.

Anne aimait quand il la serrait si fort dans ses bras, c'était un geste protecteur, de grande tendresse. En ce moment, c'est aussi l'admiration que cet acte traduisait. Elle avait usé de franchise pour lui faire savoir qu'elle ne pouvait concevoir d'enfant.

— Tu sais, avait-il ajouté, j'ai maintenant les pieds dans la quarantaine et cet élément ne m'a jamais préoccupé outre mesure. J'aime bien mon rôle d'oncle gâteau quand je vais en visite chez mes sœurs. Et puis, si un jour le besoin d'enfant devient important, on discutera à ce moment-là des possibilités, comme maintenant pour notre situation professionnelle. Il y a toujours l'adoption. L'important, c'est de faire régulièrement le point pour établir les balises de notre vie de couple.

— Un moyen de maintenir la fougue ?

— Tu as bien saisi ma pensée, avait répondu Simon, en riant. Et… tu es sûre que je peux laisser quelques effets chez toi ?

— Certainement, avait rajouté Anne remplie de tendresse, ça me donnera l'impression qu'ici, c'est aussi chez toi. Et j'imagine que je pourrai laisser quelques traces de ma personne chez toi ?

Par la suite, chacun s'était construit un petit nid sur le territoire de l'autre.

* * *

C'était en plein désespoir qu'Anne avait découvert ce magnifique village. Elle avait repris vie après une dure période à macérer dans une zone inconfortable. Elle avait surmonté cette turbulence en trouvant sur sa route l'entraide, l'amitié et l'amour. Elle était revenue vers sa famille et avait découvert un milieu de travail qui s'accordait avec la nouvelle Anne. Son amour pour Simon la mènerait peut-être vers une autre contrée… ; elle y réfléchirait et prendrait une décision, le moment venu. Pour l'instant, elle souriait de bonheur en regardant une immense volée d'oies s'élever dans un ciel si lumineux qu'il traçait des touches argentées sur les ailes des volatiles. Anne aperçut alors le petit avion qui les avait fait fuir.

Ouvrages de référence

Solitude face à la mer, Anne Morrow Lindbergh, Amiot-Dumont, 1956.

Le langage secret des fleurs, Vanessa Diffenbaugh, Presses de la Cité, 2011.
Ce roman a servi de guide pour l'interprétation des compositions florales.

L'école des désirs 1 et 2, Sylvie Gendreau, Les éditions Céra, 2004.
Ces ouvrages ont inspiré la structure et le fonctionnement de la compagnie TANGAR.

EXTRAIT DE

Le jardin au clair de lune

DE CORINA BOMANN

Prologue

Londres, 1920

Perplexe, Helen Carter contempla son reflet dans le miroir. Une longue cicatrice partageait son visage en deux, le maquillage mêlé à ses larmes dessinait un motif marbré sur ses joues. Ses yeux couleur ambre, de forme exotique, brillaient étrangement sous l'épaisse couche de mascara noir qui lui donnait des allures de vedette de film muet.

Helen ne s'était jamais intéressée au cinéma, sa seule passion était la musique. En cet instant, cependant, il lui semblait jouer devant une caméra. Ce qui venait de se passer aurait tout aussi bien pu sortir de la plume d'un de ces gratte-papiers qui rôdaient devant les portes des studios, un scénario à la main, dans l'espoir de rencontrer un producteur.

Helen lâcha un bref éclat de rire amer, aussitôt suivi d'un sanglot. Ses yeux s'emplirent à nouveau de larmes qui se teintèrent de noir avant de glisser le long de ses joues.

À peine quelques minutes plus tôt, tout allait parfaitement bien. Sa carrière de violoniste était plus que prometteuse, elle avait le monde à ses pieds. Dans une demi-heure, une foule viendrait écouter son interprétation de Tchaïkovski au London Hall – le roi George V lui-même avait annoncé sa présence ainsi que celle de son épouse. Un honneur dont peu de musiciens, si talentueux fussent-ils, pouvaient se vanter.

Helen avait toujours eu de la chance. Repérée en tant que prodige dès l'âge de dix ans, elle passait aujourd'hui, à dix-huit ans tout juste, pour l'une des plus brillantes virtuoses du monde. Même la presse italienne n'avait pas hésité à qualifier la jeune Anglaise d'héritière de Paganini. Quand son agent lui avait montré ce gros titre, elle avait souri. Ils pouvaient croire ce qu'ils voulaient! Elle savait à qui elle devait son succès. Elle se souvenait très bien du serment qu'elle avait fait.

Mais voilà que cette femme étrange avait surgi de nulle part, trois jours plus tôt. Comme une ombre, elle l'avait suivie et était apparue dans quasiment tous les endroits qu'elle avait fréquentés. Chaque fois qu'Helen parcourait les rues de Londres, elle la croisait. Quand son regard s'échappait par la fenêtre pendant qu'elle révisait une partition, il tombait sur la silhouette de cette femme, plantée sur le trottoir d'en face.

Le premier jour, Helen avait pris cela pour un hasard, mais quand le phénomène s'était répété, elle avait senti une certaine nervosité la gagner. Elle avait parfois affaire à des admirateurs un peu fous – les femmes ne faisaient pas exception, d'ailleurs –, prêts à tout pour un instant en tête-à-tête avec elle.

Quand elle en avait parlé à Trevor Black, son agent, ce dernier avait balayé l'incident d'un geste:

— Bah, encore une vieille folle inoffensive, que veux-tu qu'elle te fasse !

— Inoffensive ? Les fous ne sont jamais complètement inoffensifs ! Qui sait si elle ne transporte pas un couteau dans son sac à main ! avait répliqué Helen, mais Trevor semblait convaincu de l'innocence de la vieille dame.

— Si elle continue à te poursuivre après le concert, on en parlera à la police.

— Pourquoi est-ce que nous ne le faisons pas maintenant ?

— Ils riraient de nous, voyons. Regarde-la !

Trevor avait pointé un doigt vers la fenêtre. L'étrange femme était toujours plantée au bout de la rue. Sa silhouette était légèrement ratatinée, sa robe noire semblait d'une autre époque et les traits de son visage avaient quelque chose d'asiatique. Elle avait beau s'interroger, Helen ne comprenait pas pourquoi cette femme la suivait. Un souvenir d'enfance avait bien resurgi, l'espace d'un éclair, quand elle l'avait vue pour la première fois, mais il s'était effacé aussi vite qu'il était venu.

Il ne pouvait plus subsister de doute, désormais, sur le fait que la femme avait effectivement guetté une occasion de lui parler seule à seule. Par un mystérieux stratagème, elle était parvenue à se glisser dans la loge juste après que Rosie se fut absentée pour aller vérifier si la salle était pleine, sur ordre d'Helen. En l'apercevant, Helen avait d'abord eu le réflexe d'appeler du secours, mais la femme avait quelque chose d'hypnotisant qui lui avait coupé la voix.

Ce que cette femme lui avait révélé au cours de ce bref entretien était à la fois si effrayant et si bouleversant que quelque chose s'était fissuré en elle. Furieuse, Helen avait attrapé le premier objet qui se trouvait à portée de sa main et l'avait lancé vers la femme, mais au lieu de l'atteindre, l'objet avait percuté le miroir de sa loge.

Visiblement effrayée par sa réaction, la vieille dame s'était enfuie, la laissant seule avec cette terrible révélation. Bien sûr, son étrange visiteuse avait pu mentir, mais quelque chose disait à Helen que ce n'était pas le cas. Grâce à ses paroles, tout prenait un sens. Des images oubliées depuis longtemps, le souvenir de mots prononcés devant elle, certaines pensées qui lui avaient traversé l'esprit – tout s'assemblait soudain comme les pièces d'un casse-tête.

Helen jeta un coup d'œil au violon qui reposait à côté d'elle. Avant que l'inconnue ne fasse irruption dans sa loge, elle s'était attelée à un passage particulièrement difficile de la partition, qu'elle espérait revoir une dernière fois. Les choses s'étaient déroulées bien autrement, finalement.

Les mains tremblantes, la jeune femme saisit l'instrument et le retourna. Tandis que ses doigts caressaient la rose gravée sur son dos, un visage apparut dans son esprit. Le visage de la femme qui lui avait offert ce violon. Était-ce vraiment possible ?

Quand la porte s'ouvrit brusquement derrière Helen, son violon laissa échapper un étrange claquement métallique. En fouettant sa peau, une corde avait laissé une traînée sanglante. Profondément perturbée, Helen regarda les gouttes rouges se former à la surface de la blessure. Le souvenir de sa cruelle professeure de musique de l'époque l'emplit soudain de colère. Elle était sur le point de se lever et de lancer l'instrument dans un coin de la pièce quand le visage chaleureux de Rosie s'afficha derrière elle, dans le miroir.

— La salle est pleine !

Le sourire de son habilleuse s'effaça aussitôt.

— Mon Dieu ! Est-ce que tout va bien ?

Elle avait étouffé un cri en apercevant le sang couler entre les mains de la violoniste.

— Ce n'est rien, lui répondit Helen avec sang-froid. L'une des cordes a sauté, je n'ai pas fait attention.

Elle ne sentait quasiment pas la douleur sur son poignet, la colère qui la submergeait ne laissait place à aucune autre sensation.

En temps normal, elle aurait immédiatement fait réparer l'instrument, mais aujourd'hui, elle ne parvenait même pas à se relever de sa chaise. Elle doutait d'ailleurs de pouvoir se lever un jour.

— Est-ce que vous avez besoin de quelque chose, Mademoiselle Carter ? demanda la costumière perplexe, mais Helen secoua la tête.

— Non, ça va aller, Rosie. Je n'ai besoin de rien.

Les mots étaient sortis de sa bouche avec davantage de fermeté qu'elle n'aurait voulu.

— Mais vous allez bientôt entrer en scène. Le violon...

Helen secoua la tête, l'air absent. Oui, elle était attendue. Hélas, la visite qu'elle venait de recevoir ne l'avait pas seulement bouleversée, elle lui avait aussi ôté l'assurance nécessaire pour jouer ce concert. Peu importe si cela représentait la fin de sa carrière, en cet instant précis, Helen ne souhaitait qu'une chose : s'éloigner d'ici au plus vite, se débarrasser de ce maudit instrument qui l'avait blessée tout autant que celle qui lui avait appris à en jouer. Cet instrument qui lui avait été offert par une morte.

Le violon à la main, Helen se leva et se dirigea vers la porte, la tête haute. Elle quitta la loge, indifférente aux appels de son habilleuse et à la corde cassée qui se balançait contre son mollet. Depuis la salle de concert lui parvenait la cacophonie des musiciens en train d'accorder leurs instruments. Peine perdue, puisque le concert n'aurait pas lieu. Le murmure impatient du public n'avait plus de sens, désormais.

D'un pas sûr, elle se dirigea vers la sortie de secours du bâtiment sans se soucier du regard surpris des machinistes. *Je ne suis pas à ma place, ici. Je ne veux pas de tout ça. Je veux qu'on me laisse tranquille. Je veux... j'ai besoin d'y voir plus clair.*

Quand Helen ouvrit la porte, le violon laissa échapper un son discordant, comme pour la mettre en garde. Un vent froid et humide fouetta son visage. À cette période de l'année, Londres était particulièrement désagréable, surtout pendant la nuit, mais elle s'en foutait. La coupure à son poignet lui faisait mal et l'instrument lui sembla très lourd, tout d'un coup. Espérant échapper au regard de la morte qui la hantait, Helen s'engagea vivement dans la rue, juste en face du London Hall.

Ce n'est qu'en entendant le vacarme assourdissant d'un klaxon, trop près d'elle, qu'elle aperçut les phares éblouissants d'un véhicule qui s'approchait à toute allure. Elle leva les bras comme pour l'arrêter.

Achevé d'imprimer le 09 mars 2016